《六朝選詩定論》對身體與時空之闡發

—— 兼論吳淇之情辭觀

鄭婷尹 著

文史哲學集成

文史哲出版社印行

國家圖書館出版品預行編目資料

《六朝選詩定論》對身體與時空之闡發
—— 兼論吳淇之情辭觀 ／ 鄭婷尹著.--初
版 -- 臺北市：文史哲, 民 107.02
　頁；　公分（文史哲學集成；704）
參考書目：　頁
ISBN 978-986-314-370-3(平裝)

1. 中國詩　2. 詩評　3. 六朝文學

820.9103　　　　　　　　　　106025275

文 史 哲 學 集 成　　704

《六朝選詩定論》對身體與時空之闡發
—— 兼論吳淇之情辭觀

著　　　者：鄭　　　婷　　　尹
出 版 者：文 史 哲 出 版 社
　　　　　http://www.lapen.com.tw
　　　　　e-mail：lapen@ms74.hinet.net
登記證字號：行政院新聞局版臺業字五三三七號
發 行 人：彭　　　正　　　雄
發 行 所：文 史 哲 出 版 社
印 刷 者：文 史 哲 出 版 社
　　　　　臺北市羅斯福路一段七十二巷四號
　　　　　郵政劃撥帳號：一六一八○一七五
　　　　　電話886-2-23511028 · 傳真886-2-23965656

定價新臺幣六○○元

二○一八年（民一○七）二月初版

ISBN 978-986-314-370-3　　01704

本專書共獲三項補助

103 年度科技部專題研究計畫（新進人員研究）
（MOST 103-2410-H-017-033）

104 年度科技部專題研究計畫（一般型研究）
（MOST 104-2410-H-017-021）

106 年度科技部專題研究計畫（學術性專書寫作）
（MOST 106-2410-H-017-028）

On "Sense of Body" and "View of Space and Time"
in *Liuchao xuanshi dinglun*

—— including Wu Qi's view on Lyric and Phrases

Abstract

Ming and Qing dynasties are the golden age for the poetry criticism of the Six Dynasties. However, there a few important poetry criticisms that do not receive sufficient attention. One of them is Wu Qi's（吳淇）*Liuchao xuanshi dinglun*（六朝選詩定論）. We summarize Wu Qi's poetry criticism as the two topics, "Sense of Body" and "View of Space and Time". The discussion about these two topics will help us understand Wu Qi's view on lyric and phrases specifically.

Wu Qi's special insight can be seen from his visual observations. From the explanation of looking up and down, Wu Qi demonstrated human activities in sentences of poems purely describing objects by means of vision, from which we see Wu's emphasis on the subjectivity of human beings. If the phrases of looking up and down explicitly appeared in poems, Wu focused on the explanation of insights behind poems.

In the explanation of looking forward, Wu Qi emphasized on the emotion about "even poets cannot see the targets, they still insist on looking forward". It will strengthen poem emotions by Wu's expounding on flows of sights. As to "looking forward" and "space and locality", we can see subjective feelings in his explanation of objective distances. Besides, Wu showed historical thinking on the exploration of overlooking a certain space. When the view is limited with wandering and standing, we can see gearing between both things. Wu paid more attention on criticality body resonance triggering for emotions and thought.

In the appearance of lighting, we discuss how Wu Qi carefully explained illusory and changeable light and shadows. He showed that light and shadows could more vividly create an atmosphere for arousing poem affection than other real objects did. Finally, the analysis of "Who observes the objects?" could provide readers different perspectives on reading poetry.

Wu Qi's hearing explanation contains two parts: "the analysis of the relationship between sounds and emotions in audio media" and "the sense of hearing and other body senses". The former part includes human voices and natural sounds. For human voices, Wu Qi's discussions on human voices tend to focus on sad tones and affections, which provided a comprehensive view of sad experience when passing down from the classical poetry enlightenment. In particular, he emphasized the musical aspect and the audio components in ancient poetry. As a result, we see the explicit tendency of Wu Qi to express feelings with music. For natural sounds, we infer from his discussions on natural sounds that he expressed more concerns about individual feelings than political ethics.

The second part "the sense of hearing and body senses" can be divided into two categories: "the hearing feelings caused by atmosphere" and "the association of the sense of hearing and other body senses". In the first category, Wu Qi addressed the atmosphere which formed by wind multiplies sense of hearing and feelings. In the second category, he put emphasis on the key role of hearing among the five senses and the sensation caused by hearing.

The comments related to behavior in *Liuchao xuanshi dinglun* can be categorized into feet, hands, and the rest. The first category regarding feet can be divided into wandering and standing, which are involved with issues of time, space, vision. With respect to wandering and standing, the three issues can be further extended as "displaying time jump or time continuity", "the field related to foot action", "whether the field of view is restricted", respectively. However, for either wandering or standing, since they are often connected with military expedition or political establishment, which lead to a deep affection for nostalgia, the sentimental feelings in traditional culture of official living in exile could be revealed concretely and thoroughly.

The second category regarding hands, and Wu Qi's comments related to hands are delicate and complex, since hands could perform more subtle motions than feet. Wu's explanations concerning hands infer that he paid attention to simple motions that were easy to be ignored, which shows Wu's careful scrutiny and unique insights. From the third category of comments related to behavior, we could see Wu's core idea of respecting classics. Wu's comments could be viewed as the concrete practice of his core idea.

Wu Qi's study of time firstly stresses the importance of present time. In addition to his important attempt for turning a moment into eternity, he points out that present time carries past memories, while past time has the key effect of strengthening the emotion perception at the present time.

For the perception of the passing of time, he aims to demonstrate the sensation that results from suddenness. While people tend to ignore gradualness, Wu Qi specially points out that gradualness can be considered as continuing suffering. As for time passing slowly or quickly, the greatest breakthroughs in Wu Qi's poetry criticism for previous dynasties is to transfer the surface structure （i.e., appearance similarity, word phrasing, excellent introduction, etc.） focused by previous studies to the level of affection by means of the explanation of the speed of time. Regardless of how time passes, the passing of time appears to be irregular, giving people the sense of oppression that time is hard to be controlled.

Once we understand the progress of time, we could further

identify the source of time perception. This is mainly due to the appearance of objects and the four seasons. The appearance of objects has the effect of embodying the abstract time. In *Liuchao xuanshi dinglun*, the objects that change themselves are often plants and are connected with human vision, which shows Wu Qi's insights into common impressions. The objects that rarely change themselves are often animals and insects, and they are usually connected with the sense of hearing. Wu's criticism is relatively simple on those rarely changed objects.

As for four seasons, Wu Qi puts special emphasis on the first-hand experience that autumn arouses astonishment and sensation, which strengthens poets' individual feelings on the basis of the tradition of autumnal melancholy. Wu Qi points out the sentimental aspects of summer and winter, i.e., summer has the effect of lighting up fall, while the passing of time in winter is worth noticing. These observations thoroughly express poets' affections and the corresponding variations due to season changes, which also implies that even for seasons of being neglectful, the sense of tension for the passing of time still exists everywhere.

Wu Qi's space explanation is tinged with elements of the morality of Monarch and Country, which can be categorized three parts: "the space of fixed positions", "shifting in the suburbs" and "position and vision". For the space of fixed positions, we can further divide this part into "living residences" and "county departments". Personal characteristics could be observed in the living residence, which was supposed to be relaxed and enjoyable. However, Wu emphasized the restrictive aspect which resulted in an atmosphere of sorrow due to the constraint of political culture. As for the county departments, Wu Qi's comments on space recognition indicated the fascination of scholar-officials with monarch-subject ethics. On the other hand, scholar-officials frequently showed emotional conflict when they participated in official circles, because they could not easily settle down in their careers.

In the second part "shifting in the suburbs", Wu Qi was skilled at demonstrating the emotional fluctuation of poets when they were in different places, which makes the role of space, given less attention in the poetry, become more organized and more elaborate. Particularly, Wu also focused on poets' illusion of the sense of distance. The spatial distance was doubled as a result of subjective imaginations, which might, however, be the true feelings of poets.

In the last topic "position and vision", Wu Qi paid more attention to the north-south direction, which raised more concerns about Monarch and Country. This is due to the reflection of traditional political culture, Wu Qi's poetry view that valued monarch-subject ethics, and his own experience. His poetry criticism of space enriched the connotation of issues of Lyric and Scene.

The value of Wu Qi's poetry criticism lies in three aspects. First, from the view of historical development, it is more detailed and accurate than the studies in previous dynasties, and its style is more noticeable than similar studies in his time. Second, Wu Qi's poetry criticism provides us a different perspective on the stereotype of the poems in the Sixth Dynasties, which enhances our comprehension of Sixth Dynasties poetry. Finally, there are very few studies regarding these two topics in Wu Qi's time. He concretely expressed his opinion on some issues which are related to the two topics in classical poetry. These ones also show Wu Qi's systematic approach to poetry criticism. Above three points indicate that it is worthwhile to investigate Wu Qi's poetry criticism.

Keywords：Wu Qi（吳淇）, *Liuchao xuanshi dinglun*（六朝選詩定論）, **Vision, The Sense of Hearing, Behavior, Time, Space, Lyric and Phrases**

張 序

　　婷尹針對清初吳淇《六朝選詩定論》所做的研究專書即將出版，當可視為她學術生涯的一個新高峰。爰應其請，略綴數言，以為紹介。

　　《文選》收詩四百餘首，與賦五十多篇、文一百多篇同傳於世。六朝詩風已盛，諸家作品傳世者不少。昭明太子再加選取，當然有其主觀的依據。今人恆言《文選》入錄標準為「事出於沉思，義歸乎翰藻」。其實細讀〈文選序〉，昭明之意何但如此而已。倒是再借昭明〈答湘東王求文集及詩苑英華書〉所言，他的文學理想為「麗而不浮，典而不野，文質彬彬，有君子之致」；兩者合觀，庶幾比較接近真正的《選》旨。近年來《選》學復興，《文選》學者的意見大抵已經趨於一致了。

　　吳淇生當明末清初，還在最早提倡「沉思翰藻」說的阮元之前。阮元云：「必沉思翰藻，始名為文，始以入《選》也。」這自然是昭明太子對文學特徵的緊要把握，也是阮元對《選》文特徵的緊要把握。吳淇論「六朝選詩」，有其溯源沿流的深刻用心，似乎並未特別關注「沉思翰藻」云云；但是他對各詩情思流轉的細膩分析，以及對詩篇逐字逐句的精密叩應，確是把情、辭兩者的結合推上了一個難得的高度，也等於把六朝詩家的「沉思」與「翰藻」切實地展演在後世讀者眼前。如用吳淇

自己的話來說：「詩有內有外。顯於外者曰文、曰辭，蘊於內者曰志、曰意。」而古人之心事，就表露在此內外之中。若能細心理會作者的「慘澹經營」處、「淋漓盡興」處，則文學之美妙自可渙然大明。不止此也。吳淇以為《選》詩上承《詩經》，雖「以文為主」而「理與道寓焉」，故如蘇、李等作，真可謂「直接《風》《雅》」，「折文質之衷」，「抒發性情，深合和平之旨」，而能為詩歌典範。這又與〈文選序〉的「《風》《雅》之道，粲然可觀」、〈答湘東王書〉的「文質彬彬，有君子之致」均有相通之處。故知吳淇實深于《選》，並深于詩，他的《六朝選詩定論》，實是極自負語、極得意名，哪裡只是「昭明業有定論，余不過從而論之」而已！

吳淇既細細追究《選》詩之情、辭，則他對於詩中人、物、情、景之交相感動、互為影響，自必能有深微的觀察與推理，從而作出適切的闡發。這就自然而然帶出了所謂身體感與時空感的闡釋角度。人身的感觸之幽微，時空的變化之窈渺，在他而言都是不可忽略的詩境。譬如詩中著一「望」字，他強調即此一身體動作之微也都牽連迷濛的情感波蕩，故云「遐望必有遐思」、「思之不已而望，望之不已而感」、「意存乎望，不在乎見與不見」等等，把「望」的意致透析到十分。又如區區的行步進止之微，他也總要點破其蘊含的情感質量，如鮑照詩「夜移衡漢落，徘徊帷戶中」，他說：「徘徊句，不是玩月，乃是懷人；徘徊既久，不覺夜已深矣。」陸機詩「佇立慘我歡，寤寐涕盈衿」，他說：「士衡赴洛，一步一步，俱有回顧故鄉之思。」顏延之詩「遲遲前途盡，依依造門基」，他說：「遲遲，足之淹；依依，心之淹，總是一片戀戀不捨之意。」這些地方，讀詩的

人或許多能自行體會，但說詩的人有意運用大量筆墨細加釐辨，吳淇自是第一開先。至於諸般身體動作往往逗引出時空遠隔之感，遂又造成另一重哀感，則從來詩筆早已天然成就，而吳淇也常有精采的解說。此如古詩〈孟冬寒氣至〉，由「仰觀眾星列」引出「三五明月滿，四五蟾兔缺」；〈庭中有奇樹〉，由「攀條折其榮」引出「馨香盈懷袖，路遠莫致之，此物何足貴，但感別經時」；詩意既勝，吳淇的梳理亦淋漓盡致。

關於吳淇對《選》詩所涉時空議題的特殊關懷，婷尹此書作了不少闡發，也有不少創獲。其中最值重視者，是她明確指出以「頓」「漸」角度論時間推移應是由吳淇首著先鞭。清人張庚《古詩十九首解》曾多次運用這組概念說古詩，今人吉川幸次郎及蕭馳之名著也頗有涉及，然而吳淇的首創之功卻被有意無意湮沒。「頓」是「密度上的衝擊」，「漸」是「長度上之折磨」，詩人俱有實感；吳淇自己對年命之感較能恬然以「漸」待之，對相思之感則都兼顧「頓」「漸」兩端加以發揮，指明強烈對比的時間感受。因知《選》中「贈別」、「悼亡」之詩最是動人心魄。這些認知，不可不謂是相當精刻的。另外空間感受方面，婷尹又指出：相對於不歸的遠人遊子，家園常成為文化制約下愁人思婦的拘囿場所，種種寂寥荒寒，在《選》詩中一一展現。而迢迢不見的京邑常是士人心中的眷戀，郡署學省則成為失意的象徵；依違於仕隱之間是他們人生的不可解除之矛盾，遂不可掩抑地在詩中展現出來，尤以「遊覽」、「行旅」之詩最為顯著。這些見解，雖受到吳淇的啟發，仍然是研讀六朝《選》詩、甚至其他古典詩歌作品的重要參考。

吳淇精於詩，見諸湯斌為他所作墓誌銘，云：「往來省會，

山行水宿，蠻煙瘴雨，誦讀之聲達丙夜。家園萬里，宦況冷絕，幽憤無聊，一寓之於詩。」他著《六朝選詩定論》，雖偶有明人評點求之過深之弊，所謂「三際說」、「漢道論」又不甚為並時先後文學評論家認可，然而《四庫提要》藐忽視之，甚至以為：「其詮釋諸詩亦皆高而不切，繁而鮮要。」則絕非公允之論。民初黃節以注解中古詩歌聞名，黃先生自言：「余讀漢魏六朝詩，得此方能用思銳入。其中雖有推求過當，而獨見處殊多。」此始是吳書恰當的評價。婷尹條理此書，用思深細，成績斐然，一方面接續了她自己碩博士論文以來的研究方向，一方面參考了現今流行的新理論與新角度來為吳書找尋新定位，誠可謂是極有意義的力作。

　　明代學人研古詩者不止吳淇一位。2009 年，廣陵書社新排出版了《六朝選詩定論》。其前一年，上海古籍出版社也新排出版了陳祚明《采菽堂古詩選》。其後一年，河北大學出版社又出版了陸時雍《古詩鏡》。這都有助於讀者的接受，可以視為研究《選》詩、或云古詩的利器。至於劉履《選詩補注》迄今似乎只有民國十年上海掃葉山房本，而鍾惺、譚元春《古詩歸》則尚無現代刊本可用。作為《選》詩的愛好者，我們當然期待更多更好的研究資材能夠陸續面世。而婷尹的這部大著，則是最新的一筆研究成績。

張蓓蓓 2017 年 10 月
序于台灣大學中國文學系十八研究室

自　序

　　筆者之所以會針對吳淇《六朝選詩定論》做深入的鑽研，當可追溯自十四年前之因緣。彼時自己還是懵懵懂懂的小碩二，在恩師張蓓蓓先生的提點下，決定深探《昭明文選》五臣注，正是因為對五臣注的研讀，開啟自己於古典詩歌評注的興趣，而有後續博士班期間對明代中古詩評的一系列探討。明清階段雖未能於詩歌創作上展現熠熠光彩，卻在詩歌批評方面有頗為輝煌的成績，吳淇《六朝選詩定論》即是其中一本不容忽略之專著。

　　放眼目前學界之研究方法，探研評注本而分敘其評點特色、評點方法，固然不失為中規中矩的處理模式，然而極易陷入偏向關照詩歌闡釋「體例」的窠臼中，而難以較好地展現詩歌評注內蘊之思維。另一方面，吳淇尊經、重漢道的主張，也絕非僅是簡單地回歸儒家詩教傳統，這其中尚有許多曲折變化有待釐清。基於上述這些考量，慮及吳淇品評之實際表現，並綜合六朝、明末清初的時代背景、文化狀態，筆者抽繹出身體感知、時空兩大軸線，期能更系統而貼切地呈現吳淇評注之思維。

　　關於身體感知，主要由視覺、聽覺、行止三大主題來談。視覺方面首先探討「俯視仰觀」，要在突顯吳對「人之主體性」

的重視；而於「望」的目光流動中，則可見吳對「見意存乎望，不在乎見與不見」（十五／419）的特殊堅持，這其中尚牽涉到視覺與空間、身體動作之關聯；至於光覺，則可由吳對虛幻、難以掌握之光影的闡發中，見到其體物之細微；最後誰之「見界」（四／79）的探討，旨在呈現吳淇突顯相異觀看者的目光之際，有何饒富玩味處。

　　聽覺的探討主要由人文之樂、自然之音、聽覺與身體感知等三部分來談。在人文之樂的闡發中，可以見到吳對於樂音、聲聞與情思的關係有較原詩更為清晰、有層次之梳理，並在他更重哀怨之音的評說中，見到吳較之於傳統詩（樂）教，表現出對促屬情思有更大的涵容。至於自然之音，從吳評中可窺其一貫重情、將情思具體化之特點，且可見到聽覺在昏暗環境中對視覺的彌補作用。他對鳥叫、蟋蟀、蟬鳴之評尚有各自不同的側重，從而表現出其尊經之際復顯新變之思維。最末聽覺與身體感知，則可見吳對風、氛圍與聽覺的多重品評，展現出其解讀聽聞時偏重人文之樣貌；並可窺得在吳淇眼中，聽覺於諸多感官中的特殊地位。

　　在「行止」的主題中，則區分為足部、手部與其他行止三類加以探討。足部類以「徘徊」與「佇立」為大宗，兩者明顯涉及時間、空間與視覺等議題，而有「展現時間延續或跳躍」、「足部動作涉及之場所」、「視野侷限與否」……等種種差異。透過吳的闡發，可具體而微地窺見傳統羈旅文化中之感傷情懷。手部則因舉止細微，吳淇之評相應顯得細膩而複雜，而可由此見到吳對多元情思之闡發。而舉手投足以外之行為舉止，除了可見吳對尋常而易被忽略的動作有特殊的關照，尚可藉由

對此評注的觀察，一探吳尊經、重漢道的思想。

　　吳淇的時間闡發，表現出對現前一刻的留意，除了試圖彰顯塵剎上立世界的可能性，還特別指出「過去」強化當下知覺情緒的關鍵性作用。至於時間推移予人之主觀感受，吳淇有著意於頓漸、遲速的傾向，其評尚清楚呈現相異時間感受對詩人心緒之影響。吳還進一步點出時間流逝的主觀感受內蘊著「起伏不定」的特點，而予人時間難以掌握之壓迫感。此外，他還指出動、植物等相異物色於時間呈現上所蘊含之不同意味，並於四季的闡述中，強調秋使人「驚」、「覺」之親身體驗，表現出悲秋傳統慣性書寫之外個別化的一面；而面對較易讓人有凝滯感受的夏、冬兩季，吳則揭示其較具情緒色彩的一面，這就提醒著我們，即使是普遍較易使人忽略時間推移的季節，時間流逝的壓迫感仍無所不在。

　　最後在空間主題中，吳評展現出較濃厚的君國倫理色彩。其中定點空間的探討主要可區分為「日常居所」與「郡署王居」，前者雖可窺得私人烙印；然在吳評中，予人安穩印象之居所卻多展現規範、限囿的一面，表現傳統政治文化制約的影子。吳對郡署王居的闡發雖也表現出文人對君臣倫理的眷戀；但他還著意指出詩人身處官場之矛盾情思，呈現詩人依違於仕宦間心靈漂泊之樣貌。至於詩作主人翁在空間之移動，吳擅長彰顯空間層次變換、對比中情感之同步起伏；並對詩人主觀想像造成錯覺的空間感受多所闡發。最後「方位與視覺」的子題中，吳更留意南北方向性，較多表現出其中蘊含君國情懷的趨勢，此乃傳統政治文化、吳重視君臣倫理及其本身遭遇之反映。

　　透過上列諸多探討，不論是填補詩歌批評史於觀點上之縫

隙，或者是展現吳淇異於前朝的評注模式，俱可窺見《六朝選詩定論》於詩評史上之價值；透過吳淇細膩的品評，亦有助於讀者反思或深化對六朝詩歌的理解；並對情景、君臣倫理……等諸多古典詩學議題能有更進一步的探討，凡此種種，俱為拙作所欲提供之貢獻。

拙作有幸於書寫之初即得「103 年度科技部專題研究計畫（新進人員研究）」之補助，隨後又獲「104 年度科技部專題研究計畫（一般型研究）」、「106 年度科技部專題研究計畫（學術性專書寫作）」等獎助，學術長路漫漫走來，衷心感謝科技部以及匿名審查委員的厚愛與鼓舞，方能有信心堅持下去。專著中五大主要篇章視覺、聽覺、行止、時間、空間，第三章「視覺」、第四章「聽覺」與第六章「時間」已分別為《中正漢學研究》、《東吳中文學報》等 THCI 核心期刊所接受；第五章「行止」則是受到世新大學中文系「第九屆兩岸韻文學學術研討會」的邀約發表；此外，最後一章餘論中提及對陸機詩作之反思，亦已收錄於《興大中文學報》。這些篇章在收入專著之際，俱做了一定幅度的修改與補充，期能更符於專書之脈絡；限於單篇論文之篇幅而捨棄未用的資料，亦藉出版的機會補足；另一方面，慮及專書之完整度，除了於第一章「緒論」、第八章第三節「《六朝選詩定論》之價值與接受」通盤梳理相關之背景資料與整體貢獻，更補寫了第二章「吳淇詩歌觀要說」、第八章第一節之二、之三、第二節等單元，俾使整體論述架構能更趨充實與完善。

在整個寫作過程中，基於對研究對象之情感，時不時會揣想距今三百多年前的吳淇，究竟是一位怎麼樣的學者？他是在怎麼樣的情境下，於案牘前書寫對《選》詩的種種評注？雖有

史料可考，畢竟有限；我想知道的，是那個更活生生、也許和
自己一樣在無數個夜晚裡，遙望窗外苦思、為了釐清某個思維
而於枕席間翻來覆去的吳淇。此雖皆屬謬想，卻在完成拙作的
此刻，似乎更貼近了吳淇一些。

鄭婷尹 2017 年 12 月
謹誌於國立高雄師範大學國文學系

《六朝選詩定論》對身體與時空之闡發

──兼論吳淇之情辭觀

目　　次

第一章　緒　論

　　吳淇，字伯其，別號冉渠，睢陽人，生於明萬曆四十三年（1615），卒於清康熙十四年（1675），順治十五年（1658）進士，與王士禎、林雲銘同榜及第。其祖「以文學名」[1]，父「博學工詞賦」，可見吳之文學造詣頗具家學淵源。吳頗為熱衷文學，除了因「宦況冷絕，幽憒無聊，一寓之於詩」，更常與「二三舊友結社賦詩」、「與文士校讎討論，夜則挑燈對讀，遇得意高叫長歌」，像這般於文學投入大量精力，能有一番成就似乎是可以理解的。更具體而細部來看，吳氏「深於道家言」，並對《易》有所專攻，另有《參同契正論》、《陰符經正論》、《道言雜錄》等著，對於「天文、曆法、律呂、音韻、易占、勾股、算術，及西洋奇器之學，無不精詣」，由此可見其關照事物的角度之廣泛與通博，反映在詩歌評注上，即是展現多元觸角；加以吳淇「為制舉藝，不拘尺幅，落落有奇氣」、「讀書既多，時出其新奇者資談柄」，《六朝選詩定論》中「新奇」的閱讀視角正可與此相應。要之，上述種種俱為吳展現特殊詩評眼光之重要背景。

---

1 本段與下一段之引文皆出自湯斌〈江南鎮江府海防同知冉渠吳公墓誌銘〉，收於清‧吳淇著，汪俊、黃進德點校：《六朝選詩定論》(揚州：廣陵書社，2009.8)，頁 486-488。為清耳目，以下凡引用該書，俱逕於引文後方簡單標示(卷/頁)，不另附註。

另一方面，吳曾任廣西潯州、粵西、鎮江等地方官職，「嘗舉歐陽崇公『求其生而不得，則死者與我俱無憾』之言自警」，並適時為民伸冤，足見其當為寬厚之仁人。吳承繼儒教精神，乃傳統讀書人普遍可見之樣貌；而下文將論及其對詩作之哀情展現較大的涵容，此與吳為官寬厚、常能憐憫百姓，在精神上是暗相呼應的。

吳目前可見之著作僅《雨蕉齋詩》、《粵風續九》與《六朝選詩定論》，前者乃吳淇創作之詩集，現存殘卷；次者為吳淇編選之民歌集；《六朝選詩定論》則是一部專門評注《文選》選詩之作，吳淇並未擇錄詩歌，而全循《文選》所錄，因此書名中之「六朝」與一般理解不同，乃漢、魏、晉、宋、齊、梁，本文凡提及「六朝」此一辭彙，所指涉之朝代將與吳同。至於「定論」所指，按照吳淇的說法，「昭明業有定論，余不過從而論之，所以尊《選》也」（一/1），雖云尊《選》，事實上若詳閱其評，誠時時可見吳自顯新意處。且該書論詩，是「以《文選》所錄諸詩歌，自漢高帝以下以時代編次，而荊軻〈易水歌〉十五字別為一卷終焉」[2]，異於《文選》按題材分類的模式。吳淇改變《文選》的排序誠有其用意，按照時代先後，是為了申明知人論世之主張[3]；唯一例外之〈易水歌〉，則因吳認為此「直開漢道之先」（十八/483），故單列一卷，其置於全書之末，當有總結《選》詩之意。分而觀之，卷一說明創作緣起，提出《選》詩承《詩

---

2 清‧紀昀總纂：《四庫全書總目提要‧選詩定論提要》(石家莊：河北人民出版社，2000.3)，卷191，頁5216。

3 其主要論述如下：「苟不論其世為何世，安知其人為何如人乎？余之論『選詩』，義取諸此。其六朝詩人列傳，仿知人而作；六朝詩人紀年，又因論世而起云。」（一/36）

三百》、「專主漢道」（一/1）等主張；卷二主要分為「統論古今之詩」、「總論六朝選詩」兩部分，「將古今之詩分為三際」（二/40），《選》詩屬於二際，並「闡述諸種詩體的淵源流變以及諸多名家的長短得失及其承傳關係」[4]。卷三以下則按漢、魏等朝代及詩人順序，一一具評《選》詩。

　　以下將具體說明與本書（「《六朝選詩定論》對身體與時空之闡發──兼論吳淇之情辭觀」）相關之研究成果，復交代研究論題之訂定、研究方法、進行步驟及預期貢獻，從而以此為基，展開對吳淇《六朝選詩定論》中身體、時空等主題的一系列探討。

第一節　文獻回顧暨反思

　　與《六朝選詩定論》相關之文獻回顧暨反思，主要可區分成「《六朝選詩定論》之研究成果」、「六朝詩歌批評史要說」、「身體、時空等主題之研究成果」等三大部分。前者與本書之書寫密切相關，故將詳細說明目前的研究成果以及對筆者之啟發；其次六朝詩歌批評史主要限定在《六朝選詩定論》以前，屬於古典文獻之回顧，之所以將這部分納入緒論，乃是考慮到本書之論述模式，為了彰顯吳著突破前人之處，將適時與其他詩評家之六朝詩評相比對，因此概括掌握六朝詩歌批評史發展之樣貌誠屬必要；最後身體、時空等主題之研究成果頗為豐碩，故

---

4 清・吳淇著：《六朝選詩定論》，點校說明頁2。

僅聚焦說明與本文書寫較具關連者。茲分述如下。

一、《六朝選詩定論》之研究成果要述暨省思

　　面對唐代以來讀書人熟知的《文選》，吳淇專門針對詩歌類加以品評，評注雖偶有往儒家詩教靠攏而略顯附會處，然若通觀《六朝選詩定論》，會發現即使與《文選》成書已時隔一千一百多年，而這期間亦有不少詩評家針對《文選》或古詩做注，然吳著相較於前此或同時的《選》詩注本或古詩選注本，其述評之詳密仍無人可出其右；此外，就清代《文選》學盛行的狀況來看[5]，吳書又佔有先鋒的地位，因此不論是從古詩選注本或《文選》學發展的脈絡而言，再或是就該書的內涵來談，《六朝選詩定論》俱有深入探討的價值。但該書實際上並未受到太多的重視，付梓以後，有清一朝殆僅周亮工、吳偉業、《四庫全書》等極其少數幾家留意到此書：

> 　　揭其旨要、領其菁英，條分縷析，使聲與情偕適，辭與事俱安。（周亮工《六朝選詩定論・序》/1）
>
> 　　自《詩》三百以及漢魏樂府、蘇李五言，晉宋齊梁諸體，同源異派，脈絡相承，皆能講求貫穿；又旁搜史事，論其時世以考據之，泛濫廣博，勒成大集。其持論

5　例如胡紹瑛《昭明文選箋證》、許巽行《文選筆記》、梁章鉅《文選旁證》……等，共同顯現清代《文選》研究之盛況。清代《文選》學極其興盛之貌，可參王書才：《明清文選學述評》(上海：上海古籍出版社，2008.8)，頁 109-118；王小婷：《清代《文選》學研究》(上海：上海古籍出版社，2014.9)……等學者之研究。

精核，凡當世言詩之家，無以易其說。(吳偉業《六朝選詩定論‧序》/3)

　　《六朝選詩緣起》一卷，皆雜引六經以釋之，迂遠鮮當。……其詮釋諸詩，亦皆高而不切，繁而鮮要。[6]

三段論述皆以概括的方式評論吳書，周亮工、吳偉業固然點出《六朝選詩定論》之特點與價值，然吳淇如何「使聲與情偕適，辭與事俱安」、「泛濫廣博，勒成大集」、「持論精核」？從周、吳二人之評，恐難具體掌握，故容有深探的空間。此外，《六朝選詩定論》雖有尊經、直紹《風》、《雅》之主張，部分雜引六經處亦有比附之虞，然是否如四庫館臣所言「皆高而不切，繁而鮮要」？則大有商榷空間；而四庫館臣以二「皆」字將該書全盤否定，恐怕是導致吳書湮滅不彰的原因之一。

　　其次，近現代學者對吳書之研究亦極有限，黃節首先提出「余讀漢魏六朝詩，得此方能用思銳入。其中雖有推求過當，而獨見處殊多。」[7]該論已獨具慧眼地留意到《六朝選詩定論》之熠熠光輝，不過何處是吳之獨見？如何見得？黃節在指出該書價值之同時，亦與周亮工、吳偉業之說相仿，留下極多的空白，而大有進一步鑽研之空間。

　　至於現今學界之研究成果，以《六朝選詩定論》為探討對象之論述寥寥可數，根據筆者地毯式搜索的結果，目前可見者，除了張健《清代詩學研究》[8]、馮淑靜《《文選》詮釋研究》[9]之

6　清‧紀昀總纂：《四庫全書總目提要‧總集類存目》，卷191，頁5216。
7　轉引自汪俊、黃進德點校說明之頁4，黃節語見於北京清華大學圖書館藏《六朝選詩定論》扉頁之跋。
8　張健：《清代詩學研究》(北京：北京大學出版社，1999.11)，頁229-234。
9　馮淑靜：《《文選》詮釋研究》(北京：中國社會科學出版社，2011.8)，頁261-266。

部分論述，殆僅有三篇單篇論文及五本碩士論文，分別是黃進德、汪俊〈論吳淇及其《六朝選詩定論》〉[10]、景獻力〈吳淇《六朝選詩定論》對《選》詩的重新闡釋〉[11]、筆者〈吳淇對抒情與擬作的看法──以《六朝選詩定論》評陸機擬古詩為例〉[12]，以及韓志《吳淇《六朝選詩定論》研究》[13]、劉一錡《吳淇《六朝選詩定論》研究》[14]、鐘張麗《論吳淇《六朝選詩定論》「三際」中詩與樂的關係》[15]、王冠玉《吳淇《六朝選詩定論》研究》[16]、張麗嫻《吳淇《六朝選詩定論》批評方法研究》[17]。若以論述重心加以歸納，大致可分成三類，其一是對《六朝選詩定論》的背景性介紹；其二以該著卷一、二通論性內容為闡述核心，偏向詩歌理論的探討；其三則是聚焦於《六朝選詩定論》卷三以降之具體詩評，茲分述如下。

---

10 黃進德、汪俊：〈論吳淇及其《六朝選詩定論》〉，《揚州文化研究論叢》第 1 期(2009 年)。

11 景獻力：〈吳淇《六朝選詩定論》對《選》詩的重新闡釋〉，《福州大學學報》第 89 期(2009 年)該文由景氏博士論文《明清古詩選本個案研究》(福建：福建師範大學博士論文，2005.4)第三章第二節改寫而來，雖云改寫，然二文內容大同小異，故以後出版本為主。

12 鄭婷尹：〈吳淇對抒情與擬作的看法──以《六朝選詩定論》評陸機擬古詩為例〉，《興大中文學報》第 31 期(2012.7)。

13 韓志：《吳淇《六朝選詩定論》研究》(合肥：安徽師大學碩士論文，2010.5)，文長 58 頁。

14 劉一錡：《吳淇《六朝選詩定論》研究》(遼寧：遼寧師範大學碩士論文，2011.4)，文長 28 頁。

15 鐘張麗：《論吳淇《六朝選詩定論》「三際」中詩與樂的關係》(湖南：湖南師範大學碩士論文，2014.5)，文長 53 頁。

16 王冠玉：《吳淇《六朝選詩定論》研究》(湖南：華東師範大學碩士論文，2016.5)，文長 65 頁。

17 張麗嫻：《吳淇《六朝選詩定論》批評方法研究》(江蘇：江南大學碩士論文，2017.6)，文長 79 頁。

(一)「吳淇背景性介紹」研究之省思

黃進德、汪俊之文以及王冠玉碩論第一章即屬此類。黃、汪之文交代了民國以前歷朝《選》詩研究之狀況,並且說明《六朝選詩定論》的創作背景、體例與基本特點,可以視為是對該著之基礎性介紹。黃、汪此文後來改寫成為廣陵書社出版之《六朝選詩定論》的點校說明,兩位學者提供學界一個較好閱讀《六朝選詩定論》之版本。王冠玉之作則可謂後出轉精,對於吳淇之生平、著述及交游俱有詳細之考證。不論是黃、汪或王文,俱為筆者研究《六朝選詩定論》之重要基礎。

(二)「吳淇詩歌理論暨主張」研究之省思

本類研究主要集中探討《六朝選詩定論》卷一、二,張健、景獻力、馮淑靜、鐘張麗等四人之文屬之。張健之論要在點出吳淇將詩歌史分為虞到西周、東周到梁、陳隋等「三際」的宏觀詩歌史觀,說明吳氏對此三際詩歌的看法。該段論述僅佔張健《清代詩學研究》全書相當小之篇幅,只是他對清代整體詩歌、詩評史論述之其中一小環,並非以吳著為主體做細膩之探析;另一方面,張健是站在宏觀的視野觀看《六朝選詩定論》,旨在泛論吳淇的詩觀傾向,雖有助於讀者概括掌握吳的主要思想,至於吳氏如何具體評論詩歌?在這些詳密的詩評中如何展現吳淇對《文選》詩的獨到看法?此與三際之論是否同調?則大有深究的空間。

關於景獻力〈吳淇《六朝選詩定論》對《選》詩的重新闡釋〉一文,景氏認為吳淇以「漢道」規定《選》詩,是清初儒

家詩教精神復興大背景下的產物。景氏之論主要根據《六朝選詩定論》「專主漢道」（一/1）而發，吳淇確實也多次申明此主張[18]。然而值得深思的是，吳淇這類主張絕大多數集中在該書的卷一、卷二，而此兩卷為吳氏自闡理論之言，在實際品評六朝詩作時，雖可見儒家傳統詩教精神之展現，然除此之外，吳淇對詩歌美學、詩作構思與情意間的聯繫等，尚展現出一系列獨到的看法，但景獻力對吳淇具體詩評的留意，幾乎僅著重於「漢道」精神之體現，該文雖然也提到「吳淇倡導的是儒家傳統的詩教精神，但也同樣重視情在詩中的作用」[19]，卻講得非常簡單，僅佔其全文約十分之一的篇幅，事實上，若就《六朝選詩定論》通盤觀察，會發現吳淇其實費了頗多筆墨闡發詩「情」及詩歌的美學意蘊，景文對這部分的輕忽不得不說是十分可惜的。

此外還可進一步思考的是，吳淇之尊經重漢道，是否只是對儒家詩教精神之單純回歸？或者尚有新變？又是如何新變？此乃在景文基礎上可再做深究與細辨處。[20]

總之，吳淇解詩之細膩、開拓面向之廣袤，遠較「漢道」主張多元，這麼看來，景獻力認為《選》詩的「意義被絕對化了，失去了原本的豐富性」[21]是否允當，也就有再次省思的空間。

---

18 如「《選》中所錄，惟五言、七言及四言者，所以尊漢道也」（一/6）、「《選》雖總括六代，必以漢道為宗」（二/48）⋯⋯等，俱可見吳重漢道之主張。

19 景獻力：〈吳淇《六朝選詩定論》對《選》詩的重新闡釋〉，頁73。

20 景文另有一些細部的論述值得商確，例如他既言樂府不合漢道，又說「吳淇選出的漢道五言典範之作為⋯⋯古樂府四篇」（頁72），如此立論似有矛盾之虞。此外，又認為吳淇的「詩學主張實際上是與《文選》相反，是主意不主辭的」（頁72），然而在《六朝選詩定論》的述評中，時時可見吳對詩歌架構、字辭辨析之留意，吳淇是否真如景氏所言不重視辭藻？恐亦有商榷空間。

21 景獻力：〈吳淇《六朝選詩定論》對《選》詩的重新闡釋〉，頁70。

景氏雖點出《六朝選詩定論》重漢道、至情之特點，但顯然過於偏頗前者而忽視後者，並且傾向留意吳著承繼前者的一面，忽略其中之新變，因此留下不少深研的空間。

馮淑靜留意《六朝選詩定論》的角度與景獻力頗為相近，主要著重於「尊經」與「三際」之連繫，而有較強的儒教色彩；其餘則是費心於吳著體例之簡介。其中之侷限與可拓展處與景文相去不遠，故不贅述。

至於鐘張麗《論吳淇《六朝選詩定論》「三際」中詩與樂的關係》，分別從「王迹」、「漢道」、「唐制」三際來看詩、樂間交錯的樣貌，並探討四言、五言、七言與三際之間的關連性，從而將三際與詩樂兩者做了綿密的連繫。鐘文的書寫模式主軸分明，將吳淇所認為詩與樂互涉的發展進程較好地呈現出來，如此「主題式」的論述模式，給予筆者相當之啟發；再者，其對詩樂關係的說明，亦與本文探討吳淇之聽覺闡發有關，而提供筆者更深入鑽研之可能。然而該文畢竟聚焦於吳淇的詩歌理論，而少涉及《六朝選詩定論》中具體詩評的部分，因此這部分自然還有不少可茲發揮的空間。

（三）「吳淇具體詩評」研究之省思

最後一類以吳淇之具體詩評為探討核心的論著，乃除了鐘張麗所著之外的四本碩士論文以及筆者之文。韓志《吳淇《六朝選詩定論》研究》一書，第一章說明吳淇的生平、著述、交遊，第二章則將《六朝選詩定論》的詩學體系分為詩歌本體論、詩歌發展論、詩歌創作論和詩歌鑑賞論等四方面來談。至於第三章，則是說明吳著評析詩歌的方式和特點；第四章試圖將此

書與明清其它古詩論著做比較研究；最後一章聚焦探討吳淇的詩歌創作與詩學思想間的關係。由以上諸章的安排看來，韓志該書貌似頗為全面地探討了《六朝選詩定論》。然而其論多點到為止，茲以第三章「吳淇的論詩方式、特點」為例，此章分為「借評詩而發論」、「重於題解，長於總結」、「想像豐富，闡發詩境」、「溯源浚流，慣於比較」、「字斟句酌，分析透闢」等五點，不是點出現象未進一步解析，便是解說極簡；更何況諸如重題解、長於總結、善於和其他作品比較……等特色，嚴格來講只能算是點出該書在闡釋詩歌時之體例，至於這些題解、總結中，究竟表現出吳淇哪些特出的詩學看法？則幾未觸及。韓志之文並非只有第三章有此侷限，全書對於《六朝選詩定論》的諸多思維確實未能有較深入的析論。該書僅五十八頁，卻欲處理這麼多議題，會有疏漏恐怕是在所難免。

　　至於劉一錡、王冠玉的同題碩論，問題大體與韓志相仿。比方劉氏認為吳淇解析作品時「指摘《文選》詩中瑕疵」、「指出舊注中的謬誤」、「探討詩作背景，發掘創作動機」，同樣有未進一步解析、說明極簡、只觸及詩歌闡釋體例等問題；王文像是第二章「《六朝選詩定論》的細讀法」，底下之節名為「字詞釋義」、「詩旨把握」、「風格辨析」等，亦有偏於體例之虞，因劉、王二文與韓志之作在論述上呈現的問題頗為類似，故僅扼要摘舉，不再贅述。

　　不過如前所言，王冠玉之文畢竟後出轉精，儘管仍有偏向闡釋詩歌體例的情形，而忽略吳淇對情感思維的闡發是否有何趨勢，但該文在第二、三章對於《六朝選詩定論》之「細讀法」、「詩法論」之探討顯得深入許多，特別是第二章，時見與李善、

五臣注詳細的比較，確實能夠較好地展現吳淇評注於體例上之特點。

　　至於王文第四章「《六朝選詩定論》對後世的影響─以黃節為中心」，考慮到吳淇著作對後世的影響，涉及吳評之價值與貢獻，亦饒富玩味。該文是「以《黃節注漢魏六朝詩六種》為切入點，結合蕭滌非所錄黃氏北大詩學課筆記《讀詩三劄記》」[22]，他從「詩歌宏旨」和「詩藝手法」兩方面探討黃節對吳淇評注之留意，當是王文較具新意處。王氏乍看之下頗具條理地呈現黃節對吳評的接受，然而《黃節注漢魏六朝詩六種》以節錄吳淇的說法為主，黃節本身甚少延伸說明，即使結合蕭滌非的《讀詩三劄記》，一來該劄記僅限於曹植、阮籍、謝靈運三家，二來蕭氏所錄黃節筆記中與吳評相關者又極有限，只能從外圍推論黃節對《六朝選詩定論》的接受，而此推論是否必然，誠有不少商榷的空間，例如王冠玉認為黃節所處時代政弛道衰，與吳淇所處之際天下未定相仿，故兩人俱重儒家風教[23]。事實上，傳統文人多受儒教洗禮，是否可言黃節這類觀點與吳淇密切相關？恐需有更堅實的證據。黃節甚少明白表述他對吳評有何看法，而多直接援引吳評卻未做說明，此不得不是欲聯繫黃、吳觀點時的困難之處。不過王冠玉點出「對後世影響」的面向，確實有其貢獻，畢竟就當代而言，有不少鑑賞辭典一類的著作，即大量引用吳說，當可納入探討，如此一來，對於《六朝選詩定論》影響後世之觀察應可更為全面。

　　接著則是張麗嫻之碩士論文。若單看張氏之作，他以「以

22　王冠玉：《吳淇《六朝選詩定論》研究》，摘要語。
23　同前註，頁55。

意逆志」、「參證法」兩軸線詳細探討吳淇之批評方法，主題意識明確，其中像是對於「以意逆志」詮釋史之梳理，亦頗能突顯吳淇獨到處，在論述模式上誠有仿效的價值。然而該文最大的問題是，張氏於「研究現狀」中提及筆者〈吳淇對抒情與擬作的看法—以《六朝選詩定論》評陸機擬古詩為例〉一文[24]，顯然閱讀過該文，卻於正文的論述中，不論是標題的擬定上[25]，或者是闡發吳淇的尊經觀[26]，甚至是對吳評的解讀[27]，有多處與筆者之文大幅雷同，卻未加註說明，實有抄襲之虞，不符學術規範，致使該碩士論文的參考價值頗受質疑。

　　最後〈吳淇對抒情與擬作的看法——以《六朝選詩定論》評陸機擬古詩為例〉則是筆者舊作。擬作因其為「擬」，一般多會被質疑情感是否真摯。陸機詩風以華美著稱，其擬作亦難跳脫此疑惑。然透過吳淇對陸機擬古詩的闡發，會發現不論是與原作細細相較，或是就擬作形構一一拆解，俱可見在他的眼中，陸機擬作實不乏委婉深延的情意，擬作與真情不相矛盾的可能

24 張麗嫻：《吳淇《六朝選詩定論》批評方法研究》，頁 2-3。

25 該文第二章第四節「以意逆志」的具體方法之一「論景以釋情」、之二「虛字運用及虛處闡發」兩標題，與筆者「情景關係」、「虛處運用」的分類頗為類似(〈吳淇對抒情與擬作的看法—以《六朝選詩定論》評陸機擬古詩為例〉，頁 103)。

26 張文對於「哀而傷」(頁 57)、「風雅頌」(頁 58)、「至情」(頁 59)、「吳淇重視至情的時代背景」(頁 59)的相關論述，分別可於筆者之文頁 100-102 找到頗為雷同的論述文字與思維脈絡。

27 張文解讀吳評鮑照〈結客少年場〉(張文頁 36-37、筆者文頁 105)、張協〈雜詩〉(張文頁 37、筆者文頁 105)、陸機〈贈馮文羆遷斥丘令〉(張文頁 39、筆者文頁 108)、陸機〈擬迢迢牽牛星〉(張文頁 40、筆者文頁 117)、潘岳〈悼亡〉(張文頁 40、筆者文頁 108-109)、陸機〈擬青青河畔草〉(張文頁 67、筆者文頁 116)……等處，同樣可見張氏搬用筆者想法與字句的痕跡。

性，或可由吳氏之評得一反思。此外，透過對吳淇品評陸機擬作的觀察，確實可以看出吳氏論詩頗能建構起一套條理分明的闡述模式，意即擅長透過形構的分析闡釋詩情，此乃《六朝選詩定論》一貫的評述模式，其後清朝人重視詩歌修辭的趨向，或可於此窺得端倪。

　　筆者該文試圖在前輩學者的研究基礎上，具體而微地探討《六朝選詩定論》評註之樣貌。然而這篇文章畢竟只展現吳評之一隅，若能將研究範圍擴大至全書，並考慮在個別詩人詩評的基礎上，觀察《六朝選詩定論》是否可由主題式的視角切入，當能對吳著有更透徹的理解，此乃筆者書寫該文時延伸之想法。由於該文之論述還涉及陸機詩歌評價的問題，與本文欲探討的身體、時空等主題之內容有部分相應，因此將舊作改寫，作為「吳評提供讀者重新省思六朝詩人」之例證，置於本文末章之餘論中。

　　綜合上述之文獻回顧及對現有研究成果之反思，可以看出目前學界對《六朝選詩定論》的研究雖已呈現部分成果，然而就「量」而言，仍顯得相當有限，特別是在臺灣，學者們的論著時時可見對吳淇說法之引用，卻未見對《六朝選詩定論》有專門性的研究。更何況就「質」而言，該書頗能展現吳淇論詩之獨到眼光，若置於詩評史的脈絡中，誠可見其獨樹一幟的論述體系，其突破前朝詩評的狀況時或可見，有著無可取代的地位，實有進一步鑽研的價值。而立足於學界的研究成果上，在探討吳書之品評時，若能致力深化對具體詩評的理解，並採取主題式的鑽研模式，既能明確彰顯吳淇對六朝詩歌的看法，論述亦不致流於渙散。另一方面，在主題式探討的同時，亦將觀

察吳淇之中心思想（尊經、重漢道……等）是如何體現於評註中，而吳在繼承舊有詩教傳統之際，又有何新變；並適時納入與吳淇同時、前代詩評之比較；且更全面性地說明吳著之影響。此乃本書立足於前輩學者研究成果的基礎上所欲嘗試之方向。

二、南朝至清初六朝詩歌批評要說

在了解目前學界對吳淇《六朝選詩定論》的研究現狀後，既然本文欲處理的，是關於六朝之詩歌批評，那麼對吳書以前或同時期，也就是南朝至清初的六朝詩評文獻，理應有通盤的掌握。此乃吳淇評注之對照組，與此比對將可彰顯吳書於六朝詩評流脈史中之特點與突破。這部分若按照「與《六朝選詩定論》的親疏關係」為標準，則可區分為「清初以前之六朝詩歌批評」、「清初以前之《選》詩詩評」兩部分，茲要述如下。

（一）清初以前六朝詩評概述暨啟發

關於清初以前之六朝詩歌批評，《文心雕龍》與《詩品》作為現存第一部有系統的文學理論專著與第一部專論五言詩的批評著作，無疑可做為後代六朝詩評比較之基點。

至於唐代的整體批評趨向，鑒於南朝浮靡喪國，唐人對該階段的詩歌多所貶抑，皮日休、柳冕、元稹、牛希濟……等人都有類似主張，如此眼光甚至波及他們對魏晉的看法[28]。這類批

---

28 例如皮日休「今之所謂樂府者，唯以魏晉之侈麗，陳梁之浮豔，謂之樂府詩，真不然矣！」（〈正樂府序〉，收於周祖譔編選：《隋唐五代文論選》（北京：人民文學出版社，1999.1），頁338）、顏真卿「漢魏已還，雅道微缺；梁陳斯降，宮體聿興。既馳騁於末流，遂受嗤於後學。」（〈尚書刑部侍郎贈尚書右僕射

評常以詩教、衛道做為立論的基點，令人感到好奇的是，吳淇主張之「漢道」似與此處之詩教精神有若干相仿，然若細細推究，則可見其異於唐人，而予六朝詩作不同之闡釋。那麼吳於繼承傳統之際，究竟有何突破？此乃唐代六朝詩評可與吳淇詩評對照之重要面向。

至於宋代，則是中國「詩話」之名首度出現之朝代，宋代詩話「以資閒談」的性質固然濃厚，然而像是張戒對曹植、劉楨、陶潛、阮籍詩的情、味、氣之辨[29]，則可看出對於六朝詩作意味、環境氛圍、情景等面向之關懷；吳淇對六朝詩作的闡發裡，亦不乏對情景之留意，那麼吳評是否由此汲取養分，而得更進一步的發展？確有比較、探索的空間。

元代因朝代短促，對六朝詩歌的批評確實較少，然亦有值得留意者，例如楊維禎雖帶有儒家正統觀，同時也注重性靈，與吳淇的詩評似有相仿之處，那麼晚出之吳淇對此又有何突破？當可進一步探究，從而突顯吳氏於詩評流脈上之獨到眼光。

至於明代對六朝詩歌的討論，則遠較唐、宋、元人全面。該階段有不少著作表現出對六朝詩歌的關懷，像是胡應麟的《詩藪》和許學夷的《詩源辯體》，胡氏於《詩藪・內編》以三卷的

孫逖文公集序〉，收於蕭占鵬主編：《隋唐五代文藝理論匯編評注》(天津：南開大學出版社，2002.12)，頁398)……等，俱為貶損魏晉之例。

29 原文如下：「古詩、蘇、李、曹、劉、陶、阮，本不期于詠物，而詠物之工，卓然天成，不可復及。其情真，其味長，其氣勝，視《三百篇》幾于無愧，凡以得詩人之本意也。……大抵句中若無意味，譬之山無烟雲，春無草樹，豈復可觀？阮嗣宗詩，專以意勝；陶淵明詩，專以味勝；曹子建詩，專以韻勝；杜子美詩，專以氣勝。然意可學也，味亦可學也，若夫韻有高下，氣有強弱，則不可強矣。」(宋・張戒著，陳應鸞校箋：《歲寒堂詩話校箋》(成都：巴蜀書社，2000.3)，卷上，頁1-2)。

篇幅分別處理了古體、雜言、五言與七言，六朝詩歌即是其中
主要的探討對象；《詩藪‧外編》則是按照朝代先後順序條列詩
評，其中卷一周漢、卷二六朝，對六朝詩歌之品評頗豐。至於
許學夷，則是在辯體的核心思想下，以多達八卷的篇幅對漢魏
至梁陳的詩人一一品評。這些著作於下文探討吳著時，將會適
時拈出比對。

　　此外，明代中後期（部分跨至清初）出現不少以六朝詩歌
為主體且兼作評述之選本，諸如鍾惺、譚元春之《古詩歸》、唐
汝諤《古詩解》、陸時雍《古詩鏡》、陳祚明《采菽堂古詩選》、
王夫之《古詩評選》……等，與吳淇所處時代接近，且俱針對
個別詩作提出品評，就體例而言，與《六朝選詩定論》相仿，
而充分具備與吳書比對的條件。因為這組評注本乃下文書寫時
重要之參照組，此處茲就其內涵體例作較為詳細之說明，首先
觀《古詩歸》。茲以謝靈運〈酬從弟惠連〉為例，《古詩歸》僅
擇取該詩其中兩章，評語亦簡，僅言「放覽留心，方覺耳目之
妙」、「兄弟中朋友，人生至樂」、「『辛勤風波事，款曲洲渚言』
二語妙」[30]，隨筆性質較為濃厚。不過不可否認地，鍾、譚所處
之竟陵派有著矯正公安派淺率刻露之弊的背景，藝術上提倡渾
厚蘊藉，像是認為大謝之作能「以深心幽賞領略山水真趣、闡
發名理的藝術境界，尤為景仰，稱之為『厚』」[31]，由此例即可
看出，其編纂之中心要旨頗為鮮明，具備對照探討的價值；而

---

30 明‧鍾惺、譚元春輯：《古詩歸》，收於《續修四庫全書‧集部‧總集》（上海：
　　上海古籍出版社，2002），卷11，頁475。

31 陳斌：《明代中古詩歌接受與批評研究》（上海：上海三聯書店，2009.3），頁
　　366。

竟陵派「『性情之言』有儒家政治倫理方面的內涵」[32]，復可與吳淇尊經重漢道的思想作一比對。

至於陸時雍《古詩鏡》與王夫之的《古詩評選》，和《古詩歸》的狀況相去不遠，皆有品評簡短、傾向直觀述評的傾向；唐汝諤《古詩解》則多先引用古書說明辭語之來源，復對文意作簡單的串講；陳祚明《采菽堂古詩選》兼有直觀述評與精詳的闡釋，部分品評的論述模式與吳著相仿。復就評注內涵而言，陸時雍重神韻[33]、王夫之常能突破前朝的詩評觀點[34]、唐汝諤時有精到的評解、陳祚明亦能自成體系[35]，俱有可觀之處，那麼吳淇如何在時代相近的詩評洪流中展現屬於己身之獨特觀點？此乃饒富玩味而有待鑽研處。

（二）《選》詩詩評概述暨啟發

接著，若集中就《選》詩評注本作一說明，最早可見者，殆為李善與五臣的《文選注》。李善注「繼承漢儒注經的傳統，主要注釋……讀音、詞義及典故，其學術性質屬於文字、音韻、訓詁的小學範圍。」[36]而五臣注則偏向句意篇旨的闡發，雖亦可

---

32 陳廣宏：《竟陵派研究》(上海：復旦大學出版社，2006.8)，頁352。

33 相關論述可參蔡鎮楚：《中國詩話史(修訂本)》(長沙：湖南文藝，2001.1)，頁209、查清華：《明代唐詩接受史》(上海：上海古籍出版社，2006.7)，頁267。

34 例如頗得宋人賞愛之陶淵明，王夫之卻以為其有「媚世」之嫌。語見清‧王夫之：《古詩評選‧歸鳥》，收於《船山全書》第14冊(長沙：嶽麓書社，1989)，卷2，頁606。

35 詳細論述可參筆者：〈陳祚明之情辭觀及其評謝靈運詩中之情〉，《成大中文學報》第41期(2013.6)，頁147-188。

36 倪其心：〈關於《文選》和文選學〉，收於趙福海、陳宏天等編：《昭明文選研究論文集(首屆昭明文選國際學術研討會)》(長春：吉林文史出版社，1988.6)，頁7。

見揭示詩歌藝術手法之評，然終究較為簡單，只能算是《選》詩評注發展的初步階段。

降及元朝，則有方回《文選顏鮑謝詩評》以及劉履之《風雅翼‧選詩補注》。方回之品評體例常花費較多篇幅說明詩歌的寫作背景，以歷史考證居多，並時時可見諸如「直道情愫，既委曲，又流麗」[37]這類直觀式的表述，而留下不小的揣想空間。此外，他僅擇取《文選》詩中的顏延之、鮑照、謝靈運、謝瞻、謝朓、謝混、謝惠連這幾家，在詩家的探討上有較大的侷限。

至於劉履，「取《文選》各詩，刪補訓釋，大抵本之五臣舊注，曾原演義，而各斷以己意」[38]，雖已兼及所有《選》詩，然補注內容畢竟以詩旨、文意串講為大宗；而吳淇之述評則是在明代「七子、雲間派重選體詩風氣影響」[39]下，復將詩意做了進一步的推導與探究，較劉履有長足的發展，更能看出詩評家之獨立意識。或有學者認為《六朝選詩定論》乃是「繼方回《文選顏鮑謝詩評》、劉履《風雅翼‧選詩補注》之後，全面詮釋評論『選詩』的別開生面之作」[40]，因此擬藉由本文之探討，具體觀看較之元代的《選》詩評註，《六朝選詩定論》究竟有何別開

---

37 茲以方回評謝靈運〈酬從弟惠連〉之評為例，其言：「惠連五章，已評在前。詳此乃是惠連訪靈運於始寧山居，別去將往都下，至西興阻風，以詩來寄，而靈運答也。一筆寫就，如書問直道情愫，既委曲，又流麗」(李慶甲集評校點：《瀛奎律髓彙評‧文選顏鮑謝詩評》(上海：上海古籍出版社，2005.4)，卷 2，頁 1870)，方回詩評有不少論述如上列引文般，花費較多篇幅說明詩歌的寫作背景；而全詩究竟是何處直道情愫、委曲流麗？又是如何達到委曲流麗的藝術效果？評注僅做概括式的印象說明而未進一步闡發。

38 《四庫全書》提要語，收於元‧劉履編：《風雅翼》，《景印文淵閣四庫全書》(臺北：臺灣商務，1983)，頁 1370 之 1。

39 張健：《清代詩學研究》，頁 229。

40 清‧吳淇著，汪俊、黃進德點校：《六朝選詩定論》，點校說明頁 1。

生面之表現。

明代除了前後七子，中後期更是出現許多針對《文選》加以集評的著作，除去單純集錄前人品評者[41]，或者如林兆珂《選詩約注》「訓釋文義，較舊注稍為簡約，亦無考證發明」[42]較難顯現注者新意之作，與吳淇時代相近者另有張鳳翼《文選纂注》、孫鑛評、閔齊華注《文選瀹注》、鄒思明《文選龍》、陳與郊《文選章句》、錢陸燦《文選》評本、洪若皋《梁昭明文選越裁》、何焯《文選》評本……等，上列各家之評注雖也有援引前人之論的情形，但重點在其自為注解處，特別是孫鑛之評，有不少從文學角度欣賞、分析章、句、字法之論，這部分將可與《六朝選詩定論》相比對，一窺吳著有何獨到之觀點。

要之，南朝、唐、宋、元、明等階段對六朝詩歌有著各自不同的認知，從研究者的角度而言，對前代詩評若能有較好的掌握，那麼在看待吳淇詩評時，在內涵上將可清楚見到其與前朝觀點承續、深化或轉化的種種情形，於體例面則可見吳在前人考據、疏通文意的基礎上有更多的延伸，而此延伸又可見吳對普遍直觀、抽象述評之拓展；與此同時，也能更好地掌握詩學批評發展史的豐富面貌；而這些都將使吳淇《六朝選詩定論》之研究能更具深度與廣度。[43]

---

41 例如凌濛初《合評選詩》、盧之頤輯十二家評《昭明文選》本……等，只是單純集錄前人之評，一則這些內容早已是本文比較的對象，二則較難窺得選注者之獨立意識，故不再重複參考此類著作。

42 清・紀昀總纂：《四庫全書總目提要》，卷191，頁5215。

43 學界目前與六朝詩歌批評相關之研究成果，可參筆者《明代中古詩歌批評析論》(臺北：文史哲出版社，2013.3)，頁10-19。就本書所欲處理之主題而言，八朝詩評之研究成果雖然相關卻屬相對外圍之資料，故不於正文中贅述。

　　最後還可補充說明的是，若就吳淇所處的時代背景而言，不論是明朝或清代，簡要回顧目前學界之研究狀態，可以發現多集中在對詩派流變或詩評家們彼此關係之探討[44]，這固然可以勾勒出大時代的文藝走向，然而礙於對流派的過度重視，反而容易忽略一些零星卻獨具一格的詩評家。

　　即便縮小觀察範圍至明代（1368-1644）中後期，也就是稍前於吳淇（1615-1675）的這個階段，學界多將焦點集中在公安派（袁宗道（1560-1600）、袁弘道（1568-1610）、袁中道（1570-1623））、胡應麟（1551-1602）、竟陵派（鍾惺（1574-1624）、譚元春（1586-1631））、許學夷（1563-1633）等流派或詩評家的身上[45]；而跨越明清兩朝、與吳淇活動年代疊合者，當代學者又以錢謙益（1582-1644）（虞山派）、王夫之（1619-1692）、王士禎（1634-1711）（神韻派）等人或派別作為

---

44 明代的相關研究成果可參簡錦松：《明代文學批評研究》(臺北：學生書局，1989.2)、馮小祿：《明代詩文論爭研究》(昆明：雲南人民出版社，2006.7)、陳文新：《明代詩學的邏輯進程與主要理論問題》(武漢：武漢大學出版社，2007.8)、廖可斌：《明代文學復古運動研究》(北京：商務印書館，2008.11)、吳志達：《明代文學與文化》(武漢：武漢大學出版社，2010.6)、何宗美：《文人結社與明代文學的演進》(北京：人民出版社，2011.3)、羅宗強：《明代文學思想史》(北京：中華書局，2013.1)；清代的部分則可參鄔國平、王鎮遠：《清代文學批評史》(上海：上海古籍出版社，1995.11)、吳宏一：《清代文學批評論集》(臺北：聯經出版事業公司，1998.6)、劉世南：《清詩流派史》(北京：人民文學出版社，2004.3)、蔣寅：《清代文學論稿》(南京：鳳凰出版社，2009.6)……等。

45 相關論述可參易聞曉：《公安派的文化闡釋》(濟南：齊魯書社，2003.5)、周質平：《公安派的文學批評及其發展》(臺北：臺灣商務印書館，1986.5)、陳廣宏：《竟陵派研究》、鄔國平：《竟陵派與明代文學批評》(上海：上海古籍出版社，2004.9)、陳國球：《胡應麟詩論研究》(香港：華風書局有限公司，1986.9)、王明輝：《胡應麟詩學研究》(北京：學苑出版社，2006.2)、方錫球：《許學夷詩學思想研究》(安徽：黃山書社，2006.12)……等。

研究的熱點[46]，對於吳淇的關照甚微。換言之，不論是稍前於吳淇，或者是與其年代疊合者，目前的研究成果終究未能脫離上一段所謂「大時代文藝走向」之研究路數，其中探討主要流派或少數幾位詩評家之成果，確實有深化理解這些流派或詩評家之功，但也因此有可能輕忽其他詩評家。吳淇雖未能納入上述的大流派中，卻頗能於品評中呈現一己之風，而為其後的詩學批評開啟新的一頁，若忽視此具備相當意義的存在，豈不可惜？要之，考量到吳淇對前代六朝詩評之突破，加以現當代明清詩學研究對其之忽視，誠有針對《六朝選詩定論》全面而深入探討之必要。

三、身體、時空等主題之研究成果要述暨省思

根據筆者多次通盤閱讀《六朝選詩定論》並予以歸納，發現吳淇之評注內涵常涉及時間、空間；而「身體」做為目前學

---

46 根據以下不完全地列舉：黃河：《王士禛與清初詩歌思想》(天津：天津人民出版社，2002.1)、王利民：《王士禛詩歌研究》(北京：中華書局，2007.4)、黃景進：《王漁洋詩論之研究》(臺北：文史哲出版社，1980.6)、張健：《王士禛論詩絕句三十二首箋證》(臺北：文史哲出版社，1994.4)、蔣寅：《王漁洋與康熙詩壇》(北京：中國社會科學出版社，2001.9)、崔海峰：《王夫之詩學範疇論》(北京：中國社會科學出版社，2006.1)、楊松年：《王夫之詩論研究》(臺北：文史哲出版社，1986.10)、陶水平：《船山詩學研究》(北京：中國社會科學出版社，2001.6)、蕭馳：《抒情傳統與中國思想　王夫之詩學發微》(上海：上海古籍出版社，2003.6)、胡幼峰：《清初虞山派詩論》(臺北：國立編譯館，1994.10)、丁功誼：《錢謙益文學思想研究》(上海：上海古籍出版社，2006.4)、孫之梅：《錢謙益與明末清初文學》(濟南：山東大學出版社，2010.12)、張永剛：《明末清初黨爭視閾下的錢謙益文學研究》(北京：鳳凰出版社，2012.7)，就會發現有為數不少的論著是針對王士禛、王夫之、錢謙益所做之研析。

界關注的熱點之一，在吳書中竟也可窺得為數不少的相關論述，此乃該書饒富意味的另一軸線。既然欲針對這些主題探討，在正式析論前，理應對這部分之研究成果作一說明。

　　首先觀與「身體感」相關之議題。這部分的理論著作主要可見德‧赫爾曼‧施密茨、法‧莫里斯‧梅洛龐蒂……等人的說法[47]；現當代學者以此為基礎所作的論述亦有一定的數量[48]。此議題其中一個很有意思的論點在於：我們對周遭的感受並非只屬於精神層次，有更多狀況是透過身體與四周環境的互動而來。吳淇詩評中雖未出現諸如「身體感」的辭彙，然實際觀察其解詩內涵，確實展現出對身體感知的多方留意，此乃本書鎖定此主題的重要理由。然而回到現今的研究成果，不論是梅洛龐蒂的《知覺現象學》，或者是施密茨的《新現象學》，都屬於西方理論，中西文化歷史之背景有顯著的不同，要如何將西方理論加以轉化，以合於中國古典詩歌的特質再進行論述，誠非易事，目前學界援引西方理論闡釋中國古典詩歌而能幾無扞格

---

47 可以參考的著作如下：法‧莫里斯‧梅洛龐蒂著，姜志輝譯：《知覺現象學》(北京：商務印書館，2005.7)、龔卓軍：《身體部署──梅洛龐蒂與現象學之後》(臺北：心靈工坊文化，2006.9)、德‧赫爾曼‧施密茨：《身體與情感》(杭州：浙江大學出版社，2012.8)、德‧赫爾曼‧施密茨：《新現象學》(上海：上海譯文出版社，1997.5)、美‧安德魯‧斯特拉桑著，王業偉、趙國新譯：《身體思想》(瀋陽：春風文藝出版社，1999.6)。

48 詳參楊儒賓主編：《中國古代思想中的氣論及身體觀》(臺北：巨流圖書公司，1997.2)、余舜德主編：《體物入微：物與身體感的研究》(新竹：國立清華大學出版社，2008.12)、劉苑如主編：《遊觀　作為身體技藝的中古文學與宗教》(臺北：中研院文哲所，2009.11)、張艷艷：《先秦儒道身體觀與其美學意義考察》(上海：上海古籍出版社，2007.6)、栗山茂久著，陳信宏譯：《身體的語言──從中西文化看身體之謎》(臺北：究竟，2008.2)……等書。

者，亦不多見[49]；加以梅洛龐蒂、施密茨的理論是以身體為主，並未將此與文學結合並聚焦論述；更何況吳淇在品評六朝詩作時，並未出現「身體感」這類的辭彙，只是在闡發時出現類似的觀念，凡此種種，都是書寫過程中需通盤考量之處。因此筆者在論述過程中，雖偶會借用部分知覺現象學的話語作說明，卻無意挪用西方理論，畢竟《六朝選詩定論》屬於中國古典詩學之一環，理當以吳淇的思維為主，以合於中國古典詩學的論述模式，換言之，本文雖由西方理論中得到啟發，因此拓展了觀看的視野，然而終究是以中國古典詩評為主進行析論。

　　至於時間、空間的部分，中外學者對詩歌中的時空觀其實已有不少的留意，像是加斯東‧巴舍拉由家屋、天地等空間來談居處於其間的人們[50]；周曉琳、劉玉平則是由「中原」此空間背景來說明魏與西晉詩歌的抒情特色[51]；史成芳試圖由「過去時間與再現詩學」、「當下時間與在場詩學」、「時間坍塌與解構詩學」三方面來談時間於不同狀況下所呈現之樣態[52]；而劉若愚〈中國詩歌中的時間空間和自我〉則是碰觸到時空與個人的關聯，並分析時間空間化、空間時間化等種種狀態[53]。另有學者針對個

---

49 就筆者閱讀所見，鄭毓瑜：《文本風景：自我與空間的相互定義》(臺北：麥田，2005.12)、陳秋宏：《六朝詩歌中知覺觀感之轉移研究》(臺北：新文豐，2015.9)乃轉化西方理論解釋中國詩歌較為成功之作。

50 加斯東‧巴舍拉著，龔卓軍、王靜慧譯：《空間詩學》(臺北：張老師文化，2006.6)，頁 106-149。

51 周曉琳、劉玉平：《空間與審美　文化地理視域中的中國古代文學》(北京：人民出版社，2009.9)。

52 史成芳：《詩學中的時間概念》(長沙：湖南教育出版社，2001.6)。

53 收於莫礪鋒編，尹祿光校：《神女之探尋——英美學者論中國古典詩歌》(上海：上海古籍出版社，1994.2)，頁 193-210。

別詩作,由時空的角度闡釋作品,亦予筆者不少啟發,茲扼要
摘舉兩例如下:

> ……感到時間推移的悲哀,顯然很難與空間意識相
> 分離,所以比如關於〈行行重行行〉首句,吉川先生就
> 說「是暗示著導致空間之堆積的背後條件,即時間堆積
> 或時間的推移」。換言之,是先感受到空間上拉引出了距
> 離──「相去萬餘里」,才進而恍然時間的相乘積將使彼
> 此愈離愈遠──「相去日已遠」。[54]

> 以動態性的空間現象去顯現生命存在的「時間相」,
> 而引發詩人對生命存在自身之無常、有限的經驗。例如
> 〈迴車駕言邁〉所謂「四顧何茫茫,東風搖百草。所遇
> 無故物,焉得不速老」……因著這種存在經驗而對生命
> 意義做出反思。[55]

不論是傾向理論,或者透過實際分析詩作的方式探討時空議
題,皆可看出學界對此已有不少關注。然而值得留意的是,像
這類的研究成果,俱為現當代學者由己身之角度研析古典詩
作,若沿著歷史流脈往前推衍,會發現早在吳淇的《六朝選詩
定論》中,已可看到由時空角度出發的解詩傾向,且吳氏又是
第一位大量由此議題談論六朝詩歌者,其於六朝詩評史中的重
要性當可窺得一斑。上述研究成果為本書寫作所帶來的,不見
得能對「六朝詩評」這個範疇提供直接的佐證,卻能在思維、

---

54 鄭毓瑜:《六朝情境美學綜論》(臺北:臺灣學生書局,1996.3),頁 66。
55 堂薗淑子:〈何遜詩的風景──與謝朓詩之比較〉,收於蔡瑜編:《迴向自然的
　　詩學》(臺北:臺大出版中心,2012.7),頁 27。

實際操作模式上有所啟發，此乃這類研究成果給予筆者之助益。

　　要之，目前學界的研究狀況雖未能在身體、時空等主題上提供本書書寫時直接之助益，卻使筆者在觀察當今研究成果的過程中，思索明末清初的六朝詩評是否已有了新的走向。另一方面，這些古典的六朝詩評與目前學界的六朝詩歌研究間，又可看出什麼樣的延續與轉變？此乃本書主題探討完畢後可進一步思索的問題。因此，從身體、時空等角度研究《六朝選詩定論》，不論是增進對古典詩評的認知，或者是建構出古今詩評流變史的完整系譜，當俱能提供一定的貢獻才是。

第二節　　命題旨趣

　　本書名為「《六朝選詩定論》對身體與時空之闡發——兼論吳淇之情辭觀」，乃是通盤查看全書，慮及吳氏重視情辭的基本觀點，復按其品評的實際狀況，較全方位地歸結出「身體」與「時空」兩大主題。

　　站在詩人的立場，「身體」作為精神的重要載體，很多時候發言為詩乃因心有所感，而心之所感又常由身體的觸動而來；此外，六朝作為個體意識覺醒的重要階段，詩人們回歸己身、重視個體抒情的狀況愈形明顯[56]，其中一個表現便是有相當數量

---

56 關於個體之覺醒，復與文學自覺有密切之關聯，詳細論述可參鈴木虎雄〈魏晉南北朝時代的文學論〉(收於氏著，洪順隆譯：《中國詩論史》(臺北：臺灣商務印書館，1979.9))、魯迅〈魏晉風度及文章與藥及酒之關係〉(收於氏著，吳中傑導讀：《魏晉風度及其他》(上海：上海古籍出版社，2000.12))等代表性的文章。

之詩作留意到身體作為情感思想的載體性質[57]，因此吳淇從這個角度對六朝詩作加以闡發，應符合身體的自然觸動與六朝之時代背景。

　　另一方面，之所以選擇由身體感知的角度展開對《六朝選詩定論》的闡析，還因吳淇在卷一中時時透露對身體之留意，例如「……譬之人身，天下其骸而存者，一切治天下之具、人之動作也。有韻之史，猶人之脈（筆者案：指《詩》）；無韻之史，猶人之絡（筆者案：指《書》）。絡能隧飲食之滋液，以傳送於周身也。……然又要人之神氣疏通其機，俾上下往來，周流無停，則神氣旺而元氣自固」（一/32），雖是以比喻的方式展現《詩》、《書》之特點，然不以他者為喻而擇人身，或抑暗示吳對此之留意；「養人者，當以人聲為則焉。蓋人之受聲以五臟，而出聲亦以五臟。人與人之五臟相若也，故五聲出於人者，無不與人相宜，所謂以人養人」（一/12）一段更是直接將養人、人聲（聽覺）與身體連繫起來，足見人身之重要性。吳淇在具體詩評中對身體感知會有諸多闡發，於通論中已可窺得端倪。

　　此外，吳淇何以會對身體感官有較多留意，與中晚明以降商業經濟繁榮、消費文化興盛所帶起的感官刺激、追逐不無關聯。舉例而言，明末清初的奢侈消費呈現在食衣住行等各方面，其中求新求變的服飾品味，即展現出「滿足感官性的需求」[58]；

57　例如南朝的宮體詩庾肩吾〈南苑看人還〉、〈詠美人看畫〉、蕭綱〈和徐錄事見內人作臥具〉、鮑泉〈落日看還〉、何遜〈苑中見美人〉……等，單是從詩題中「看」、「見」等字眼，即可窺知詩人對視覺感官運用之留意。其他相關論述尚可參陳昌明：《沉迷與超越：六朝文學之感官辯證》(臺北：里仁書局，2005.11)。

58　相關論述詳參巫仁恕：《奢侈的女人──明清時期江南婦女的消費文化》(臺北：三民書局，2010.10)，頁 7-28。

明代中期以後情色之風行、士人們發展出對於女性之品賞活動
[59]，有相當程度即是建立在感官的刺激上。吳淇在詩評中表現出
對身體感知的留意，其所處時代之文化背景當有潛在性的影響。

延續身體感知而來，身體所處的大環境，亦即無時無刻皆
與我們接觸的時間與空間，也是詩人們尋常處理的對象，詩歌
創作常涉及時空議題，正是對生活的反映之一。其次，慮及詩
歌創作的時代背景，宗白華即直接概括「漢末魏晉六朝是中國
政治上最混亂，社會最痛苦的時代」[60]，在這般戰爭頻繁、政權
疊變的年代中，明顯存在變動、不確定的因子，與親友分離、
生命朝不保夕之情狀隨時可見，這自然加深了詩人們對時間變
遷之感受，而常有著生命短促、時間流逝的危懼感；另一方面，
面對動盪的政治環境，為官的詩人們或抑有更多為了仕宦地點
而遷徙漂泊的可能，這也促使他們對周遭環境（空間）有更高
的敏銳度或關懷。再者，考量到該階段文學獨立自覺的特點，
透過詩歌表現出對時空之感受，正是詩人強烈生命意識之展
現，詩人們將時間遷逝、空間漂泊的體驗書寫入詩，吳淇因而
對詩作中的時空多所闡發，與此實況恐不無關連。

另一方面，吳淇所處之時代背景與六朝的環境樣貌有頗多
相似之處，吳 28 歲時（崇禎十五年，1642），李自成起義攻破

---

59 相關論述詳參王鴻泰：〈明清間文人的女性品賞與美人意象的塑造〉，收於王
瑷玲主編：《明清文學與思想中之情、理、欲 文學篇》（臺北：中研院文哲所，
2009.12），頁 189-226。

60 宗白華：〈論《世說新語》和晉人的美〉，《美學散步》（上海：上海人民出版社，
2002.12），頁 208。《六朝選詩定論》之「六朝」是指漢、魏、晉、宋、齊、梁，
與尋常對六朝之定義，也就是宗白華所指略有出入。不過宗氏所言正可完全
涵蓋吳淇所指之六朝。

其故鄉睢州，朝代由明入清，吳先後於順治十六年（1659）擔任廣西潯州推官、康熙四年（1665）任江南鎮江府海防同知，任官環境不佳，期間「盜賊縱橫，匿荒蓬斷垣中，生死悠忽」、「往來省會，山行水宿，蠻煙瘴雨」[61]，在改朝換代之際吳因避難、為官多次遷徙，足見明末清初與六朝相仿，俱為不穩定之時空，吳淇會對六朝詩歌之時空有較多敏銳的感受，當與其生平遭遇有關。

　　此外，就《六朝選詩定論》本身的論述而言，吳淇於卷一中指出「古詩之變，運會使然；然變不遽變，必有為之漸者」（一/2），而《選》詩即是古詩中重要的一環，由「變之漸變」之論，即可窺見時間推移的影子；吳論漢道，更時時涉及朝代之遞變；論及詩歌四、五、七言的發展，諸如「有《三百篇》而四言之能已極，而漢以後乃其餘波耳。五言始於漢，盛於晉、魏，靡於陳、隋，唐風再振而菁華亦竭。七言亦始於漢，線於五代」（一/6）之論，雖稱尋常，卻可見吳對朝代遞嬗之多所留意；卷二更是費了不小的篇幅說明「詩之三際」，亦即他所認為詩歌發展的歷史樣貌，凡此種種，俱可見吳對時間軸線的關注。至於空間層面，「聲以表內，成于土風；言以指物，肇于方始。故不惟各國之聲不同，而言亦不同」（一/27-28），其後吳淇雖慨歎魏晉以後詩歌任意尋章摘句，導致詩中可見的地域界線泯滅，然由此論即可窺見他對地域之留意；另有「邵子曰：地氣自北而南，詩運亦然。」（晉詩總論.八/159）、「譬之宋元之詞，《三百篇》，詩餘也；漢道，北曲也；唐制，南曲也」（漢詩總論.三/62）、「分

---

61 湯斌〈江南鎮江府海防同知冉渠吳公墓誌銘〉，收於清・吳淇著，汪俊、黃進德點校：《六朝選詩定論》，頁486-487。

南北者『選詩』之運，合南北者唐詩之運」（晉詩總論.八/159），
甚至可見他對《選》詩有較強烈的南北之辨，他對空間的留意
誠不言自明。要之，吳在具體品評個別詩作之際，會對時空投
注較多之目光，恐與上述之潛在背景脫離不了關係。

　　總體而言，或許因吳淇在《六朝選詩定論》卷一處不斷提
及「尊經」、「主漢道」等概念，促使我們對該書的理解，容易
集中在儒家詩教的層面。然而若細讀全書評註，便會發現吳淇
頗常涉及與身體、時空相關主題之闡發，如果說尊經、主漢道
是《六朝選詩定論》中明顯可見之議題，那麼身體、時空則可
視為是該著的隱性軸線，此隱形軸線雖未如尊經觀突顯，然若
抽絲剝繭，確實可見其成一體系；相對於鮮明可見之尊經觀，
若能恰切地將身體、時空這般隱微的主題揭示出來，並思索明、
暗兩大議題間的關連，也就是探討隱形軸線如何具體落實吳淇
之尊經思想，那麼對《六朝選詩定論》的理解，當能更為全面
而深刻才是。

　　那麼何以歷代品評未能深入身體、時空這些面向？恐怕與
歷朝詩評更重視文意串講、更留意點出詩作的整體風格有關。
吳評有許多細微的闡發，正是在文意串講的基礎上延伸發揮；
而點明詩歌的整體風格，則又與歷朝印象式批評的主流脫離不
了關係，因品評屬概括性質，故難呈現諸多細節；而吳淇對文
句架構的詳加剖析，實為古典詩歌批評開啟異於傳統主流的評
述模式，正因他著意於細部的分析暨推衍，對詩歌之情境、背
景有詳密的揣摩與剖析，得以呈現詩中諸多細微之處，從而促
使身體、時空等面向隱然成形，這在下文的探討中，將隨吳評
一一細說。

　　至於副標題中的「情辭觀」，就詩歌創作而言，詩人當是心有所感（「情」）方欲提筆書寫（「辭」），內心所感如何形諸筆墨？此乃創作最基本需面對的問題。站在特殊讀者（詩評家）的立場，若能從已經成形的文字恰當揣測詩人創作時的心思情懷，則可謂確實掌握創作中很重要的兩大元素（情辭）；而吳淇所重，正是抓住此要點，緊密連繫情辭乃吳淇之基本詩歌觀[62]，他十分有意識地著眼於情思與辭句，也就是內容與形式結合之解讀，他對辭句的分析多可同步窺見其對詩作情思之推闡。

　　此處需補充說明的是：副標題中所謂的「情」，是指廣義的情思，而非前文〈《六朝選詩定論》之研究成果要述暨省思〉中景獻力所謂與「儒家傳統的詩教精神」對立的狹義之情，因此吳淇尊經、重漢道思想背後那個遠懷儒家道統的情感，亦屬本文「情」之範疇。然而通觀《六朝選詩定論》，確實可見身體、時空之相關品評中，時有集中表現儒家詩教或狹義情感之傾向，屆時將對此二者有所釐清。要之，「『情志』有一般性、類型性、個別性三種層級概念」[63]，副標題中的「情」採最廣義，也就是一般性；而正文論述或可見到以儒家政治道德觀為主的「詩言志」，以及六朝文學獨立自覺下的「詩緣情」，也就是屬於「類型性」這個層級之「情」，一般性與類型性的概念間不相衝突。

　　要之，身體、時空儘管是詩歌創作時普遍會接觸到的議題，然而慮及歷朝詩評對此甚少留意，以及六朝詩歌創作、吳淇所

62　吳淇並非單純視「顯於外者」（一/34）之文辭為形式技巧，而是與「蘊於內者」（一/34）之情志密切結合。吳言「一句之辭，足害一篇之意」（一/35），即可見情辭的密切聯繫。

63　顏崑陽：〈文心雕龍「知音」觀念析論〉，《六朝文學觀念叢論》（臺北：正中書局，1993.2），頁232。

處之時代背景、吳淇的詩學觀點等，是以由此二主題探討《六朝選詩定論》，當能較好地突顯吳淇品評之特殊性。以身體、時空為主軸，從而在此二議題的探討中，窺見吳淇情辭觀之表現，此乃吳評注普遍可見之樣貌，這其中誠有一套環環相扣的內在理路，鑽研這些議題將可使我們對六朝詩人如何與世界互動、詩歌所呈現之情思有何幽微變化……等有更深切的理解，而能對六朝詩歌與吳淇詩評有更好的掌握。

　　以上乃從大方向說明欲探討之問題，細部而言，身體感知就《六朝選詩定論》實際品評樣貌為考量，主要可區分成視覺、聽覺、行為舉止三大部分，於此基礎上，復論吳淇對身體聯覺之關懷。時空則更為單純，即是區分為時間、空間兩大部分。

第三節　研究方法與進行層次

一、研究方法

　　本書採用的研究方法第一是比較法。而比較又可區分為「外部比較」與「內部比較」，先述前者。若僅是單純研析吳淇的《六朝選詩定論》，而未有恰當之比照對象，那麼吳淇的論點有何特殊而突破於前朝之處？論述體例有何異於前人之特點？諸如此類的問題恐易顯得含混不清。因此本書在析論吳淇與身體、時空相關之品評，並藉此探討吳的情辭觀之際，將適時採用比較的方法。至於比較對象，主要以《文選》評注本、六朝詩歌選

評本、詩話[64]為主,前二者與吳書「評注」的體例相近,末者亦常有針對單一詩歌提出意見之情形;而詩話中未針對單一詩歌、卻對六朝詩作有整體看法者,亦可提供參照,將視情況納入比較。為使這些比較得以深入,將盡可能鑽研差異背後呈現的意義,以求立論之豐厚與紮實。

那麼何謂「內部比較」?吳書「六朝」詩評所跨越的時代幅度其實不小,即使可將吳淇對六朝詩歌的關注面歸納出身體、時空兩大主題,具體而論,相異朝代之詩評關懷仍有所差別。例如同樣屬於身體感知的範疇,吳淇在闡釋魏代與梁代詩歌時,有何不同身體感知的側重?魏晉與南朝的視覺闡述重心有何差異?吳淇眼中的魏與梁,由時間、空間議題所帶出的詩情是否各有所偏?空間方位與視覺結合之闡發,是否有集中在哪些朝代的趨勢?諸如上述的這些問題,都是在《六朝選詩定論》內部比較時可深入探研的。

另一方面,吳淇所評之作固然受限於《文選》所選,無法由擇錄詩歌之多寡看出他對六朝詩作的看法,然而吳氏於《六朝選詩定論》中品評各家詩作時則有詳略之別,這些詳略有別的詩評,是否與《文選》擇詩之多寡一致?意即《文選》所看重的詩人,是否亦為吳淇所重視?這其中的異同又呈現出什麼樣的意義?此亦值得關注,故本書將於末章統整處納入這個部分的比較,藉以突顯《六朝選詩定論》看似受限、實則頗有自己一套見解之處。

---

64 此處詩話採取廣義的定義,即「包含了詩品、詩格、詩話、詩法、詩解、詩序、詩詞評點和詩詞紀事等等。」語見陳文忠:《文學美學與接受史研究》(合肥:安徽人民出版社,2008),頁335。

　　此外，本文在論述過程中，將詳細比對「《文選》詩歌內容」與「吳淇詩歌評注」間的差異，如果說《選》詩是第一層，那麼《六朝選詩定論》的評注為第二層，而筆者的研究內容則屬第三層。如果不能較好地區分前二層次，那麼原本設定的「詩歌批評研究」，極易成為「詩歌研究」。至於哪些評註內容才是詩作未提及（或關涉甚少）而吳淇延伸推衍者？一般而言，若評註出現單純的文意串講，那麼屬於詩評家觀點的部分便較薄弱，故不會將此歸入詩評的研究重心。吳評雖有詩歌為本，無法憑空誕生，然不容否認的是，他確實對詩歌既有的內涵多所延伸推衍，本文既以吳淇詩評為核心關懷，因此詳加比對詩歌與詩評，誠行文時不可或缺者，也唯有如此，方能明確展現吳淇品評之獨立意識；此外，需另行辨析的是，本文是以詩評為主，詩歌內涵為次，詩歌本身要在做為比對之用，因此詩人是否因重視感官、時空而展開書寫等相關問題，屬於「創作」而非「評注」層面的探討，若非必要，將暫且置之不論。

　　第二個主要的研究方法，則是以身體、時空為主軸，卻不以此為限，而是能視情況將其他相關之詩歌主題範疇與此結合。例如吳淇的聽覺闡發，有更形留意悲音之傾向，此與中國古典文學的悲怨傳統有關，將適時延伸探討。再如舉手投足中之徘徊與佇立，則相當程度地表現傳統羈旅文化之樣貌，此亦可茲鑽研析論者。又如「情景」乃中國古典詩歌之重要主題，「景」與空間自有一密切的聯繫，而融入情感之空間又會涉及「氛圍」，因此在探討吳淇對空間的闡發時，將會納入這些部分。訂定兩大主軸，是希望透過對此的掌握而使整體論述不致於渙散；於此同時又納入相關主題一併探討，則是期盼能將吳淇詩

評豐富而多元的特點作一較好的揭示。

第三，透過兩大主題解「情」，是為了觀看吳淇如何將詩情的解析具體化。情感雖是抽象之物，卻為一首詩作之靈魂，若能藉由其他載體落實解說，將能對「情」有更好地掌握。因此擬盡可能地抽繹身體、時空與「情」的關連，要以能貼近吳淇闡析詩情之實況，具體呈現不同狀態下之情思樣貌。

在主題探討的過程中，確實因「抽繹身體、時空與情感的關連」之設定，而有助於我們對詩歌情思之理解，然而仍需辨析的是：在主題探討中援引的詩評例證，乃是為了展現吳淇對該主題關注之樣貌，因此雖能增進對詩歌之理解，然有可能只是該詩之局部，而非緊扣「中心」詩旨來談，「詩評主題」之研究與「中心詩旨」的關懷不同，此乃需加以區辨處。

第四，在主題論述的同時，將會視實際詩評狀況對六朝詩人做出繁簡不一的探討，例如吳淇對陸機詩歌中的身體感知顯然有較多的關懷，而評注謝靈運、謝朓之作時，則常由空間的角度釋之，因此本文除了盡可能兼顧六朝各個詩家，亦會審慎考量吳書品評的實際樣態，對於某主題下明顯關注較多的詩人詩作，將會多費筆墨，以求貼近吳評之實貌。此外，也會藉由主題式的分析，重新反思或細緻化目前學界對六朝詩人的普遍認知，俾使對六朝詩歌的理解能更上一層。

第五，本文固然是以探討吳淇對個別詩人之詩評為主，但若僅止於此，論述恐有失零散。因此在關注個別詩評之際，將會適時連繫吳氏之詩歌主張（尊經、主漢道、聲情……等），換言之，在探討個別詩評時，不會將《六朝選詩定論》前兩卷統論六朝詩歌的部分棄而不顧，而將視行文所需結合討論。

　　第六，身體、時空等各主題間或有交錯的狀況，要以不重文而扣緊該主題的方式論述。例如陸機〈赴洛道中作〉、〈赴洛〉、〈贈馮文羆〉等作，與視覺、行止、空間等主題俱有所關連，在「視覺」主題中，擬將重心放在視覺與動作的結合、身體感官與行止間連動、共振的全面性感受上；及至「行止」主題，則費心於吳淇如何頻繁點出詩人之佇望、然每回佇望卻顯倉促的無奈之感；而「空間」主題則是將探討重心擺在方位的眺望上。再如吳淇對江淹〈望荊山〉的評注涉及視覺與空間兩主題，在視覺中筆者試圖聚焦於吳淇如何闡說「遐望」背後的情思；而空間主題則是觀察吳淇於空間距離感中所展現的政治文化樣貌。最後復舉一例，吳評對「風」有不少關懷，此與聽覺、空間議題皆有所關聯，在聽覺的探討中，筆者將著意指出吳對「風傳導聲響之效用」的留意；空間部分則是探析吳與風相關之品評，在空間的選擇上是否有何特別的限定。要之，主題間有所重疊處，在論述上會盡可能扣合個別議題，呈現各自不同之聚焦。不過為了方便讀者閱讀，吳評之原典會視狀況重複援引，此乃權衡下之安排；至於吳評與歷朝品評之相較，原則上會在第一次涉及該詩作時便提出探討，其後為了避免複沓，將不再列出。

　　以上乃全文整體之研究方法，期能藉此使本文之書寫能更具條理。

二、進行層次

　　全書的進行層次，與整體內容之邏輯進程有密切的關連。

首先，在第一章中交代此命題有何相關的研究成果，並由此初步推論吳淇《六朝選詩定論》有何不同於前人詩評之處，提出該書潛在之價值。

其次，將以《六朝選詩定論》中卷一、卷二為探討對象，說明吳淇的詩歌主張。這部分雖未涉及與個別詩作相關的具體品評，卻是吳《選》詩評注的基礎，故對此之探討將不只是背景性的說明，要在能與其後身體、時空等主題之探討有密切聯繫，為後文的論述埋下伏筆，作為與具體詩評映照之用。

復次，也就是第三至七章的部分，將針對吳書卷三以後的詩評，由「身體」與「時空」這兩大於《六朝選詩定論》中普遍可見的評論視角，探討兩詩評主題之具體內涵。這部分將適時呈現吳淇對於詩歌情思、辭彙運用、詩歌架構等面向闡發之樣貌，並對這些現象背後之意義做出進一步的推闡。

接著，在上述基礎上，擬於最後一章分節探討「六朝詩人之評價以及《選》詩類別、時代在《六朝選詩定論》中受關注之傾向」、「吳淇中心思想（尊經、主漢道）與隱形軸線（身體、時空）之關連」等部分，最後在指出吳評偶有謬失之際，尚立足於詩歌批評史的高度，說明吳淇與時代相近的詩評家如何各展風華，又共同締造屬於他們的時代，以及《六朝選詩定論》的接受狀況，從而彰顯吳淇詩評的價值與貢獻。換言之，統合性的說明將會置於最後一章加以闡析，期能對《六朝選詩定論》有一較完整的收束。

要之，全文之進行將力求條理清晰、層次分明。

第四節　預期貢獻

　　本書預期之貢獻，主要表現在「詩評史的流脈」、「詩歌理解暨反思」、「詩學議題的拓展」等三部分。就詩評史的發展流脈而言，如前所述，一般對明清兩朝之理解，多集中在前後七子、公安、竟陵、虞山、雲間、格調等較大的派別，除此之外，學界之關懷便顯得十分有限，而吳淇作為明末清初之文人，因不屬於上列各家詩派，容易受到忽視似乎也是可以理解的。筆者意欲突顯《六朝選詩定論》的價值，特別是在與吳淇之前、同階段的各家詩評相較下，更得彰顯其評之特殊性，如此研究之預期貢獻，在於填補詩評史上發展之空白；並能將明末清初這一階段的詩評發展，更具體而微地展現出來；且突顯吳評異於前朝詩評之價值。凡此種種，俱可增進學界對這段詩評史之認知，並對《六朝選詩定論》有更充分的認識。

　　預期的貢獻之二，則是增添學界對六朝詩歌理解之深刻與完整度。例如在「時間」議題的評注裡，詩作中的時間推移如何符應詩人情緒之起伏，「空間」評述裡詩句中的南北方位有何重要的象徵意義，「行止」主題中貌似簡單的行為舉止實有更多的包蘊……等，俱為深入底層之闡發，在吳淇的這些解說中，將使我們對六朝詩歌之詩情有更深化的理解。

　　此外，透過對《六朝選詩定論》的全盤鑽研，尚提供我們重新思考六朝詩人定位等相關問題，陸機即是其中一個鮮明的例子。截至目前為止的六朝詩歌研究，有很多看法已成普羅之共識，然而這些看法是否無可疑議？詩人們是否還有某些饒富

意味的面向未被發覺？凡此種種，都值得進一步深探，而吳淇之論正好為此挹注活水。類似這般可使我們重新省思或拓展觀看視野的品評，在《六朝選詩定論》中誠所在多有，儘管從明代以降對六朝詩歌的關照已大幅提升，然而吳淇終究又開拓出另一片疆域，可謂於前人詩評的積累上，更形豐厚六朝詩歌的內涵，因此若能對《六朝選詩定論》多所歸納、分析，將能促使我們更深刻而多元地理解六朝詩歌。

最後對詩學議題預期之貢獻，在於「從不同視角理解中國傳統文學的舊議題」、「拓展學界對身體感知、時空等議題之觀察」。關於前者，例如面對香草美人之舊議題，因為空間、視覺主題的探討，而使我們進一步思量詩人在表現香草美人的議題時，究竟呈現哪些不同的樣貌？這些樣貌所蘊含之意義為何？再者，像是佇立、遠望這類行止，並非只是詩人單一的舉動，此乃中國君臣文化倫理具象化之表現，那麼吳淇對此之看法與傳統詩教有何異同？與他的詩學觀有何關連？吳諸如此類之評注，將有助於深化我們觀看傳統文學之視野。

至於拓展學界對身體感知、時空等議題之觀察，一如前述，在學界現階段的研究中，已有不少將身體感知、時空等概念與詩歌結合的論述成果，然而析論六朝詩評的當代研究，卻甚少見到對身體、時空等議題的關懷，吳淇雖未提出「身體感知」、「時空觀點」這類的辭彙，但在品評六朝詩歌時，卻已透露對此二議題的留意，換言之，對於身體、時空的探討，並非只能局限於「詩歌」的研究，尚能拓展至「詩評」的探討，此亦將影響我們觀看詩評之視野。就這點而言，也提供我們重新看待古典詩評的空間：僅以《六朝選詩定論》為例，會發現看似零

散、針對個別詩作論述的古典詩評，實可梳理出一套較具系統的理路，像本文欲處理的身體與時空等議題，則為前於吳淇或時代相近的詩評家們甚少集中關懷之主題，這一點若由詩評史的脈絡觀之，便有獨特之處；從增進詩歌理解的角度來看，又能拓展讀者觀看六朝詩作的視野，而與本文預計貢獻之一、二正相呼應。要之，以「議題」方式探討《六朝選詩定論》的預期貢獻，在於重新審視詩評專著的內在理路，如此探討或可拔高並較好地展現這類著作的價值。

　　學界目前在解讀詩歌或書寫學術論著時，常見隨意拈出《六朝選詩定論》其中一段作為輔證的情形，如此頻頻引用吳淇之說，卻未對此有系統性的析論，甚為可惜。因此期待能透過本專書之探討，使我們更全面而深入地看待《六朝選詩定論》，如此一來，應可大大彰顯吳著之重要性與價值。分而論之，不論是就詩評史的流脈、詩歌理解，或者是詩學議題的拓展，俱可清楚見到吳書的重要性，而極力突顯吳著在這三部分的貢獻，乃本書之終極目標。

第二章　吳淇詩歌觀要說

　　乍觀《六朝選詩定論》，易予人尊經、力主漢道的強烈印象，然而若細讀全書，會發現吳淇恐非單純地傳承儒道，因此便容我們進一步思索：吳淇的詩教觀於繼承傳統之際，是否有所新變？在個別詩作的品評中，吳又是如何展現其詩教觀？本章擬先說明吳淇尊經、重漢道的觀點；至於詩教中頗為重要的樂音，吳淇亦耗費不小篇幅說明，加以此與第四章聽覺之闡說有密切關係，故擬專闢一點說明。接著由此延伸，探討吳對儒家詩教精神新變之處。另一方面，吳淇主張情志（內容）與文辭（形式）兼重，他在具體品評中，亦常見到藉由分析字句妥貼帶出情意之樣貌，因此將另闢一節說明吳淇對情志、文辭有何基本觀點。最後，則是談談他對六朝詩歌的整體看法。凡此種種，俱非僅止於背景式的交代，亦無意重複學界已有之成說，要在能作為下文探討吳淇闡發身體、時空等面向之張本。

第一節　儒家詩教精神之承與變

　　吳淇身為明末清初之文人，距離先秦兩漢已有兩千年之久，面對孔子所建立的儒家傳統，不太可能只有承續而無新變，

那麼他對詩教精神的承續,主要留意的面向有哪些?他又由其中新變出哪些面貌?茲詳述如下。

一、對詩教精神之承繼

吳淇對詩教精神之承繼,主要表現在「尊經、重漢道」、「重視樂音的教化作用」兩方面,前者主要是為了將《選》詩繫於經典之列,後者除了說明詩、歌教化的作用,吳淇尚不斷強調「聲歌與義理合一」的普遍性。吳在繼承傳統詩教的背後,實欲建立屬於自身的詩學暨詩評體系。

(一)尊經、重漢道──繫《選》詩於經典之列

吳淇於全書之始,即費了一番筆墨推崇《詩經》,強調詩(樂)教之重要性,而此繼承儒家傳統之論述,誠有著鮮明的意圖,意即拔高《文選》乃至《六朝選詩定論》之地位,使二者得以納入經典之流。那麼吳是如何立論,使《選》詩進入經典的體系中?首先,他在《六朝選詩定論》卷一、二裡,即再三展現對《詩》三百的推崇:

> 後世詩人之作,雖支殊派別,莫不朝宗於《三百篇》。《三百篇》者,詩之海也。(二/57)
> 論孔子本之《春秋》,中間止此「王者之迹熄而《詩》亡,《詩》亡然後《春秋》作」,纔及論《詩》耳。只此二句關鎖得好,遂覺前之論《書》、後之論《春秋》,莫非論《詩》耳。(一/32)

吳淇視《詩經》有如此崇高之地位，不悖於歷朝對《詩經》的
推崇；第二例甚至將《詩》置於《書》與《春秋》之上，強調
其於六經中更形顯要之地位，此舉實有為自身尊經之詩學主張
鋪墊的意味，關鍵性的論述如下：

> 孔子之刪，文與詩分，昭明之《選》，詩與文合。余
> 茲於文之中，獨取其詩而論之，毋乃與《選》相抵牾乎？
> 不知余之專論詩者，蓋尊經也。孔門序經曰：「《詩》、《書》
> 執禮。」又曰：「興於《詩》，立於《禮》，成於《樂》。」
> 是《六經》以《詩》為稱首。（一/1）

> 《選》文之體凡若干，而《序》獨原本於《詩》之
> 六義者，尊《三百篇》也。況「選詩」之體，六義全完，
> 直紹《風》《雅》之統系者乎？此《選》所以詩與文合編。
> （一/2）

> 孟子說詩，多引孔子。此余作《選詩正論》必尊四
> 聖之緣起。（一/30）

由上列一、二筆引文可以看出，「余之專論詩者，蓋尊經」以下
所言，認為孔門六經以《詩》為首，故吳淇自言己之「專論詩」，
正是對尊經精神的承繼，更何況《選》詩亦是承繼六義、風雅
體系而來；第三筆資料中提及《六朝選詩定論》帶有「必尊四
聖」之思想，復與「專論詩者，蓋尊經」的說法相呼應。

以上乃就「專論詩者，蓋尊經」的大方向而言，若進一步
細究，《選》詩又是如何承繼《詩經》而來？吳淇由孔子刪詩一
舉覓得其立論之關鎖。他為了展現《六朝選詩定論》之經典性，
故對《昭明文選》之選詩頗為推崇，並將其置於「繼孔子刪詩

之旨」的高度：

> 《詩》凡三千，刪者十九，即《選序》所云「芟其
> 蕪穢，集其菁英」者。則孔子固自有斯文來一大選手也。
> 孔子既沒，作者漸寡，至漢而復振，當梁而益繁。此昭
> 明所以取刪定以還千百餘年之文，裒而集之，較之刪定，
> 雖不可及，然亦藝府之轂率，藻林之規繩。後之選者，
> 率不能過焉。（一/1）
>
> 昭明之《選》，雖未云極，然亦原本於刪詩之旨者也。
> （一/29）

孔子所以編刪《詩經》，有其寓託之微言大義；在吳淇看來，蕭
統取捨六朝詩作而成《文選》，「乃繼刪定之義而起者也」（一/1）。
將《文選》之「選」與《詩》三百之「刪」相連繫，明顯可見
吳氏欲賦予《文選》續「經」之地位，而這也暗示並拔高吳淇
評注《文選》詩作的重要性。

　　不過此處還可玩味細辨處在於：若將前一段引文「孔子之
刪，文與詩分，昭明之《選》，詩與文合」云云與此處第一段引
文「較之刪定，雖不可及」合觀，會發現《選》詩在繼承刪《詩》
精神之「大同」下，仍有「小異」，也就是在吳淇看來，《文選》
雖本刪詩之旨，但終究還是略遜於《詩經》，殆因《文選》詩文
並談，非僅關注「詩」類，吳淇自己則專就「詩」類而論，更
何況《六朝選詩定論》所續乃六經之首的《詩經》，吳可謂更形
強化地展現出自己續經之思想，換言之，他在推崇《文選》的
同時，似有意強調《六朝選詩定論》直紹《詩經》「正統」而與
《文選》略微相左之意，吳表明《六朝選詩定論》經典地位的

強烈意圖可見一斑。如此高聲疾呼固然可引起更多關注之目光，然而不可否認地，像這般往詩教靠攏的言論確實也造成諸如四庫館臣之誤解，反而有掩蓋吳書灼見之虞。本文在點出吳偏限之同時，更欲釐清其灼見處，以求能較好地呈現《六朝選詩定論》之價值。

在吳淇的詩學觀裡，與「尊經」密切相關者，另有所謂的「漢道」說。漢道之具體內涵可由下列引文窺得：

> 少陵以蘇李古詩為漢道，以其能繼《三百篇》之正統……蘇李古詩，組織《風》《騷》，咸折文質之衷，抒發性情，深合和平之旨，故可超賦凌《騷》，直接《風》《雅》。（三/62）

> 敘六朝之詩，而托始於東周者，以楚《騷》作於東周之季也。夫楚《騷》者，周詩之流；漢道者，又楚《騷》之變也。故楚《騷》中具有《三百》之性，而漢道中兼有楚《騷》之情……是以漢之詩取《離騷》之情，合《三百》之性，故美而可傳也。（二/45）

由前面的論說已可看出，吳淇尊經的對象若聚焦來看，主要是指經孔子刪選過後的《詩》三百。而所謂「漢道」，則是繼《三百篇》而來，為詩「經」正統之延伸[1]。另一方面，吳淇又云「漢之詩取《離騷》之情，合《三百》之性」、漢詩乃是「祖《三百篇》而宗《離騷》」（二/41），可見在吳眼中，《離騷》的精神亦是組成漢道之重要成分。至於蘇李古詩既然是漢道的代表，那

---

1 「少陵以蘇李古詩為漢道」云云，固然是杜甫的觀點，但由該段引文的前後文加以觀察，亦可看出吳淇對該論之認同，故此處逕由吳淇的角度出發論述。

麼其直接風雅、兼具文質、溫厚和平等特點,則可視為是漢道的具體內涵[2]。

那麼漢道又是如何與六朝詩歌聯繫?根據吳淇的說法,「『選詩』為《三百篇》之流變」(一/1-2)、「『選詩』去《三百篇》千有餘年,中間承前開後,騷賦之功不可沒」(一/2),配合上列第二段引文中提及六朝之詩[3]與漢詩、詩三百、離騷的關係,以及「杜甫所謂『漢道』,即《選》中諸體」(三/61)之言,即可看出《選》詩乃遠紹《詩》、漢道而來,吳淇意欲為《選》詩的崇正性建立起一套縣密而正大的系譜是顯而易見的。

以上乃就漢道之精神層面來談;若就體式面而言,吳淇認為《選》詩宗漢道,則與五言、七言、四言有密切的關連:

> 「選詩」之體,皆備於西漢。韋孟四言,蓋漢道四言之始。五言始於蘇李河梁贈答之詩……《柏梁詩》,《選》不錄其辭,實七言之始也。……故《選》雖總括六代,必以漢道為宗。(二/47-48)

> 《選》中所錄,惟五言、七言及四言者,所以尊漢道也。然漢道之盛,雖以五言、七言,而要以五言為主,自晉魏及齊梁,莫不特重五言。而七言一流,未極其盛也。……詩以四言、五言、七言為正。(一/6)

正因為四、五、七言俱始於漢代,而給了吳淇聯繫漢道與六朝詩歌的另一個理由,也就是四、五、七言在形製上成形之時代

---

2 此處所展現的,是吳淇對漢道的傳統看法,然他對風雅、和平等概念,另有通變之觀點,將於下文中再作闡述。

3 由吳淇的整體論述觀之,其所謂「六朝之詩」與《選》詩存在高度的疊合。

正是漢道正統輝煌之際，而《選》詩又是以此三體為主，因此自然成為漢道之體現。另一方面，稱「詩以四言、五言、七言為正」，而《選》中所錄即是此三體式，「正」字之評復可間接窺得吳對《選》詩無所不在之推崇。

尤其值得留意的是，吳淇認為此三種形製中又以五言為主，何以會有如此看法？乃因「聲音之道，五而備，七而盈，蔑以加矣」（一/5），就音調節奏加以考量，五言在字數的表現上應是最為適中的，而此適中之形式，要在若能「以是出言，言皆雅馴，而無鄙悖之失矣。以是為詩自然合調，可被之金石而無忤矣。以是納言，小之可以顧誤，大之可以察理，而治忽之幾可以立辨，太平之樂可以立興矣」（一/9），其政治上和合的效用是頗為明顯的，正與吳淇尊經、漢道溫厚和平之精神相應。他將形式他將形式面涵蓋入其尊經（重漢道）的思想當中，尚可見對吳而言，形式與內容乃緊密連繫之二者。[4]

因此，吳淇認為《選》詩主漢道的觀點是十分明顯的：

> 《選序》曰世更七代，並梁而八。今節去衰周亡秦，斷自炎漢及蕭梁為六朝者，明所論者專主漢道。上以別乎王迹，下以別乎唐制也。（一/1）

《文選》從蘇李古詩一路延續至梁詩，無一不是漢道之體現。在吳淇眼中，呈現漢道的詩作有其時代之限定，此論正與吳氏的三際說相互呼應，屬於「二際」的六朝詩作與王迹、唐制有

---

[4] 不過另一方面，從《詩經》的四言為主到《文選》以五言為主，其實也可隱約看出吳淇尊經承中復變的意味，可見吳淇並非全依舊章，此乃見到吳尊經之餘尚需細細辨析處。

別,如此斷代且強調六朝之獨特性,正可再次看出吳淇對《選》
詩的看重。

(二) 致養立教 ── 聲歌與義理合一

除了尊經、重漢道,吳淇亦費了不少篇幅闡述樂音,其中
指出「人聲」之重要性,更再三強調詩、歌之密不可分,凡此
種種,俱與樂教體系之教化作用相關,茲分述如下。

在吳淇眼中,「人聲」誠高於「八音」,所謂:

> 志動人聲,則志即寓人聲之中;志動八音,志即寓
> 八音之中。志在人聲中,則律也、聲也、永也、言也,
> 皆全備無缺。(一/7)

觀前四語,「志」除了在「人聲」中,似亦可見於「八音」裡,
然吳淇又言人聲可貴之處在於「能兼字情、聲情」(一/7),此
乃只能傳遞聲情的八音所無法比擬;再者,八音需受「志」的
主宰,方能成為有意義之聲響,這就透過「志」將八音也繫入
人聲之中。既然吳淇如此重視人聲,又強調八音需納入人聲中
方得顯其價值,如此樂音主張落實於吳的具體詩評中,是否有
重視人文樂音(含詠歌、奏樂)勝過自然聲響的偏向?此乃在
探討吳淇對聽覺的闡發時可茲留意者。

至於詩、歌兩者的關係,吳淇之主要觀點如下:

> 歌既主言,言乃聲之貴者,非聲之全者。……詩者,
> 人聲與物聲之主,能包囊全樂故也。……歌名遞變,其
> 實皆詩也。故歌與詩非二……(一/4)

> 詩言志，義理也。歌永言，聲歌也。五聲六律八音，
> 羽而翼之，豈非聲歌義理合併為一乎？詩有五聲，兼含
> 五言，以其五聲諧八音之五聲而為樂。……樂非詩不成，
> 禮非樂不舉……聲歌與義理，一以貫之矣。（一/11-13）

在第一筆資料中，吳淇雖然將歌、詩區分為前者乃聲之「貴」、後者為聲之「全」者，似有等第之分，但他隨即從「歌名遞變，其實皆詩」說明詩、歌之密切性，接下來則不斷闡述兩者之難以區分，吳淇亟欲展現「歌在詩中」或「歌對詩之重要性」的意圖可見一斑。

在吳淇詩、歌一系列的闡述中，兩者密不可分的論說，最重要的莫過於「義理」屬詩、「聲歌」屬歌，而聲歌義理合一之論。如果從《六朝選詩定論》的目次觀之，乃是以時代先後排序，僅〈易水歌〉破例，單獨置於全書最後一卷。何以吳淇會如此安排？可從吳闡述〈易水歌〉之內涵窺見一斑。吳淇評注該作基本上是扣緊「古人遣調，必與詞情相准」（十八/482）而來，其中提到〈易水歌〉因情感激昂，故需搭配慷慨之音，詞情（詩）與調（聲）互相搭配乃普遍可見之狀態；而「詩以聲為用，聲以氣為體。是以古之歌詩，一篇之中自抑而揚，由緩而急，人之氣為之也……詩之自抑而揚，由緩而急，蓋以氣之流行，必有其漸，因乎自然之勢」（十八/483）云云，則可見「氣」於詩、聲間流動、串連之作用。以上不論何者，俱為聲歌與義理合一之表現，吳淇於全書之末再次論述詩、歌間和合不分，正與卷首之論相應，而可見吳淇對此之重視。

另一方面，若從形式、內容的角度觀之，聲歌（樂）者牽

涉到表現形式，即屬前者；義理（詩）則屬內容的範疇，因此
聲歌義理之論亦可視為是吳淇「形質相兼」論述之一環。

　　上列這段獨立引文的第二段還有一重點句「禮非樂不舉」，
吳淇另言「禮與樂相須不離」（一/26）、「詩、禮、樂，王者治
世之器」（一/23），「直而溫，寬而栗，剛而無虐，簡而無傲之
四德者，樂之教，實詩之教」（一/7），除了再次可見詩樂不分，
樂之教化作用無庸置疑是頗為明顯的。若再次扣回聲歌、義理
觀之：

> 　　詩兼聲言。聲主於氣，所以致養；言依於理，所以
> 立教。（一/12）
> 　　聲歌致養之說，與義理之教，交重者也。然養之中
> 有教焉，而教未嘗非養也。（一/13）

在這裡吳淇將「養」對應至「聲歌」、「教」對應至「義理」，並
明確展現教養相融的樣貌，這就使詩樂、教化於融合中建立起
一套完整的體系。可以由此延伸思考暨觀察的是：吳淇在詩歌
的具體評注中，是否多偏由教化面闡釋？是否對政治層面多所
關照？若真是如此，又是如何於其間表現動人之情？或者另有
比較不涉政教層面之抒情？吳淇聲歌之論乍看之下似乎繼承傳
統樂教者多，而難見新意。事實上，在具體詩評中，吳淇論及
聲樂處，並不僅僅呈現傳統的儒教精神，尚與哀傷至情有較多
連繫，而與六朝「任情」思潮有較多的呼應，相當程度突破了
傳統儒家詩教「溫柔敦厚」之主張，關於這點，將於下文「詩
教精神之新變」與第四章「聲聞之應」中再做詳細的析論。

二、詩教精神之新變

　　前一點之論述，基本上是由傳承面出發，指出吳淇欲予《選》詩正統地位之用心。然而吳論並非只是簡單地承繼詩教，他對某些傳統詩教觀有所通變的闡說，恐怕是更值得留意的。通觀《六朝選詩定論》卷一、卷二總論處，吳淇對於「風雅」、「聖賢之志」、「哀而傷者」的看法，是較顯著展現其異於傳統之論者。首先觀「風雅」的部分。吳淇以為《文選》序是「本於《詩》之六義者」，《選》詩更是「六義全完，直紹《風》、《雅》之統系」（一/2）。然而他對六義的認知，並非一成不變地援引先秦六義之論，而是清楚見到詩歌隨時代推展，終究有所新變，故對風雅頌的看法，他也做了適度的調整：

> 三百篇《詩》，經孔子之刪定，風雅頌之體，粲然別矣。或謂漢魏以來之詩，未經聖人之刪定，故無復風雅頌之辨。不知此漢魏以後，風雅頌之體不可分，亦不必分也，亦存其意而已。（一/28）

吳淇以為孔子刪定之《詩》三百，風雅頌有清楚的區辨；然漢魏以後區別風雅頌似乎沒有太大的意義，重點在於「存其意」，把握風雅頌的基本精神即可。可見吳淇儘管再三強調《詩》三百之於六朝詩作的淵源地位，卻未死板地一一區辨風雅，這就避免掉比附之虞[5]，而呈現新變的樣貌。

---

5 漢代以後確實有不少詩歌評注在承續六義時為了與此相符，而有強加比附之虞，例如元人劉履的《風雅翼》便有部分內涵表現出這樣的傾向。

　　以上乃就吳淇承《詩》之變而言。從詩歌發展的流脈來看，如果《詩經》為「正」，那麼《楚辭》則屬於「變」，吳淇一方面認為「『選詩』為《三百篇》之流變，而非騷賦之流變」（一/1-2），強調《選》詩繼三百之正統性，另一方面卻又提到「『選詩』去《三百篇》千有餘年，中間承前開後，騷賦之功不可沒也。……作『選詩』者不得騷賦之意，竟亦不成其為『選詩』」（一/2），可見若只有「正」之繼承，而不能隨著時代有所新「變」，展現屬於一己之獨特風貌，那麼將無法呈現己身之價值。吳淇此論雖是針對《選》詩之「創作」而言，實則如此「承中復變」之精神亦展現於他對六朝詩歌的「批評」中，《六朝選詩定論》所以能有殊多獨見處，與吳新變之思維不無關連。

　　吳淇異於傳統之論，尚可透過其對「聖賢之志」的看法清楚窺得。吳何以會針對此加以辨析，是因為出現一派說法認為《選》詩乃「文士之筆鋒，聖道弗存，無庸留心」（一/2），他對此頗不以為然：

> 聖人之道未墜……即彼《三百篇》，半出於婦人女子，非盡聖賢之言。「選詩」歷六朝千有餘年，類出士大夫之手，皆當世所謂賢豪間者，反無一語可取耶？（一/2-3）

《詩經》除了被吳淇大力推崇，其經典地位更得歷代多數學者之肯認，既然連具有如此崇高地位的典籍都有「半出於婦人女子，非盡聖賢之言」，那麼《選》詩中有不少賢豪之作，豈可不取？基於如上之立論，吳淇又再次回到《詩三百》，進一步表明他對聖賢的種種相關看法：

> 《詩三百》……雖不必盡出於聖賢，大抵不離聖賢
> 之徒，絕非庸夫俗子所能與。苟有才有情，而不詭於聖
> 賢之旨，雖寺人女子，皆得列《風》《雅》之林，何況進
> 取之狂、不屑不潔之狷，卓然有立志耶！……詩之所擯
> 者，為無才無情之庸夫俗子，蓋以志之不可強立，而言
> 之不可偽託也。至如奸雄一流，雖聖賢所不道，然其人
> 實負不世之鴻才，兼懷絕人之至情……此「言志」二字，
> 所以包囊萬世之詩。（一/3-4）

該論始言詩三百不離聖賢，似乎仍展現儒家傳統之主張。但若
細讀此論，會發現「不離聖賢之徒」並不等同於「盡出於聖賢」，
只要「不詭於聖賢之旨」，即使是「寺人女子」，若有才情，仍
不可秉棄。進一步而言，就算是「奸雄一流」，但因其「懷絕人
之至情」，亦足可觀。換言之，詩人有無才情方為重點，而毋須
拘於是否為聖賢之表象。如果說前一段引文的重點在於指出《詩
三百》與《選》詩之「同」處在於作者「非盡聖賢」，那麼本段
引文則著眼於《詩三百》與萬世之詩之「異」，也就是前者之作
者畢竟仍多聖賢之徒，後者則不論是否為聖賢，要在能夠「立
志」，便足可取，這就較明確地表現出吳淇論詩新變於傳統詩教
的主張。此處所云既為「萬世之詩」，自然包括《選》詩，在《六
朝選詩定論》的具體評論中，像是漢高帝有「偏霸陋習」（三/62）、
曹操「走入奸雄一路去」（五/100），實在稱不上是聖賢之徒，然
吳淇卻頗欣賞二人之作，正在兩人俱有「不世之鴻才」與「絕
人之至情」，可見吳氏之尊經，非全然沿襲傳統，而已有所調整。
　　上列引文還有一處需特別留意，就是其中「言志」的內涵。

首先必需釐清「言志」的層級性，若按照本文第一章所援引顏崑陽的說法，此處之「立志」、「言志」，與前一點「致養立教」中提及的「志動人聲」（一/7），當屬於第一層級「一般性」之志，也就是「泛指人心中一切意念」[6]。至於引文中將「聖賢」與「奸雄」相比照，提到後者有「絕人之至情」，此處之「至情」當屬於第二層級，也就是與狹義言志相對的「類型性」[7]之情。

　　吳淇這段論述乍看之下似與《詩·大序》[8]之論類似，俱涉及一般性與類型性兩層級之情志，然而若觀察兩者之論述脈絡，誠可見著眼點之異：《詩·大序》從「詩者，志之所之也，在心為志，發言為詩」此「一般性」的志談起，最後卻將情志範圍縮小，導向政教、正得失一端，而成為「類型性」之志，明顯可見對政教倫理之著重。而吳淇之論則是談「類型性」的「至情」之可取，最終歸結於言志「包囊萬世之詩」，足見將「至情」（類型性）納入「言志」（一般性）的強調。換言之，若與《詩·大序》所代表的傳統詩教觀相較，吳淇所認為的「卓然有立志」，是連狂狷、奸雄之情都涵蓋其中，「志」所涵蓋的範圍頗為寬廣，這就與傳統之志最後扣緊政教來談有一段距離，可謂於延續中開拓出嶄新的道路。由此可見，吳淇雖在《六朝選詩定論》卷一中不斷展現尊經思想，但並非墨守故舊，實際

---

6 顏崑陽：〈文心雕龍「知音」觀念析論〉，《六朝文學觀念叢論》，頁 230。

7 同前註，頁 231。

8 《詩·大序》之論如下：「詩者，志之所之也，在心為志，發言為詩。情動於中而形於言，言之不足，故嗟歎之，嗟歎之不足，故永歌之……情發於聲，聲成文調之音。治世之音，安以樂，其政和。亂世之音，怨以怒，其政乖。亡國之音，哀以思，其民困。故正得失，動天地，感鬼神，莫近於詩。」（漢·毛亨傳，鄭玄箋，唐·孔穎達疏：《毛詩正義》(北京：北京大學出版社，1999.12)，卷 1，頁 6-10。）

解詩時仍有不少擺落傳統經道之論，足見他應該有意識到屬於六朝詩歌獨立自覺之文學特點。

關於「類型性」的情志，吳淇尚言「『詩言志』一句，帝之志在於奉天之命以安民，陶（筆者案：指皋陶）之志在於體君之志以興事。至此功成樂作，君臣唱和於一堂之上，其古今有一無二之盛事」（一/15），確實可見吳淇對於儒教君臣倫理層面的關注，那麼我們是否可因此認為相對於「詩言志」，吳淇解詩對「詩緣情」之一面便有所忽視？恐非如此。吳淇尚言「文生于情。千古之詩人，千古之情人也。情之所鍾，莫真於朋友之交……一段纏纏綿綿之懷，出於至真，情見乎詞。《選》詩以之終始」（任昉詩總論．十六/440），可見吳淇評詩並未因崇志而斥情。換言之，吳淇論詩雖帶有尊經思想，尚考量到魏晉南朝個體抒情蓬勃發展之樣貌，此亦可視為是吳淇品評之際承詩教復顯新變之表現。

至於傳統詩教中「哀而不傷」的主張，吳淇亦有所調整，而使其論表現出更大的寬容性：

> 迨至六朝，人非至聖，何由得性情之正？故《選》於詩，寧收哀而傷者，斷不取樂而淫者，是亦不得中行而思狂狷之意。（一/23）

這筆資料直接聚焦於《選》詩來談。先就繼承面而言，《選》詩雖無法全循中庸之道，但終究保有一定的尺度，像是收錄「哀而傷」之作，而「不取樂而淫者」，殆因一般而言，前者於內涵上會較後者深刻而有更多迴還往復的空間，雖不得中行，卻未過份偏離「性情之正」，故取之，展現出吳淇繼承傳統之一面。

此外還值得留意的是，吳淇以為《選》詩收錄了「哀而傷」之作，並認為「哀之必啼」（一/32）乃人之常情，與「《關雎》樂而不淫，哀而不傷」[9]的精神不盡相同，隱約可見對哀傷之情有更多的接受，而顯現吳思維新變之處。再者，孔子取「狂狷」有退而求其次之意，《六朝選詩定論》「是亦不得中行而思狂狷」，乍看之下似乎只是單純地呼應孔子之說，不過若與《關雎》「哀而不傷」相較，並慮及《六朝選詩定論》全書對哀傷之情的著意闡發，誠可看出「哀而傷」者頗受吳淇看重，幾乎不見視此為「其次」的意味，此亦可窺得他承中復變的思維。

吳淇之所以在傳統詩教的基礎上對哀傷之情有更大的包容，究其原因，或許與其人格特質、個人際遇有所關聯。誠如第一章論及吳淇生平所言，他為官待民頗為寬厚，常展現不忍人之心，表現在詩歌批評上，或許更能設身處地地闡發詩人的哀傷之情。至於個人際遇，吳淇身處明清易代，28 歲時面臨居住地睢州被起義軍攻破，復需以長子的身分侍奉親長、照顧幼弟，在困窘的環境下見到諸多無常與苦難，這樣的遭遇亦有可能成為他對哀情感受敏銳而得同情共感的潛在因子。

吳對哀傷之作有較多的留心，實際表現於詩歌品評中，例如潘岳的三首〈悼亡詩〉，他費了相當大的篇幅加以闡發，正因「安仁的是情種」（八/181），情真可取，故多所留意。吳淇之論乍看之下似有傳統儒家色彩，而使學者有「這性情又都是要符合儒家傳統詩教精神」[10]之論，但其整體品評卻能妥善考量六朝

9　魏・何晏注，宋・邢昺疏：《論語注疏・八佾》(北京：北京大學出版社，1999.12)，卷 3，頁 41。

10　景獻力：〈吳淇《六朝選詩定論》對《選》詩的重新闡釋〉，頁 73。

詩歌緣情之特點，而非一味依附儒教，此乃需詳細辨析處。

　　上述對於吳淇儒家詩教精神承、變之探討，除了使我們能初步掌握吳之基本詩歌觀，筆者另有與吳具體詩評比對之用意：吳淇的尊經觀，是否影響其解讀詩作時，容易展現拘謹之衛道思想？他的樂（詩）教思想落實於詩評中，是否因為對哀傷至情有更大的包容，而使其闡詩能更貼近普遍之人情？吳對詩教精神承中復變之表現，是否使其在面對中國文化的倫理傳統（例如君臣關係、雅正思維等）時，能有更貼合詩人情懷、更帶有人情意味之闡發？期能在下文的析論中，一併探討上述這些問題，突顯吳淇表面看似尊經、重漢道，實質上卻有不少擺落傳統經道之論，而可見更符於六朝詩人任情（或哀傷之情）的闡發；對於學界認為「吳淇繼承儒家傳統詩教精神」[11]的說法，也因此能有更深切的省思。

第二節　兼重文辭與志意

　　在上一段詩教精神的新變中，可以看出「情志」屬於詩歌內容；另有形式表徵之「文辭」[12]，亦為吳淇所看重，此二者與後續解讀吳淇之品評有密切關連，故應率先針對這兩部分說明吳氏的看法。

　　首先觀志、意、思，也就是內涵的部分：

---

11 可以景獻力之說為代表，參前註所對應之原文。

12 本節標題中的「文辭」與「志意」，乃據吳淇「顯於外者曰文、曰辭，蘊於內者曰志、曰意」(一/34)而來，這裡的「志意」為「一般性」而非「類型性」。

> 《詩》有內有外。顯於外者曰文、曰辭,蘊於內者
> 曰志、曰意。此「意」字,與「思無邪」「思」字,皆出
> 於志。然有辨,「思」就其慘澹經營言之,「意」就其淋
> 漓盡興言之。……古人之心事,以意為興,載志而遊,
> 或有方,或無方,意之所到,即志之所在。(一/34)[13]
>
> 「選詩」以文為主而理與道寓焉,是必本道為法,
> 究尋其文理。其理既明,於道斯合也。(一/2)
>
> 道即理也。詩以理為骨,然骨欲藏不欲露。故詩人
> 之妙,全在含蓄,留有餘不盡之意,以待後來明眼人指
> 破。如《烝民》之詩,本性命之理;《未雨》之詩,乃經
> 濟之理。(一/36)

第一段引文乍看之下是針對《詩》而言,然在吳淇眼中,《選》
詩既然遠承《詩經》而來,該論亦可視為是吳解詩之基本觀點。
此處先就「蘊於內者」論之,「意」、「思」、「志」為其中重要的
字眼。「志」於前一節中已經觸及,凡是「卓然有立志」(一/3)
者,即便狂狷亦可取;復由前後文推論[14],所謂「志」者,應指
作者寫詩時有一鮮明的中心思想,這自然包涵創作者的興發感
動,也就是「意」的部分,故云「意之所到,即志之所在」;另
含「慘澹經營」之「思」,乍看之下「思」者似仍屬思想的範疇,
然吳淇既以「慘澹經營」言之,便有構思的意味蘊含其中,而
這與形式表現,也就是文辭的部分有密切聯繫。吳淇此處言《詩》

---

13 此段論述還牽涉到「漢宋諸儒,以一『志』字屬古人,而『意』為自己之意」
(即引文刪節號處),然吳淇不同意此,認為「意」、「志」有密切關聯,兩者無
法確切區分,而贊成「以意逆志」說。因為此非本處論述之重心,故略之。
14 原文詳參上一節第二點中關於「聖賢之志」的探討。

有內有外，似分述內涵與形式二者，實則若觀察其具體品評詩作之樣貌，則時常可見他對志意、文辭如何交融有極為用心之闡發，足見形質乃難以切割之二者，吳尚能確切地落實於詩評中，而此非僅止於主張之說明。

　　至於第二、三段引文，從最末引用《詩經》二例可以推得，「理」之所指，乃是一首詩的中心要旨，也就是「道」，這麼看來，吳淇眼中的「道」、「理」便與「意」、「志」等概念有相當之疊合。

　　上列獨立引文另一個值得留意處，則在於「含蓄」之說。吳淇之前已有不少作者、詩論家主張詩歌表現需含蓄不露[15]，吳「詩人之妙，全在含蓄，留有餘不盡之意」所云幾與前同。吳論有意思處在於，他並非僅止於理論層面，而是能由「詩評家」此特殊讀者的立場，指出詩之意蘊需「待後來明眼人指破」，詩中稱「妙」之含蓄，非得由「明」眼人闡發不可，若非為「明」，便無法點出其中之「妙」。吳淇這幾句簡單之語一方面呼應儒家溫柔敦厚之傳統，另一方面，也暗示著他在解讀《選》詩時所秉持的理念，也就是面對「詩者，性情之善物也，有諸內必行於外」（一/32）[16]，如何從已「形於外」之詩歌逆推回詩人之「內」，乃吳身為「明眼人」之重要使命，正因吳之明眼，使我們在閱

---

15 例如「深文隱蔚，餘味曲包」（南朝梁・劉勰著，周振甫注：《文心雕龍注釋・隱秀》（臺北：里仁書局，1998.9），頁741）、「語貴含蓄。東坡云：『言有盡而意無窮者，天下之至言也。』」（宋・姜夔：《白石道人詩說》，收於清・何文煥輯：《歷代詩話》（北京：中華書局，2001.11），頁681）……等論可參。此外像是司空圖《二十四詩品》收「含蓄」為第十一品，亦可見他對詩作含蓄不露之推崇。

16 汪俊、黃進德點校的《六朝選詩定論》「行於外」之「行」作「行」，疑為「形」之誤。

讀其評時，確實可見不少妙解，詩作內涵也因吳論而更顯豐富、
有更多咀嚼的空間。

　　另一方面，面對「顯於外者」之文辭，吳淇並非單純視此
為形式技巧，而是將此與「蘊於內者」之志意密切結合。試觀
下列論述：

> 「不以文害辭」，此為說《詩》者言，非為作詩者解
> 也。一字之文，足害一句之辭，於此得鍊字之法。其法
> 散見後論。「不以辭害意」，亦為說《詩》者言。一句之
> 辭，足害一篇之意。可見琢句需工，然卻不外鍊字之法。
> 字鍊得警，則句自健耳。（一/35）

由「不以文害辭」、「不以辭害意」是「為說《詩》者言」的解
讀中可以看出，吳淇是由「詩評」而非「詩歌創作」的角度切
入，他對於自己詩評家的身分頗具意識；順此而來，吳對「不
以文害辭」、「不以辭害意」等二語的解釋亦不同於尋常，一般
而言，會將此理解成需掌握文字背後的大意，而非拘泥於表面。
然而身為一位解詩者，面對詩歌這個「文之極精，言之極粹，
音之極純」（一/38）、在文學中最講究審音鍊字的文體類別，首
先接觸到的即是表面的文字，文辭語彙乃逆推詩意的重要根
據，那麼該如何透過對文辭之掌握，恰切地闡發詩作背後的深
意？不得不成為詩評家之首要任務。是以此處「不以文害辭」、
「不以辭害意」，則成為「如何恰切由文字推闡詩意」之謂；而
獨立引文中之「鍊字」云云，正與吳淇自己在評論時，特別留
意詩人遣詞用語之一端相互呼應。他在卷三以下具體品評詩作
時，常提及「鍊字之法」，例如「大凡古人用字，有似重複而實

非重複者」（八/182）、「大凡古人作字之意，命物指事，有總用、有專用、有借用」（八/195）、「看此詩首章，雖與前詩相犯，卻是一用現寫實寫，一用追寫虛寫，無一字不犯，卻無一字相犯」（十/235）……等論俱是，足見小至擇字，大至篇法、章法，皆為吳淇品評之重要著眼點。

　　吳淇與鍊字相關之種種主張，並非只是停留在表面形式上的說明，而是能進一步與該詩的精神意蘊結合，使文辭與其所承載的情意能密切貼合。類似像這般兼重形質的文學觀點並不罕見，遠從劉勰《文心雕龍·情采》主張情文、形文、聲文三者合一的立文之道[17]、《文選·序》認為作品需「事出於深思，義歸乎翰藻」[18]……等論即可看出，形式與內容合一的文學觀淵源頗早，亦得歷朝不少詩論家認同。不過若由「詩歌批評」而非「詩歌理論」的角度觀之，稍早或年代近於吳淇的詩評家，雖已對六朝詩歌有不少闡釋，然礙於品評體例相對精簡，對於形質結合的闡釋有限，陸時雍《古詩鏡》（1612-1670？）、鍾惺（1574-1624）、譚元春《古詩歸》（1586-1637）……等多是如此。至於吳淇、與其時代相近的陳祚明（1623-1674）《采菽堂古詩選》，則是在提出主張的同時，尚能透過品評的方式，將形質兩者是如何密切連繫具體展演出來，使讀者非僅於概念上有所理解，尚能確切掌握兩者間的關連，可謂開啟了更形精詳之品評風尚。一般論及明清文學之架構、技法與規律，通常集中在古文上，至於文學評點，則以金聖嘆（1608-1661）的古文、小說

17　南朝梁·劉勰著，周振甫注：《文心雕龍注釋·隱秀》，頁599。
18　南朝梁·蕭統編，唐·李善注：《文選》(臺北：五南圖書，2000.10)，頁5。

評點廣為人知[19]，實則與金聖嘆同時的吳淇，亦可見其對文辭、架構的多方留意，就「詩」評史的發展而言，吳對前朝詩評之突破是很明顯的；而吳評這方面的特色，復可窺得其所處時代普遍之文學風尚。

第三節　對六朝詩歌的總體看法

《六朝選詩定論》一書之體例，除了於卷一、卷二表達其詩歌觀以及對六朝詩歌的總體看法，在卷三以下欲開啟對每一個朝代個別詩人、詩作的論述前，尚會有一段針對該朝詩作的整體論述。首先觀卷二之論，是以漢道貫穿六朝：

> 一際之中，又分三會：一曰漢魏，一曰晉，一曰宋，而齊梁為閏餘焉。……漢魏兩朝之詩……合之建安、黃初，同一魏詩；泝之東京，兩京總一漢道也。……太康、元康之間，……雖采縟於正始，力柔於建安，然亦漢道之中興也。……（晉詩）其與漢魏別標為一會，則以六朝之風氣，開於西晉。而東晉之劉、郭，一啟太白飛揚跋扈之氣，一啟少陵沉酣抑鬱之思，故雖與為同一漢道，而不得不判為二矣。……宋代……五言獨擅，寫物極態，搋詞標新……漢道至此，為變已極……齊、梁已為漢道之閏餘。（二/43-44）

---

19 相關論述可參陸德海：《明清文法理論研究》(上海：上海古籍出版社，2007.10)，頁153-167。

吳淇將古今之詩分為三際，二際雖涵蓋東周到梁，但在吳氏看來，東周與秦「詩亡」（一/32），故二際所指之詩作乃是由漢至梁，正與《選》詩收錄之朝代相應。這段論述由漢道出發，說明各朝與漢道的關連。值得留意的是，透過前文的探討，已知吳淇認為《選》詩「專主漢道」（一/1），然而上列引文卻言南朝宋時漢道「為變已極」，齊梁則已是「漢道之閏餘」，一言主漢道，又言相較於漢道已有所變化，兩造說法是否有所矛盾？關於這點，應做如下之理解：《選》詩在吳淇眼中確實幾以漢道為宗，然而由上述「飛揚跋扈之氣」、「沉酣抑鬱之思」雖「同一漢道」，卻「不得不判為二」可知，在漢道的大範疇間，終究有風格上的差別，重點在於儘管有所差異、變化，但若能或多或少保有漢道風雅、兼具文質、溫厚和平等特點，那麼便不失為以漢道為宗；況且《選》詩並不等同於漢魏晉南朝詩歌，《選》詩乃是由漢魏晉南朝詩歌中揀選出來之佳作，故西晉雖因空談而幾喪風雅，卻因有潘岳、左思、張協、陸機……等人，而使漢道之風雅得以存留[20]。宋代雖是「為變已極」，但此「變」勉強有顏、謝、鮑立足其中，尚可屬漢道範疇；齊梁的狀況略同於此，作為「漢道之閏餘」，終究仍保有某些源自漢道的質素，所謂「陳梁之前，其於漢為踵事而增華，唐世以後為變本而加厲。踵事增華，如奪舍移居，不脫輪迴；變本而加厲，如伐毛洗髓，固已別生羽翰」（二/42），齊梁仍不脫漢道之輪迴，而不悖於《選》詩「以漢道為宗」（二/48）的中心思想。

---

20 該論原文如下：「西晉之初，家尚黃老空談，幾奪《風》《雅》之座，賴有潘、左、諸張同時鵲起中州，而陸氏伯仲，以東南之彥，雁行入洛，相與驅馳爭先，漢道賴以不墜。」（二/51）

　　從吳淇的論述中可以看出，儘管六朝俱與漢道有關，但他對漢魏與齊梁的評價顯然還是有高低之別。姑且不論是否認同吳氏之評，然其論確實能貼合時代脈動，不致因其漢道的主張而疏忽了屬於各個朝代的特色；另一方面，藉由漢道貫串《選》詩，則是以「同於漢道的精神要旨」作為線索，因此即使吳淇也認為齊梁詩總體而言有「浮靡」（十五/406）的傾向，但留在《文選》中的作品，卻能不悖漢道，而有可取之處。要之，吳淇以漢道主張觀看六朝詩時，誠能於其一貫的主張中保有各朝之個性，故知其論非食古不化者。

　　吳淇除了以漢道貫穿六朝詩作，他對六朝詩歌的整體論述或有同於前代之說處[21]，明顯因襲舊說，故略而不談。下文僅針對吳氏談論各朝時較具新意者提出探討，實因這部分較能看出他不同於前朝之目光。首先觀其魏代之論。吳淇提到魏代「詩體始分。以時而論，則有建安體、黃初體、正始體；以人而論，則有曹劉諸體」，其說源自嚴羽[22]，吳論較特殊處在於：按照他的解釋，分體是為了「以便初學入門」（五/100），不論是以「時」或以「人」分體，俱是以風格作為歸納或闡說該體特點的依據，因此分體亦可視為是便於掌握該階段或該詩人的一個方式。吳淇之所以由「便於初學」的角度加以說明，應是充分考量到《文選》流傳的型態，《文選》早從唐代起便被視為是學習詩文的重

---

21 例如言「陳思稱建安之傑」（三/62），其說源於《詩品》；說太康、元康「采縟於正始，力柔於建安」（二/44），則全然沿襲《文心雕龍·明詩》的說法。
22 嚴羽原文如下：「以時而論，則有建安體、黃初體、正始體……以人而論，則有……曹劉體……」語見宋·嚴羽著，郭紹虞校釋：《滄浪詩話校釋》(北京：人民文學出版社，2006.6)，頁 52、58。

要參考著作[23]，吳淇為《選》詩作注，揭示作品背後的微言大義，即是延續李善、五臣而來，《六朝選詩定論》自是更進一步，有更多精詳之析論，而他希望提供一般讀者掌握詩中之精髓，欲助人賞詩之用心，與其認為魏詩分體是為了便於初學，在精神上是相互呼應的。

至於晉詩，在「采縟於正始，力柔於建安」（二/44）外，晉尚清談則為另一個人們熟悉的面向，吳淇亦留心於此，然其見則另有足以提出討論處：

> 唐人一生之精力盡于詩，晉人一生之精力盡于談。……唐人之詩，巨手如李杜輩，要皆遠宗漢魏，近則寧取齊梁以旋，鮑照、謝朓、何遜、庾信之徒，而于晉詩絕不置喙，于晉人之談如《世新》所載，反于詩中獵拾殆盡者，蓋以晉世尚談，專以片言隻字為終身之目，而謀篇非其所重也。（八/159）

該論很有意思的地方在於點出唐人師法六朝之作時，往往略過晉詩，而寧取予人浮靡之感的齊梁詩歌作為滋養其詩的對象。吳淇認為之所以會有如此現象，應與晉尚清談有關，暫且不論此是否為唐人不取晉詩的主因，但點出此現象，正說明在六朝當中，晉詩相較於前後朝代，或有詩歌性格相對薄弱的狀況，骨力不如漢魏，縟彩又比不上齊梁，正因其過渡的地位，又重

---

23 唐代之所以會出現李善、五臣這兩大重要的《文選》注本，其中一個不可忽視的理由即是《文選》乃科舉考試重要之參考書籍。到了宋代亦是如此，「國初尚《文選》，當時文人專意此書……士子至為之語曰：『《文選》爛，秀才半。』」（宋‧陸游著，王欣點評：《老學庵筆記》(青島：青島出版社，2002.11)，卷8，頁 162)；甚至到了清代，為《文選》作注、研究《選》學再次達到高峰，該著於詩文學習上的經典地位不言可喻。

清談，故不為唐人所重。吳淇對於唐人由六朝汲取養分而略晉詩的觀察，誠發前人所未發。

上列引文另有一處值得留意，即吳淇認為因「晉世尚談」，導致晉詩有重片言隻字而非謀篇的傾向，「尚談」與「重片言隻字」間是否如吳氏所言存在因果關係，此乃可以再作商討之處；然謀篇架構既為吳氏所重，而晉詩卻輕忽此，配合上述晉詩不為唐人所重云云，已隱然可見吳氏對晉詩有所微詞。由此所引發的懸念在於：上列諸論是否影響吳在具體品評詩作時，有較忽視晉詩的情形？此乃下文論述時欲費心留意處。

最後則是宋齊梁三朝，吳淇雖將宋代視為「一會」而齊梁為「閏餘」，然詳觀吳論，他評述這三朝的觀點誠有共通之處，故擬合而觀之：

> 至晉而菁華（筆者按：指漢魏之菁華）已竭矣，故宋則去之。……豈惟去晉，並去魏且並去漢，所謂變其本也。本可變乎？曰：勢不得已也。本不變則屬終不可加。加屬者，乃後人之才思愈出愈奇，而必變其本者。陳言不去，烏克而出新也？……鮑明遠輩力追魏以救之，殆欲返其本也。然本終不可返，氣運為之，非人所能與也。（十二/304）
>
> 蕭齊雖自為一代，其詩之風氣與蕭梁固不分也。……齊梁之所以合者，一派浮靡之習耳。《選》中汰洗殆盡，姑論其存者，亦微有分焉。齊之詩，以謝脁為稱首。其詩極清麗新警，字字得之苦吟，較之梁江淹仿佛近之；而沈約、任昉輩皆所不逮，遂以開唐人一代之先。然漢

魏之遺音，浸以微矣。（十五/406）

從上面兩段論述可以看出，吳淇對這三朝皆有貶意，然對宋朝的變本加厲仍抱有同情的理解，稱其乃「氣運」如此，「勢不得已」。乍看之下，吳淇對宋齊梁三朝的看法並不新鮮，宋之變本、齊梁之浮靡，前朝文論家俱已觸及。然值得留意的是，變本、浮靡等論，是否與吳氏「六朝皆主漢道」的主張矛盾？如前所言，這其中存有「六朝整體」與「六朝《選》詩」的差別，上列第二段引文便提供了判斷的線索：齊梁「一派浮靡之習」者，《文選》已經「汰洗殆盡」，換言之，齊梁整體文風或許不為吳淇所賞，然《六朝選詩定論》所要處理的，則是經過揀選的詩作，因此準確來說，吳之所論誠有對象之別，合於漢道者乃經過挑選的六朝詩作，而非所有六朝詩，引文中提及鮑照、謝朓……等人，即是經挑選過的代表詩人，故吳淇前後論述是沒有矛盾的。

　　了解吳淇對漢、魏、晉、宋、齊、梁各朝的看法，是為了在探討各家詩人時，能與他對朝代的總體論述做一比對：吳淇既然認為《選》詩俱主漢道，那麼在具體評論個別詩作時，其「漢道意識」是否如總論處強烈？他在評注時又是如何展現其漢道主張？是有所轉化，或有附會之虞？就個別朝代而言，他對魏代分體是為了「便於初學」的看法，是否僅止於對魏詩之品評？他又是如何闡析，而使讀者能對詩作有深切之掌握？在晉詩尚談的特色外，吳淇是否藉由品評晉詩，挖掘出晉詩其他的層面？闡釋宋齊梁詩作時，是否因加厲、浮靡的總體印象，而使吳淇對該階段《選》詩少了正面的肯定？凡此種種，都是下文書寫時欲留意的

面向。在詩歌主張與具體詩評的比照中，當能使我們對《六朝選詩定論》有更趨多元而完整之掌握。

第三章　見望所及

── 吳淇之視覺闡發

在正式進入對吳淇身體闡發的探討前，首先必需釐清「知覺」與「感覺」間之差異與關連：

> 感覺（筆者案：指 sensation）與知覺（筆者案：指 perception)之間是連續的，後者是以前者為基礎的；前者是以生理作用為基礎的簡單心理歷程，而後者則純屬複雜的心理歷程；前者是普遍現象（眼睛正常者均有視覺），而後者則有很大的個別差異，不同的人對所覺察到的相同刺激，可能在知覺上有極大的差異。[1]

首先，藉由這段話之定義，欲指出本文的關注核心是「知覺」而非「感覺」層面，然而在人的感知中，生理、心理等面向有著密切的關連，兩者往往存在難以切割的連貫性，因此雖以「知覺」為核心關懷，在論述過程中卻常有由「感覺」出發的情形。其次，該段引文末兩句饒富玩味的空間，若落實於詩歌創作中，詩人之所以將某些意象寫入詩作，當是對此有特別之感受；而

---

1 張春興：《現代心理學》(上海：上海人民出版社，2004.11)，頁 80。

詩評家著意闡發某些知覺，甚至表現出與原詩作不同的著重點，正可見在知覺上存在認知的差異，吳淇對某些身體感知的刻意闡發，正是對此理論之具象展演。

　　本文對吳淇身體闡析的探討，已於第一章第二節「命題旨趣」中交代選擇此題之背景因素；細部來看，則可按照《六朝選詩定論》實際之品評樣貌，歸結出視覺、聽覺、行為舉止等三大層面，誠然「身體始終作為感知器官在共同發揮著作用，並且它自身又是由各個相互協調的感知器官所組成的一個完整的系統」[2]，然而不可否認的是，各個感官畢竟有其專屬功能，「每一種感官本身都帶有一種不能完全轉換的存在結構」[3]，舉例而言，視覺感知光線的功能終究不可能被聽覺所取代，聚焦於相異感官則可見感官各自不同之特點，且能使本文對吳身體闡發的探討更顯層次，權衡之際，仍擬採分述的方式，探討視覺、聽覺、行為舉止三者。

　　首先由視覺部分論之，若考量六朝詩歌創作的時代背景，《文心雕龍・物色》即明確指出：「自近代以來，文貴形似。窺情風景之上，鑽貌草木之中……巧言切狀，如印之印泥……」[4]；《詩品》品評張協、謝靈運、顏延之、鮑照等人，亦俱提及巧構形似，劉勰與鍾嶸之論可謂充分展現六朝階段對摹形的漸步重視。而所謂「形似」的摹寫，有相當程度即是建立在視覺的運用上，吳淇對視覺多所留意，誠符合六朝文學的發展樣貌。

2　德・胡塞爾著，倪梁康等譯：《生活世界的現象學》(上海：上海譯文出版社，2005)，頁57-58。

3　法・莫里斯・梅洛龐蒂著，姜志輝譯：《知覺現象學》，頁288。

4　南朝梁・劉勰著，周振甫注：《文心雕龍注釋》，頁846。

　　另一方面，若就身體感官而言，視覺乃所有知覺中最顯眼的存在，相較於聽覺、觸覺，它「是一種主動性很強的感覺形式」[5]，而「人們看見的只能是自己注視著的東西」[6]，其選擇性的特點不言可喻。職是之故，吳淇與身體感知相關的評論以視覺為最大宗，且關照面向亦頗多元。

　　就視覺的基本特性而言，它必須接受外界光線刺激，方能具備視力、視野、光覺與色覺等功能。視力乃眼睛觀看物品時具備遠近調節的能力；視野則是目光所能涵蓋的空間範圍，視力、視野和辨別方位、距離等皆有密切關連。很有意思的是，吳淇的視覺闡發除了色覺外[7]，對視力、視野與光覺俱有鮮明的論述；而根據該書實際評注之樣貌，殆可歸納為「目光流轉」與「光覺展現」兩部分，前者主要涉及視力、視野，以「上下之俯（視）仰（視）」與「遠望」為主，佔《六朝選詩定論》視覺評述最大之篇幅，擬分列兩節，探析吳評有何特殊之觀點。接著則是聚焦於吳對光覺的闡發，他如何體察「光」這個虛幻之物？該類述評有何意義？俱下文欲探究者。至於誰之「見界」（四/79），也就是吳評中「由誰的角度來觀看事物」之論述，則屬於在視覺基本功能的基礎上之探討，擬留待最後說明。

5　美・魯道夫・阿恩海姆著，滕守堯譯：《視覺思維──審美直覺心理學》(成都：四川人民出版社，2007.7)，頁 25。

6　法・莫里斯・梅洛龐蒂著，楊大春譯：《眼與心》(北京：商務印書館，2007.6)，頁 35。

7　何以在吳淇的述評中，幾乎未見與色覺相關之論述？細觀《六朝選詩定論》，未窺得與此關連之任何線索，故只能據其詩歌觀加以推測，是否因受尊經雅正思維之影響，而於述評上展現輕忽色彩雕繪之偏向？礙於該問題仍有不確定性，故僅於注解中聊備一格。

第一節 「俯仰」所見

── 上下對舉中之人跡/情闡發

就實際的生理狀況而言,目光之流轉往往需配合身體或大或小幅度的移動:

> 眼睛本身在眼窩之內活動,它的選擇性的觀看還會進一步因觀看者頭部和整個身體的活動而得到大大加強。[8]

統觀《六朝選詩定論》,視覺闡發確實常見選擇性的特點;而吳淇對目光流動的評述亦與整個身體的活動有密切關連,其中又以頭部之上「俯」下「仰」、「望」者搭配徘徊佇立等動作最為常見,本節先論前者。標題中所謂「人跡」者,是指人活動之行跡,偏重展現人之氣息,不見得蘊含情感;「人情」者,方顯現較多的情意內涵。吳論中出現俯視仰觀者,尚可細分成兩類來談,首先是詩中未出現「俯」、「仰」字眼者:

> 美女妖且閒,采桑歧路間⋯⋯攘袖見素手,皓腕約金環。頭上金爵釵,腰佩翠琅玕。明珠交玉體,珊瑚間木難。羅衣何飄飄,輕裾隨風還。顧盼遺光彩,長嘯氣若蘭。(曹植〈美女篇〉)
>
> 乍見美人,何處看起?因其采桑,即從手上看起,

---

8 美·魯道夫·阿恩海姆著,滕守堯譯:《視覺思維──審美直覺心理學》,頁28。

次乃仰觀頭上，次看中間；又從頭中間看過，然後看腳下，已備見其容貌矣。却再細看其丰韻光澤，妙有次第。（五/126-127）

大火貞朱光，積陽熙日南。望舒離金虎，屏翳吐重陰。淒風近時序，苦雨遂成霖（筆者案：以上為前章）……玄雲拖朱閣，振風薄綺疏。豐注溢修霤，潢潦浸階除。停陰結不解，通衢化為渠。沈稼湮梁潁，流民溯荊徐。眷言懷桑梓，無乃將為魚！（陸機〈贈尚書郎顧彥先〉）

前章從未雨寫起，故望天仰寫，二句晴，三句雨驟……後章接前雨寫起，故從閣上望下俯寫，而窗、而霤、而階、而衢、而梁潁、而荊徐、而吳，頃刻萬里。（十/237-238）

房櫳無行跡，庭草萋以綠。青苔依空牆，蜘蛛網四屋。感物多所懷，沈憂結心曲。（張協〈雜詩〉）

凡人所思，未有不低頭。低頭則目之所觸，正在昔日所行之地上。房櫳既無行跡，意者其在室之外乎？于是又稍稍擡頭一看，前庭又無行跡，惟草之萋綠而已。于是又稍稍擡頭平看，惟見空牆而已。于是不覺回首向內，仰屋而歎，惟見蛛網而已。如此寫來，爽抉情之三昧。（九/200）

相較於詩中單純對美女頭、腰等佩件的描述，吳淇第一筆評注刻意突顯觀者的目光，並將上下觀看之層次鮮明展現出來。第二筆詩評亦可見目光於俯仰間流轉的情形，「玄雲拖朱閣」以下

更是直接扣合「俯寫」來談，並藉由目光所見之重要物件（窗、簷……等），細緻地呈現視覺由上而下漸次流動的樣貌。第三筆評注則可見濃厚的情感特質，憂情在低頭目觸、抬頭一看、抬頭平看、回首向內等眼光的細微變化中逐步加深，以視覺流轉呈現人在某個環境氛圍中感受暨情感之變化是十分明顯的。統而觀之，原詩中之景或情俱於吳淇對俯仰有層次的闡發中顯得更為鮮明而立體。

　　吳淇後兩筆評注很有意思之處還在於：探查原詩，會發現評注對應的詩句皆為景物或空間環境的描繪，吳淇卻能明確將主人翁帶入其中，當活靈活現的「人」參與外景，有一觀看之目光融攝其中，詩作誠展現出更為活潑的樣貌。上列三詩歷來多於琢句、工麗處為人所留意，或者僅是簡單指出繪景貼切蘊真情[9]，吳淇卻能藉由對目光俯仰流轉的闡發，使詩歌前後的聯繫更顯綿密而較富動態感，他以更為有情的方式解讀詩歌，展現出異於前朝詩評家偏向形式或者只是簡單指出情景，其獨到

---

9 像〈美女篇〉胡應麟評其「辭極瞻麗，然句頗尚工，語多致飾」(《詩藪・內編》，收於吳文治主編：《明詩話全編》(南京：鳳凰出版社，2006.1)，卷 2，頁 5459)、許學夷言其「體皆敷敘，而語皆構結，益見作用之跡」(杜維沫校點：《詩源辯體》(北京：人民文學出版社，2001.10)，卷 4，頁 72)、馮復京云其「錯錦堆繡」(《說詩補遺》，收於《明詩話全編》，卷 2，頁 7201)；張協〈雜詩〉則有胡應麟「精言秀調，獨步當時」(《詩藪・內編》，卷 2，頁 5462)、陸時雍「工為擬議」(明・陸時雍選評，任文京、趙東嵐點校：《古詩鏡》(保定：河北大學出版社，2010.3)，卷 9，頁 83)、陳祚明「景並活」(清・陳祚明評選，李金松點校：《采菽堂古詩選》(上海：上海古籍出版社，2008.12)，卷 12，頁 356)、何焯「鍊字琢句」、孫月峯「薛元卿暗牖懸蛛網，空梁落燕泥，自此變出。網字作活字用，是唐句所祖」(何、孫之評俱見於于光華編：《評注昭明文選》(臺北：學海出版社，1981.9)，頁 565)；〈贈尚書郎顧彥先〉則有「目前景寫之能切，所懷亦真至」(《采菽堂古詩選》，卷 10，頁 311)……等評可參。

處正可由此窺見。

　　另有一組品評，同樣於詩中未見「俯」、「仰」字眼，而吳淇則由俯仰的視角釋之：

　　　　雙渠相溉灌，嘉木繞通川。卑枝拂羽蓋，脩條摩蒼天。……丹霞夾明月，華星出雲間。上天垂光采，五色一何鮮。（曹丕〈芙蓉池作〉）

　　　　於「步西園」上著「逍遙」二字，蓋逐一細看，故逐一細寫也。「雙渠」四句，俯寫遊……「丹霞」四句，仰寫夜。（五/104）

　　　　明月澄清景，列宿正參差。秋蘭被長坂，朱華冒綠池。潛魚躍清波，好鳥鳴高枝。神飆接丹轂，輕輦隨風移。（曹植〈公讌詩〉）

　　　　先「明月」二句，是仰寫，次「秋蘭」四句俯寫[10]，末「神飆」二句平寫。（五/120）

這類述評看似死板，不過是點明俯仰角度，簡單說明詩作的層次結構。然與上一段舉例相同，原詩所繪俱為物色，且未於詩中出現「俯仰」字眼，評注者或可專就景觀面加以分析，吳淇卻著意突顯人的視野於其中流動的樣態，詩評因點出「人」的存在而使原詩更顯生色；亦可見吳對視覺感官的費心留意。

　　那麼吳淇這類詩評所呈現的詮釋思維為何？若觀原詩，景語句是以物色為中心，然吳淇特別指出此乃「視覺所見」之景

---

10 曹丕詩「卑枝」二句、曹植「好鳥」云云應屬仰看之景，吳評不確。然特別點出俯仰對舉，正可窺得吳對日光流轉之留意。

觀，便將主體轉至「人」這一端，如此視覺闡發展現出兩要點：首先，若將原詩與詩評相較，則可見主體重心從「景」（原詩）轉以「人」（詩評）為主的傾向，這就暗示著吳淇對「人」應有更多的重視，意欲更多地展現「人」之主體性。其次，若考量詩作從構思創作到完成作品等前後時段，吳淇可說是由「完成之詩作」逆推至「詩歌創作」的階段，景語乃詩人所見、撿選過後之景，吳評在某種程度上可說是還原了詩人的創作過程，而使讀者能更貼近詩歌創作當下之情境。

　　另一方面，詩句本身已出現俯仰字眼者於《六朝選詩定論》中亦佔一定比重，吳淇評注模式則略有改變，除了同樣展現對目光轉變的留心，更進一步探究背後之深意：

> 俯臨清泉涌，仰觀嘉木敷。周旋我陋圃，西瞻廣武廬。（何劭〈贈張華〉）
>
> 「周旋」二字，喻山林中自有事業。「俯臨」二句正是周旋，且不費氣力，不尚奢侈，但因其自然。俯有清泉，仰有嘉木足矣。（九/214）

> 徬徨忽已久，白露沾我裳。俯視清水波，仰看明月光。（曹丕〈雜詩〉）
>
> 「白露」……下文一俯一仰，皆從此句兜的一警寫出來的。「俯視」句，先寫一俯。人凡有愁思，必垂其首也。「清水波」者，水面一片秋光，方省是明月所為，乃又仰看。（五/105）

首筆評注在略為扣合下文所提的「周旋」之際，尚點出俯仰時

內心滿足的狀態（「足矣」）；第二筆則從心理層面說明何以會有「垂首」的動作，並指出視覺流轉的原因（「方省是明月所為」），如此一來「俯視清水波，仰看明月光」便非僅是簡單的對仗句，而是在目標物由「清水波」轉向「明月光」視野變化之際，同步展現情感的波動。原詩「俯……仰……」之句式簡單，乍看之下似無深意可言，閱讀詩作時恐易對此有所忽略，吳淇卻著墨於此，足見他對目光流動有較多留意，且能藉此透露詩人隱約之情思，誠為吳評鮮明的一環。

　　如果說上列述評是以原詩俯仰的對仗句為主加以評注，而稍微涉及前後詩句，那麼另有一類評注跨越幅度較大，幾已連繫全詩上下之脈絡：

　　　　孟冬寒氣至，北風何慘慄？愁多知夜長，仰觀眾星列。三五明月滿，四五蟾兔缺。（《古詩・孟冬寒氣至》）
　　　　冬之夜自是長，無愁不覺得，愁多偏覺得。仰觀眾星，總愁極無聊之意。「三五」二句，乃仰觀見月，而感別離之久，因而追數從前圓缺，亦是前詩「獨宿累長夜」的「累」字意。（四/92）

　　　　是時鶉火中，日月正相望。朔風屬嚴寒，陰氣下微霜。羈旅無疇匹，俛仰懷哀傷。（阮籍《詠懷・徘徊蓬池上》）
　　　　蓬池之上，但見「朔風」云云，羈旅之人，又無同伴相慰，安得不俯仰傷懷哉……此羈旅之人，徘徊已一夜矣。仰而問天，「鶉火」云云，俯而視地，則團團白露，夜來為朔風所屬，已凝為微霜矣。（七/153）

上例同樣可見原詩已有俯仰字眼且吳對此背後深意之費心闡
發，第一筆點出仰觀星月背後之情思（「總愁極無聊之意」、「感
別離之久」）；第二筆則是述說「俯仰傷懷」的來龍去脈，並提
及俯仰時主人翁的背景狀態（「蓋此羈旅之人，徘徊已一夜
矣」）。值得另行提出的是：吳淇並非僅關注「仰觀眾星列」、「俛
仰懷哀傷」等句，就詩歌結構而言，他尚試圖將此與「三五明
月滿」二言、「是時鶉火中」四語等前後詩句緊密聯繫，也就是
點明「『三五』二句，乃仰觀見月，而感別離之久」，並與前詩
之「累」串連；指出俯仰觀看的對象為鶉火、白露，而與羈旅
無匹之情懷有更多連結。如此闡釋誠使俯仰所見之外景與詩人
之情有更密切的連結，全詩亦因此評註復顯融通，吳淇長於分
析詩歌結構亦可由此窺得。

　　綜上所述，不論俯仰字眼是否明確出現在原詩中，吳評確
實常於目光流轉的說明中明確連繫人與外景，使視覺成為人景
交流之關鍵，可見他對視覺有較多而自成體系的關懷，這一點
若與吳淇前後詩評相較，更可看出其論之突破。茲以本點所舉
詩例、而歷代詩評較具代表性者加以比對：

> 「仰觀眾星」，亦是愁極無聊。（張庚語）
>
> 　夜不能寐，於是「仰觀眾星」，「三五明月滿，四五
> 蟾兔缺」，可見夜夜如此，月月如此，非止一時不寐而已。
> （朱筠語）
>
> 　於此而曰「仰觀」，則知竟日間之「引領遙睇」，其
> 盱衡遠望者，故不暇仰觀；薄暮時之「徙倚感傷」，其望
> 苦低垂者，又不能仰觀；及至「夜長」，而「引領」無從，

「感傷」徒切，直死心踏地者，乃始一仰觀也。（饒學斌語。以上評《古詩・孟冬寒氣至》）[11]

　　子建〈公讌詩〉……讀之猶想見其景。（評曹植〈公讌詩〉）[12]

　　景中情長。[13]

　　以自然為宗，言外有無窮悲感。[14]

　　「俯視清水波，仰看明月光」……自然妙境。[15]（以上評曹丕〈雜詩〉）

　　「雙渠」四句，寫景何其生動！「飛鳥」句，健。「丹霞」二句，光澤鮮麗。（評曹丕〈芙蓉池作〉）[16]

上列引用詩作之歷朝評價頗眾，然與原詩俯仰詩句相關的品評[17]卻頗有限，多聚焦於景色且（或）僅簡單觸及情感。唯〈孟冬寒氣至〉一首之評較為可觀，但張庚、朱筠之論俱不脫吳淇所云，僅饒氏確能針對「仰觀」的背景作深刻探討。整體而言，吳評能對視覺面有較多留意，或者透過俯視仰觀，增添人跡至景語中，表現出對「人」之重視；或者藉由對視覺的闡發，巧妙連結情景兩者，就深廣度與具體性而言，吳之自成一家應是

11　以上三則俱收於明・劉履等著，隋樹森編：《古詩十九首集釋》(臺北：世界書局，2000.6)，頁106、132、195-196。

12　宋・范晞文：《對床夜話》，收於吳文治主編：《宋詩話全編》(南京：鳳凰出版社，2006.10)，卷1，頁9281。

13　清・陳祚明評選，李金松點校：《采菽堂古詩選》，卷5，頁148。

14　清・沈德潛選：《古詩源》(北京：中華書局，2000.7)，卷5，頁108。

15　清・宋徵璧：《抱真堂詩話》，收於郭紹虞編選：《清詩話續編》(上海：上海古籍出版社，1999.6)，頁118。

16　清・陳祚明評選，李金松點校：《采菽堂古詩選》，卷5，頁147。

17　無論原詩有無俯仰字眼，俱涵蓋其中。

可以窺見的。

　　關於對「人」之重視，我們還可進一步追問的是，何以吳淇會特別重視人之主體性？此當與其在《六朝選詩定論》卷一所提及的「尊經」思想脫離不了關係。吳之尊經乃是以孔教為根本，而孔子之「仁」學，所表現的即是人本之思想；再者，吳亦肯認孟子的「知人論世」（一/4）之說，知人論世所強調的，正是對詩「人」本身之理解；此外，就詩歌本身而言，吳淇也認同「詩者，志之所之也，情動於中而形於言」（一/1），並直言「『言志』二字，所以包囊萬世之詩」（一/4），此「志」者，乃是人之思想、主體性的表現；另一方面，他也特別強調人聲、樂之重要性，「志動人聲，則志即寓人聲之中」（一/7）、「樂之教，實詩之教也」（一/7）云云，皆可見人在聲、樂中扮演的關鍵性角色；最後，吳認為《選》詩中「聖人之道未墜」（一/2）、談「奸雄」肯定其「懷絕人之至情」（一/3），亦皆是以人之思想、情懷出發來談詩歌之創作。凡此種種，可謂全方位地呈現吳淇對人之主體性的看重。在如此潛在背景下回過頭來觀看吳淇的視覺品評，他之所以會對視覺多所留意，乃因視覺具備主動觀看周遭環境、對四周景觀有所感知等特點，主動、感知正是以「人」為中心的重要表現，而此復與吳之尊經思想暗相呼應。

　　此外，本節所引詩例尚可看出吳淇闡釋目光流轉時，「仰」的對象多為星月，「俯」的對象則較難看出有何傾向，這固然受限於原詩，但吳淇述評會特別留意星月而非太陽或其他，應與夜晚星月之光在明暗對比中較易引人目光，以及夜晚氛圍較易引發情思有關。

　　通觀《六朝選詩定論》中有俯仰品評的詩作，吳淇顯然對

魏晉階段的「俯仰」有較多留意。詩歌中的俯仰常以簡單對仗
句的形態出現，這應該是開始注重文學表現形式的階段（即魏
晉）所展現之初步成果。然如前所言，這類對仗句易有呆板之
虞，即使是未明言俯仰而暗含俯仰意味的詩作，也容易有此毛
病。吳淇身為已見過成熟表現形式的詩評家，或許帶有某種預
設立場，希望對這類詩句有更活潑的解讀，意即於原詩偏景語
的句子中，添入人觀看之目光，突顯該類詩句中人之氣息。姑
且不論是否能得多數人認同，然而不可否認的是，詩評與詩歌
間的這般落差，正可窺得吳淇對視覺之著重，從而顯現詩評家
本身之獨立意識。

那麼何以吳淇對目光流轉的闡發，「俯仰」會佔相當之比
重？由創作的藝術效果而言，一俯一仰的描繪極易形成明顯對
比，而使詩句具備空間上的張力，這已提供吳淇較多留心的可
能。再者，就視覺流動的角度而言，俯仰往往和抬頭、低頭的
動作連繫，而能在簡單的身體動作（低、抬頭）中輕易卻較大
幅度、顯著地展現目光的流轉。復次，吳淇又有部分品評特別
留意俯視背後的心理因素[18]，綜合以上幾點，吳氏何以會特別留
意俯仰的眼光轉換，並藉此彰顯詩人之情思，似乎能得較好之
理解。

既然目光流轉有上下之變化，目光所至之空間距離也就自
然而然地展現出來。可進一步提出的是，吳評注中之俯仰（上
下）若僅是單純對舉，所展現之空間感將顯得相對簡單而層次
性較為不足，這與他的述評重心僅在於突顯俯仰之對舉有關，

---

18 吳淇即明言「凡人所思，未有不低頭」(九/200)、「人凡有愁思，必垂其首」(五
　/109)。

如此一來,其對詩歌景物空間結構的詮述便顯得概要許多,因此像是曹丕〈芙蓉池作〉「雙渠」四句,本亦可細緻展現目光從俯視、環顧到仰視之流轉,吳淇卻僅指出「俯」的面向,要在與「丹霞」四句有扼要的對舉,因此視覺延展之空間便顯得較為簡單。然而另有一類則非單純對舉,如前文評張協〈雜詩〉「低頭」、「稍稍擡頭一看」、「平看」、「仰屋」,述陸機〈贈尚書郎顧彥先〉俯瞰時復有高低漸層……等,目光流轉相對細密許多,因此展現不同的距離感,而得以建構出較完整立體的景物空間。統而觀之,吳淇這類品評確實豐富了我們對詩歌中空間之想像,從而提供更深刻理解詩意的可能,此亦吳視覺闡發的其中一個貢獻。不過像這般多重展現空間層次的品評與俯仰相搭配者畢竟偏少,留待下一節對「望」的探討中,將可見到吳評更多精采之闡說。

最後,吳氏擅長分析詩歌結構,並能不流於表面形式,常能藉此融通展現詩意,這從上列舉例〈古詩十九首〉、阮籍〈詠懷〉、張協〈雜詩〉等評述皆可明確看出,視覺流轉亦因吳對詩歌架構的分析而得到詳密之闡發。吳淇對詩歌結構的剖析礙於本文探討重心,未能單獨論述,卻頗有留意的價值,故於此附帶說明。

第二節　見意存乎「望」

—— 對堅決情思之闡述

「望」者,根據《說文解字》的解釋:

望，出亡在外，望其還也。从亡，聖省聲。[19]

「望」字下面的「壬」有挺立之意[20]，而「望」字左上之「亡」甲骨文字形原作「臣」，乃眼睛之形，故挺立而視，當是有目的的張望，這與「望其還」的盼想暗相呼應。因此若與上一節相較，「俯仰」雖亦有與情感結合者，但吳淇闡釋俯仰時展現單純目光流動者尚占一定之比例，有時雖可見到人跡，卻較難窺見深刻的情思；與此相反，在吳淇的闡發中，「望」表現單純目視者比重甚低[21]，多數之「望」乃是心有所想，屬於肉體感官的視覺誠與精神情思難以二分，何以吳淇會對「望」的心理有較多闡發，與其本身的特性不無關聯。

關於「望」的闡發，吳淇特別提出「見意存乎望，不在乎見與不見」，明確可見視覺強烈主觀及選擇性的特點：

　　瀟涘望長安，河陽視京縣。白日麗飛甍，參差皆可見。餘霞散成綺，澄江靜如練。喧鳥覆春洲，雜英滿芳甸……去矣方滯淫，懷哉罷歡宴……有情知望鄉，誰能鬒不變？（謝朓〈晚登三山還望京邑〉）

　　三山去京邑未遠，即還望者，致其懨懨之意耳。首

---

19 漢・許慎撰，清・段玉裁注：《說文解字注》(臺北：天工書局，1998.8)，頁634。

20 「壬」字根據《說文解字注》：「象物出地挺生也」。同前註，頁387。

21 例如「『巖峭』二句(巖峭嶺稠疊，洲縈渚連緜)，是遙望此墅。『白雲』二句(白雲抱幽石，綠篠媚清漣)，是近望此墅」(謝靈運〈過始寧墅〉十四/356)、「『鶩望』四句(鶩望分寰隧，曠曠盡都甸。氣生川岳陰，煙滅淮海見)，寫殿上遠望所見之景。蓋寫殿之初成，固未宴而先望也」(江淹〈雜詩・顏特進延之〉十七/475)……等，表現出視野遠近的變化，雖於原詩物色句中增添人之目光，卻較無情感的成分。

> 四句借事反照。王粲登灞陵而望長安，潘岳在河陽而望京縣，何為望之而見、且見之真且悉也？今三山之去京邑，猶灞陵之與長安、河陽之與京縣，何為望之而不見也？下文「餘霞」云云，乃三山迤東近景，則其不見京邑可知。然不明補，中若有闕文者，此詩家之妙。然此地雖非京邑，景亦頗佳，即有宣城之行，只得且為遲留，但信美非吾土，故以懷鄉之故，而歡宴為之罷也，故云「有情知望鄉」，見意存乎望，不在乎見與不見。望鄉全悲在一「知」字，知生於情。
>
> 　「餘霞」四句，從來止賞其練句之工，不知其用心之細。言登山之始，不暇他望，一眼只覷定京邑所向。既望之不見，然後漸漸收眼，則亦不離京邑道上。俱見江上之「餘霞散成綺」而已，江中之水靜如練而已，漸漸又近至三山之下，則見喧鳥覆洲、雜英滿甸而已。（十五/419）

吳淇透過「望之而見」、「望之而不見」的對比，巧妙指出謝脁「不見京邑」的真實樣貌，這就和原詩「參差皆可見」有所不同，吳氏就地理實情點出此「不明補」乃「詩家之妙」，在突顯全詩隱藏思維之際，尚可見該作豐富的內涵。他還進一步推衍出「望」之所見乃主觀意識於視覺上之投射，重點不在看到什麼東西，而是「望」這個視覺動作背後蘊含的情思。吳另有「思之不已而望，望之不已而感」（劉楨〈贈徐幹〉六/140）、「思念之極，眼中髣髴見之」（陸雲〈答張士然〉十/268）……等論亦可見同樣思維，本節標目以「堅決」來形容「望」中之情思，

正是為了彰顯吳淇對「詩人不見某物（或某地）仍望之不已」這番堅持的闡發。

　　另一方面，吳評謝朓之「望」有由遠而近的變化，在這段「收眼」的過程中，實可感受到詩人愈形沉重的思緒，視覺漸步流轉正與情感的逐次強化相互呼應，再次可見感官與精神面之密切連繫。謝朓該作歷來多於繪景句引人目光[22]，吳氏卻能以「望」為媒介詳析詩情，此其與眾不同處。

　　該引文還有一處值得留意，即「望」於歷史積累中展現的情思，主要出現在「王粲登灞陵而望長安」一段。吳淇點出歷朝文人「望」的樣態，雖然簡單，卻可窺見「望」的視覺心理於時代的推衍中有一漸進積累之表現，「三山之去京邑」會與灞陵、河陽、長安、京縣相連繫，即是吳淇作評時聯想到後四地於歷史上的意義，從而於論述中呈現視覺心理在歷朝層疊之樣貌，展現出「文化論述傳統在歷史發展過程中所形成的相關的意義支援系統」[23]，而使「三山之去京邑」表現出更豐厚的文化內涵。

　　在對吳評之「望」有基本掌握後，通盤觀察《六朝選詩定論》，他對「望」中情思的探討與「空間」[24]、「身體動作」有較

---

22 例如「混然天成，天球不琢者與？」(宋‧葛立方：《韻語陽秋》，收於《宋詩話全編》，頁 7525)、為「吞吐日月，摘攝星辰之句」(明‧朱承爵：《存餘堂詩話》，收於《明詩話全編》，頁 1954)、「山水煙霞，衷成圖繪，指點盼顧，遇合得之」(明‧陸時雍選評，任文京、趙東嵐點校：《詩鏡‧總論》，頁 6)……等評，俱是針對「餘霞散成綺，澄江靜如練」所發之論。

23 蔡英俊：《中國古典詩論中「語言」與「意義」的課題》(臺北：學生書局，2001.4)，頁 272。

24 在前一節「俯仰所見」的探討裡，亦可於上下對舉中見到空間，然該組述評與本節所論相較，在空間的層次性上相對簡單，故以俯視仰觀為主。而本節的第一個小標目直接明訂為「空間」，是因吳淇對「望」的述評中，常可明確見到空間多重而複雜的樣貌，而此與「望」背後的情思復有密切關連，故獨立 點加以探討。

多結合,擬分述如下。

一、空間遐望之情懷

「『視覺』的取向,顯然就是空間的形態」[25],立體視覺乃視覺的基本特色之一,而三維的立體樣貌更是空間之重要特點。再者,「視覺在距離的跨越度上超越其他知覺……具有選擇性,定位性,從而有極強的形塑空間之能力」[26],復可見視覺與空間之緊密關聯。關於空間主題,本文另於第七章中會有獨立之探討,為了避免重出,此處將針對「遐望」背後之情懷加以闡說;至於第七章空間議題中,雖亦涉及視覺,則擬將焦點轉向吳評中與「方位」相關之探討。

在空間遐望之情懷中,首先可觀下列詩評:

> 奉義至江漢,始知楚塞長……寒郊無留影,秋日懸清光。悲風撓重林,雲霞肅川漲。歲晏君如何,零淚沾衣裳。(江淹〈望荊山〉)

> 其曰「望荊山」者,蓋以作詩之地標題也。其地云何?昔陸平原赴洛,自述其作詩之地曰「倚嵩巖」;顏特進使洛,自述其作詩之地曰「登梁城」,今余作詩之地,其距荊也,與二公之距洛不甚大遠近,故曰「望荊山」。

> 此詩雖未點出「望荊山」字面,而文則處處照得明白。然其意却不在望荊山上,只借望荊山顯出路之長;

---

25 王力堅:《六朝唯美詩學》(台北:文津出版社,1997.1),頁82。
26 陳秋宏:《六朝詩歌中知覺觀感之轉移研究》,頁27。

路之長顯其行之久，行之久顯出歲之晏，以寫其不樂出
外之意……行至出魯陽，已知去荊州不遠。但未出之時，
為重巒所蔽，望不見荊山。及出魯陽，險障已盡，頓成
平衍，雖有「寒郊」之高，亦不能「留影」，而秋日之「清
光」普照無礙，故荊山望得最分明……忽然悲風起撓重
林，雲霞亂迷川漲，則又望得不甚分明也。看他寫望，
全不實實寫望，只就寫景上帶出「望」字，且並帶出望
之地及望之時也。然望之地猶可言，望之時不可言。於
是忽作自言自語：「歲晏君何如？」隨接以「零淚霑衣
裳」，是氣極語塞不能自答也。（十七/451）

　　雲端楚山見，林表吳岫微。試與征徒望，鄉淚盡沾
衣。（謝朓〈休沐重還道中〉）

　　「雲端」四句，將次近家，其心尤切，未免有望。
乃楚山、吳岫，先見而後望者何也？按：楚山……在江
北。吳岫……在江南。遠者反見，近者反微。一者形因
勢變，山遠雲亦遠，雲不能蔽山；山近林更近，山或為
林蔽。一者望家心切，遠家之山反覺其見，家中之山，
只覺其微。「試與征徒望」，正以其微有是耶非耶之意。
若楚山，不過莊子所云「見似而喜」耳。鄉淚霑衣，征
徒且然，我更何堪！（十五/422）

此二述評俱可見細膩、清晰且層次分明等特點，首先是視覺所
見之空間的物理性質，第一例從「行至出魯陽……則又望得不
甚分明也」，即可見隨著外界環境的變化，「望」的狀態自有分
明與否的轉變。此與前一節「俯視仰觀」有相同的關懷，亦即

原詩本偏物色的描繪明顯於述評中增添人之參與，從而呈現詩人眼中所見之細微變化，而為詩中景語增添動態感。第二例與前例有若干相似，「形因勢變」云云在指出所見有所變化之際，更借評注將景色為主的原詩（即「雲端」二語）添入視覺感官。

　　然而述評若僅止於物理空間與視覺的關聯，似有不夠深刻之虞，二例於此之後俱導向心理性空間與視覺的說明，心理性者，是指外界客觀景致受詩人主觀意識影響而有情緒的投影。從「全不實實寫望」、欲借望荊山顯出「路之長」、「行之久」，接著「寫其不樂出外之意」，即可見江淹之「望」背後的情緒；而「望家心切……只覺其微」，因情左右視覺所見的情形亦頗明顯。同屬視覺，吳淇精確指出「見」、「望」之別（即「先見而後望者何」的提問），兩者當有層次上的不同，如果說前者所蘊含的情感相對薄弱，較偏向生理上單純的視覺所見，那麼後者則明顯帶有主觀情感，而在吳淇的細膩闡發中，愈發可見「望」中情感之強烈度，詩中情緒的起伏變化也因此得到更為明確之彰顯。

　　此二例尚可留意歷史典故與視覺的關聯，這在稍前的論述中已約略提及。第二例莊子云云，直接觸及空間與視覺；第一例則由過去陸、顏在嵩巖、梁城距洛不遠之空間距離，推導出詩人所在之地與荊亦不甚遠。詩人何以會採「望」字，而吳淇何以會對「望」有這麼多闡發，與古今詩人所處之地分別和洛、和荊之間的距離聯想有關，這麼看來，視覺確實含有歷史文化的影子，並隱含詩人之情。「人的身體中蘊含著個體和社會的歷史的積澱，正是這種積澱在暗中支持並推動著我的感知。」[27]如

---

27 韓桂玲：《吉爾‧德勒茲身體創造學研究》(南京：南京師範大學出版社，2011.8)，頁 57。

果將上列引文中的「身體」聚焦於「視覺」，那麼吳淇評論所展現的，恰與現當代之身體理論若合符節，也就是在視覺張望的闡發中，見到社會歷史積澱之樣貌，而詩人幽微之情意，正是透過視覺、對空間歷史的遙想中暗暗展現出來。

　　如果說上一段涉及歷史（時間）與空間的交融屬於視覺「想像」之層面，那麼在吳淇的述評中，時空互涉尚有「目前」所見之層級。從吳評〈望荊山〉還可看出詩人身體因空間移動而使視野有所延伸，隨著步移所望景觀分明與否，將可窺得詩人心緒之同步起伏。另一方面，空間移動本身必然費時，因此似乎更能輕易感受到時光的流逝，吳釋「望之時」為「不可言」，慨歎之情自是溢於言表。從「望之地」推衍至「望之時」，除了可見吳評的層次性，視覺與時空交融興發的種種思緒，誠因此展現多元的面貌。

　　站在詩評史的角度，吳淇以前〈望荊山〉幾乎未受注目，除了《文選》選錄，殆僅王昌會於「意中之靜曰『靜』」的舉例中提到「寒郊無留影」二語[28]。〈休沐重還道中〉的狀況略同，除了《文選》選錄，似僅方回《文選顏鮑謝詩評》曾經選評，而其評亦簡，排除串講與考證之語而可見方回看法者，僅「（還卬、休汝）此二句極佳……楚山吳岫二句亦佳……最後句終期退閒，其思緩而不迫，尤有味也。」[29]然不論是「靜」或「佳」之評注，俱顯簡單而大有揣測空間；吳評能一反前朝忽視的眼光，且能藉由對視覺的闡發深探詩人背後之情，其對目光之留

---

28 清・王昌會：《詩話類編》，收於《明詩話全編》，卷20，頁8549。

29 元・方回選評，李慶甲集評校點：《瀛奎律髓彙評・文選顏鮑謝詩評》，卷3，頁1886。

心顯然可見。

空間與視覺、情感間的交融闡發，下例亦可做為代表：

> 河漢清且淺，相去復幾許？盈盈一水間，脈脈不得
> 語。(《古詩・迢迢牽牛星》)

> 望「河漢」四句，望亦在機中望。然望者，總此一
> 河漢，乃忽而寫得甚近，忽而寫得甚遠，何也？凡物之
> 大小遠近，有一定之形，特形為勢變……此之所寫，忽
> 近忽遠，固由形勢，而實又變於織女之眼中意中。蓋織
> 女機中「終日」云云，此時意中以為與牽牛永無相遇之
> 勢矣。乃忽而舉頭一望，瞥見牽牛在彼河岸，河水又復
> 清淺，幾幾乎有相遇之勢矣。於是眼中之形，變其意中
> 之勢。曰「相去復幾許」，既有幾幾相遇之勢，方且期為
> 必遇矣。而又以身在機中，不得往渡，於是意中之勢又
> 變其眼中之形……「盈盈」二字，竟把「清淺」二字反
> 化為深阻矣。

> 凡詩以遠寫遠難堪，以近寫遠更難堪。如《詩》之
> 「其室則邇」，與此詩之「盈盈一水間」，俱於近處寫遠
> 也。蓋其室雖近，然望之不能見，語之不必聞。至「盈
> 盈一水」，則可望而不得語，尤為難堪耳。(四/87)

吳氏對「眼中之形」與「意中之勢」的層遞與轉換有深刻的辨
證。前半段提及眼中偶然所見似帶來相遇的可能，故言「於是
眼中之形，變其意中之勢」，然視覺所見之空間貌似客觀，卻非
單純由物理層面推算出確切距離這麼簡單，眼見「清淺」所引
發的情緒感受，將使客觀距離獲得主觀的拉近，可見目光對距

離的判斷極易隨情思浮動。後半段則是織女慮及人在機中的實際狀況，理解到往渡的渺茫，「可望而不得語」回歸現實，「意中之勢又變其眼中之形」，復將距離推遠。乍看之下後半之論似回歸客觀空間，實則此「望」帶有更沉重的失落感，吳淇的視覺闡發顯然更貼切地表露出詩人之情緒。

　　該論兩次提及「望」，先是「忽而舉頭一望」，無意間引發期待，其情應是喜悅的；然冷靜思考的結果卻是「可望而不得語」，情感之失落與難堪可以想見。可見同樣為「望」，背後心境卻有所不同，吳淇深層挖掘兩「望」之情相異的同時，當有助於讀者對詩中主人翁情思之波動有更深刻的理解。

　　此外值得特別留意的是，與空間相涉的視覺品評，還展現出「是否能夠確實望見某物」的思考：

　　　　北眺沙漠垂，南望舊京路。平陸引長流，崗巒挺茂樹。中原屬迅飆，山河起雲霧。（盧諶〈贈崔溫〉）
　　　　「北眺」句是客，「南望」句是主，然必用「北眺」句者，明身之在幽州，迤北惟有沙漠，無復中國之區。「舊京」謂洛陽，遠不可望。望其路，「平陸」四句，正路上之景。路上之慘如此，則舊京可知，故遊子舉目永歎，見心之無時忘晉也。（十一/287）

　　　　發軫清洛汭，驅馬大河陰。佇立望朔塗，悠悠迴且深。（陸機〈贈馮文羆〉）
　　　　此……實寓不忘吳之意……駕車驅馬、登高臨深而望夫斥丘離京遙遠，豈登高臨深而望所及？只是形容馮等去後，署中另換一輩人物，無足語者……「佇立望朔

塗」者，入洛以後詩中佇望只是南向，至此忽轉而北望，真有萬萬難堪者，況「悠悠迴且深」乎？「迴且深」者，謂斥丘在極北之地，望者已自難堪如此，則馮以南人而身當其地者更何如哉？（十/242）

> 登陣起遐望，廻首見長安。金溝朝灞滻，甬道入駕鵞。……少年負壯氣，耿介立衝冠。懷紀燕山石，思開函谷丸。……寄言封侯者，數奇良可歎！（徐悱〈古意酬到長史漑登琅邪城〉）

琅邪之城本以備北，登城應須北望。北望又背建業，故又回首南望。其北望也，是此題之正面，乃只「起」得「遐望」三字，似不曾說完者。蓋「遐望」必有遐思。當遐望之時，凡琅邪之北迤西一帶山川形勢，無不歷歷看在眼中。即不入望之燕山、函谷，都已算計在心中。那一片開丸紀石以報吾君懷思，已全全有在這裏。倘於此時一直寫出，有何趣味！于是乃作一波，曰「廻首見長安」、「金溝」云云，且見得極真極詳，有天威不違咫尺之意……以少年長才，自負指顧之間，可以紀石開丸，此北望之遐思也。卻轉身南望說來，若將一片開丸壯懷，面向吾君請纓者……無奈數奇不偶於時，深為可歎耳。（十六/449-450）

上列述評尚涉及南北方位的問題，留待第七章空間主題中再議；專就視覺層面而言，此處表現出「望」這個視覺動作的重要性，遠遠大於是否真的可以看到某物，這從「遠不可望」卻舉目、「豈登高臨深而望所及」仍續望、「即不入望之燕山、函

谷，都已算計在心中」等論可以看出。就生理面而言，自然希望看到欲觀之景（物），然而是否能確實見到該物似乎不是吳淇最關心的，他特別指出即使未真正看見，卻無損「望」這個動作本身的關鍵性地位，也就是「『遐望』必有遐思」，透過「望」這樣的目光表現，可具體明確地將詩人情思呈現出來：「遊子舉目永歎，見心之無時忘晉」；從南望轉向北望而感「萬萬難堪」；以及北望時隱涵「紀石開丸」之思，「轉身南望」寓托向「吾君請纓」之懷，俱可看出類似的述評模式，換言之，吳淇在處理視覺感官時有一貫而鮮明的意識，即是突顯眺「望」動作背後詩人暗含之情思。

　　此處可以再進一步尋思的是：這樣的視覺表現與情思，所呈現的意義為何？首先，表現出視覺強烈主觀選擇之意願，登高望遠確實因所在位置使視野更得延伸拓展，而詩人們選擇眺望家國，正是「念之所及，目必注焉」（李陵〈與蘇武詩〉三/68）的具體表現。再者，吳淇還進一步指出眺望不見得能盡如人意，俱可見其欲見，從視野更顯延伸卻不見家園，即可窺得詩人與彼之距離是何等遙遠；即便如此卻仍堅持遐望，表現出「見意存乎望，不在乎見與不見」（謝朓〈晚登三山還望京邑〉十五/419）的執念，吳淇可謂透過視覺，將詩人們面對空間阻隔時仍決絕堅持眺望的主觀意識恰切地展現出來。上引這組詩作吳淇之前幾乎無人品評，吳氏一反前人的忽視而做出層次井然的闡述，《六朝選詩定論》之價值復可見一斑。

　　總括而言，客觀的物理空間在吳淇「望」的視覺闡發中常帶有主觀色彩，像是指出某個地點的歷史積累、點明「望」背後之情思及其起伏等，俱是吳在這類述評中的鮮明表現。

　　另外還可留意的是，若就《選》詩本身觀察，其中視覺與時間、視覺與空間結合的比重相去不遠，但吳淇闡發視覺時著意連繫空間的情形卻遠較時間多，如此落差亦可見詩評家本身的獨立意識。那麼何以會有這樣的落差？如前所言，「望」通常會延續一段時間，促使時間因素被突顯出來；然而空間中的環境景物「直接」為視覺所接觸，似更能直觀引發內蘊的種種遐想，更何況「視覺是最為卓越的空間感」[30]，如果說在詩人創作之際透過視覺聯想到時間是較為間接的，那麼視覺所見即是空間則顯得直接許多，吳淇視覺闡發的開展，恐怕有更多是來自這目光接觸外物之當下。那麼外界環境與情思如何連繫交融？誠顯微妙而複雜，吳在「遐望必有遐思」的中心思想下，以視覺連繫空間（景）與情思，著意指出視覺於情、景間的媒介性質，可謂藉由對視覺的闡發，而使情、景的交涉能有更具體之展現。

　　另一方面，詩人主體，也就是視覺感官與情思這一端顯然頗為強勢，外在之景（空間）雖與視覺、情思有所互動，卻顯得十分弱勢，甚至連是否能確實見到某個景致都不重要，這就將情景生發中「情景交融」、「感物（景）生情」、「含情觀景」中的第二者推衍到比較極端的樣態，也就是以望中之情為主，景則暗置於頗為附屬之地位。一般探討情景議題多以前二者為關注核心[31]，並常指出景對情之作用性，吳淇則在視覺闡發中展

30　美・戈列奇、澳・斯廷森：《空間行為的地理學》(北京：商務印書館，2013.12)，頁434。

31　感物（景）生情從《文心雕龍》、《詩品》起便有甚多討論；情景交融則有王世貞「情景妙合，風格自上」(陸潔棟、周明出批注：《藝苑卮言》(南京：鳳凰出版社，2009.12)，卷5，頁72)、謝榛「夫情景相觸而成詩，此作家之常也」(宛平校點：《四溟詩話》(北京：人民文學出版社，2006.8)，卷4，頁121)、王夫之「情景名為二，而實不可離」(《薑齋詩話・夕堂永日緒論》(北京：人民文學出版社，2006.8)，卷2，頁150)……等論可參。

現出對「情」之一端的極度著重，這一方面除了合於吳「文生于情。千古之詩人，千古之情人也」（任昉詩總論‧十六/440）之主張；如此之關照角度或可更形豐厚情景議題之內涵。

二、徘徊佇望之心念

身體行為並非單純的動作表象，書寫入詩之舉手投足往往蘊含某些未明言之情意；另一方面，就整體的身體感受而言，感官與行為舉止間又有密不可分的關聯。考量吳評實況，他的視覺闡發時或可見與身體舉止交錯的樣貌，故擬聚焦於視覺與行止，具體觀察兩者有著什麼樣的連繫。

首先觀陸機〈赴洛〉之評：

> 永歎遵北渚，遺思結南津……佇立望故鄉，顧影悽自憐。（〈赴洛道中作〉之一）
>
> 頓轡倚嵩巖，側聽悲風響。（〈赴洛道中作〉之二）
>
> 南望泣玄渚，北邁涉長林。谷風拂脩薄，油雲翳高岑……佇立恨我歎，寤寐涕盈衿。（〈赴洛〉之一）
>
> 士衡赴洛，一步一步，俱有回顧故鄉之思。原詩首章「遺思結南津」，是臨行一顧。「佇立望故鄉」，行到晚夕又一顧。「頓轡倚嵩巖」，將入洛又一顧。此詩「南望泣玄渚」一顧，與原詩臨行一顧同地。「佇立恨我歎」，是入洛後一顧……「南望」云云，乃隱括前詩道中意，然寫道中之苦，正專寫回憶親友之苦。「谷風」二句，望不見也……「佇立」，回望也。（十/235-236）

該作明顯可見詩人有一空間的移動，然吳淇作評，似乎更重視作與視覺的結合。「顧」者，「還視也……還視者，返而視……回首曰顧。」[32]可見「顧」之所見多搭配頭部動作；既是回頭顧看，當隱含有意識搜尋某景或物的意念，此與「望」之暗含盼想在精神上頗有相仿之處。再者，原詩之「望」（「佇立望故鄉」、「南望泣玄渚」）吳淇俱以「顧」釋之，可見「顧」、「望」應有相當高的同質性。

此外值得留意的是，該評兩度將原詩之「佇立」解為「顧」，最後甚至明言「『佇立』，回望也」，並將頓轡倚恃的動作聯繫到當彼時「顧」之目光，可見視覺在某些狀況下或有一些特定動作相互搭配，此乃身體感官與舉止連動之具體展現。那麼此搭配所呈現的深意為何？要在展現詩人內蘊之情思。像是吳淇以「入洛後一顧」解釋「佇立愾我歎」，正是透過視覺之「顧」搭配原詩中的「佇立」，將詩人慨歎時的情境更全面而立體地呈現出來；詩中之南望則隱含「回憶親友之苦」。不論是挖掘詩中視覺、動作背後之思，或是將視覺與詩中動作加以連繫，從而強化原作明言之情，俱可見吳淇著意點出視覺與舉止間的密切關連，並表明其背後富含的情意知覺。

與吳淇年代相仿，另有二論品評該詩，正可做一比對：

> 不使超然有得者輒入吟詠，抑之，沈之，閒之，勒之，詩情至此，殆一變矣。[33]

---

32 漢・許慎撰，清・段玉裁注：《說文解字注》，頁418。

33 清・王夫之：《古詩評選》，收於《船山全書》第14冊，卷4，頁696。

通首情非不真，述敘平平耳。[34]

關注焦點同樣在詩人之情，然不論是王夫之或陳祚明，俱以概括而抽象的方式述評，而予讀者只可意會之感；吳淇則是藉由詩人舉止與目光的交錯闡釋，使情思得以具象而綿密地呈現出來，就具體度而言，吳評當是較為明確的。

將身體動作與視覺結合闡釋，在《六朝選詩定論》中時有所見，以下復舉二例：

> 歸雁映蘭畤，遊魚動圓波。鳴蟬屬寒音，時菊耀秋華。引領望京室，南路在伐柯。（潘岳〈河陽縣作〉）
>
> 「歸雁」四句，非閒點景，謂登城周望見者止河以北之景，而河之南一無所見矣。無所見而必求其見，故再加「引領」，然而京室眇然，終于莫覯，僅僅望見芒山。（八/188）

> 夙齡愛遠壑，晚蒞見奇山……眷言采三秀，徘徊望九仙。（沈約〈早發定山〉）
>
> 題曰〈早發定山〉，是以定山紀行，不是詠定山之詩，乃全篇重「發定山」者，蓋休文心中先有不樂外補之意，故一見此山之奇而驚訝之也。故于「見」字上加「晚蒞」二字，言非年老人所堪……夫「九仙」亦寓內名山，乃徘徊遠望而不前者，謂吾于此山已有觀止之歎。（十六/435-436）

---

34 清‧陳祚明評選，李金松點校：《采菽堂古詩選》，卷10，頁313。

原詩已可見動作與視覺的搭配（「引領望」、「徘徊望」），故吳淇將闡釋重心擺在說明何以如此搭配或其背後之深意。像第一例除了於原詩單純繪景句中增添「人」之身影，更區分可見與不可見，指出「無所見而必求其見」的堅持，從而帶出「引領」遙望之徒然，吳評顯然有強化京室之思的用意。第二例關於徘徊遠望的舉止，吳點出「觀止之歎」不僅是訝於山之奇觀，更有「不樂外補」的思緒，同樣將蘊含於舉止目光背後的情懷做了多重而明確的彰顯。二詩在吳淇那個時代或之前受到的關注亦頗有限[35]，吳評對此有較多深入而具體的述評，確有其獨到處。

　　整體而言，不論原詩是否已提及身體動作與視覺，吳淇俱能妥切帶出背後情意，類似評注於《六朝選詩定論》佔有一定比重，例如對曹操〈苦寒行〉「延頸而望」（五/103）、王粲〈贈蔡子篤〉「瞻望延佇」（六/129）、潘岳〈悼亡詩〉「『展轉盼』枕席」（八/183）、陸機〈君子有所思行〉「『延佇望』城郭」（十/259）……等之解說俱是。這些動作有一共同特點，即多有停頓、徘徊之貌，顧望既是心有所盼，在行為表現上會顯得遲緩以配合目光之搜尋或注目，此乃生理與心理相應的自然表現。吳評展現出視覺與特定行為舉止的搭配，確實留意到身體感官與行止間連動之樣貌，並能由此恰當而具體地導引出詩人的情緒感

---

35 吳淇之前或同時沈詩僅《文選》、曹學佺《石倉歷代詩選》、陸時雍《古詩鏡》選錄，潘岳詩另外多了李攀龍《古今詩刪》擇錄，俱選而未注；評述則頗零星，沈詩幾無，潘詩則有「更傷冗漫而古體散」（明・許學夷：《詩源辯體》，卷5，頁90）、「河陽之什，頓掩前輝」（明・皇甫汸：《皇甫司勛集卷・錢侍御集序》，收於《明詩話全編》，卷37，頁3302）、「病句」（明・馮復京：《說詩補遺》，收於《明詩話全編》，卷3，頁7208）、「世所推獎，乃其一情一景」（清・王夫之：《古詩評選》，卷4，頁694)等評，俱極簡而待揣摩。

受，指出身體共振得以引發情思的關鍵性質；另一方面，如果說前一點聚焦於「望」與空間之闡發，是透過多番比較「望」的樣態（例如望之方位、望所見之處……等）來展現情感的深度，那麼「望」與行止的雙重搭配，則更著意表現出身體「全面性」的震顫與感受，然而不論何者，皆有強化原詩情思之效用。凡此種種，俱為吳淇這類品評的重要特點。

在結束本節的論述前可做出如下之歸納。首先，吳淇對「望」的闡發最終目的在於突顯詩人之情思。視覺本身雖非詩評家之終極關懷，但它無疑佔有關鍵性地位，藉由對目光的闡發，或者與空間結合，或者與身體舉止搭配，使得詩情能在視覺的烘托中有具體深刻的展現，吳對身體載情之留意由此可見一斑。

其次，不論詩中主人翁是否確實可「望」見某景或某物，他們內心所欲見之對象，大體脫離不了家國或君王，就中國文學的抒情傳統觀之，政治議題從屈原香草美人開始，便一直是讀書人念茲在茲者，很有意思的是，透過吳淇對視覺的闡述，竟可歸結出如此趨向，可見政治書寫的強大籠罩力。另一方面，吳淇身處明末清初，改朝換代對他有著相當的衝擊，這從吳之詩歌創作〈登鎮江北樓〉「清秋能遠眺，況復最高樓。故園千里外，竟日徒凝眸。淮甸且微茫，何處是中州。唯見長江水，滔滔向東流」[36]、〈古意〉「亂山迢遞水漫漫，百粵風光不忍看。庶草何曾符月令，群星半未入天宮。人當雁外信音杳，夢繞隆中歸計難。薄宦三年貧復病，桄榔面苦慢加餐」[37]的慨歎中自可窺

36　吳淇：《雨蕉齋詩》，書林華茂生梓行刊本，河南圖書館藏，頁22。
37　吳淇：〈古意〉，收於清・楊淮輯，張中良、申少春校勘：《中州詩鈔》(鄭州：中州古籍出版社，1997)，頁106。

見一斑。在〈登鎮江北樓〉中尚可見吳眺望之形象,他闡發詩作時對「望」之對象,也就是家國或君王多所留意,當有相當成分蘊含著自身的際遇之感。

吳淇這類與家國君王相關之述評尚可視為是其重視漢道主張的具體實踐。根據第二章的討論,漢道之具體內涵應包括融合風騷、兼具文質、溫厚和平。若連繫至本節對「望」所欲見對象之觀察,吳淇對家國君臣之情有較多關照,與他留心《風》「邇事父,遠事君,直賦忠孝之大節……此論與學者最益、最切、最備」(一/29)、《騷》「望而知其出於忠君愛國」(一/34-35)正相呼應。此外,「望」所暗含思念家國之情懷即便哀怨,卻不離溫厚平和;按照吳淇的評述,他指出詩中不明言情感,而是藉視覺、動作含蓄表達,亦屬溫厚之表現。凡此種種,俱與吳淇推崇漢道之主張相符,吳評中之視覺闡發可謂是其中心思想之具體實踐。

不過此處還可稍加辨析的是:吳淇這類與家國君臣之情相關之闡發,著重在呈現詩人自然而然所流露之真切情懷,此忠君愛國並非如漢代獨尊儒術般有著強烈為政治服務之考量,而是帶有更人情化的意味,這麼看來,吳淇之漢道誠非刻板展現傳統教條者。

第三,「望」與「俯視仰觀」雖同屬目光的流轉,在吳淇的評述裡卻有相當之差異。後者因有低、抬頭等動作搭配,而可輕易感受到目光之變動;雖具備將原詩景語添入人跡的特點,但若與「望」相較,在俯仰之際如評張協〈雜詩〉這般可見情感層層遞進者[38],畢竟未達極高之比重,仍有相當比例雖可窺見

---

38 吳淇評述之原文詳見本書89頁之第三段獨立引文。

人之氣息，但對情思的闡發卻不甚明顯。至於「望」，雖有徘徊、
佇立等特定舉止搭配，卻不若俯仰，可藉由身體外在動作明顯
窺得目光之流變，遠視或收眼多止於眼睛內部進行，這就使目
光的流轉相對隱微。然而在這樣的情況下，吳淇卻能逐一細探
「望」眼界之變化，細膩提點其中複雜而多重的思緒，他對「望」
之費心闡發顯然高過於「俯視仰觀」。像這般品評關注度之落
差，背後所呈現的意義為何？或可由宗白華之說法得到啟發：
「我們的空間意識……是瀠洄委曲，綢繆往復，遙望著一個目
標的行程（道）」[39]，這裡所指之遙望，自然已由生理所見晉升
至精神層次，而有一「道」存在其中。那麼吳淇述評中的「望」
中之「道」為何？若配合前文所述，吳眼中之「望」大多與家
國或君王有關，他對「望」之情思之所以較「俯仰」有更為費
心的闡發，當有細膩呈現詩人們於政治場域中糾結或執著心緒
之意圖，而再次可見與其尊經、重漢道之主張有密切連繫，像
這般表現出對傳統文人政治處境的核心關懷，實可視為是吳淇
的「望」中之「道」。

　　第四，對應至《昭明文選》的分類，會發現吳淇對「望」
中情意的闡發，行旅類佔相當比重[40]。行旅本身帶有漂泊不定的
特點，而隨著旅途移動，目光自易攬入各類物色，在心思惶惶
不定的狀態下，試圖藉「望」使情思得到舒緩或依託，當屬游
子常情，姑且不論是否真能達到舒緩情懷之效果，但若由行旅
之實況加以考量，應能解釋何以帶有「遠眺」本質的「望」會
常出現在行旅類。必需特別指出的是，這類與「望」相連的情

---

39 宗白華：〈中國詩畫中所表現的空間意識〉，《美學散步》，頁 113。
40 以本節之例加以歸納，陸機〈赴洛〉、〈赴洛道中作〉、謝朓〈晚登三山還望京
　邑〉、〈休沐重還道中〉、江淹〈望荊山〉、沈約〈早發定山〉等俱屬行旅類。
　通觀《六朝選詩定論》全書，亦有如此傾向。

感多有複雜糾結的傾向，很多時候情思隱微的起伏或轉變並不容易掌握，吳淇試圖對此抽絲剝繭、釐清脈絡，應有欲為「明眼人」（一/36）的使命感存在其中。

第三節　光覺感發

── 對虛幻之物的細膩體察

　　眼睛要能觀物的其中一個基本要求就是需有光源，光影映像被納入詩歌書寫的同時，實已暗指背後有一觀看的目光。吳淇對光影的闡發於《六朝選詩定論》佔有相當之比重，他一方面指出光影是讓某些東西被看到的媒介；另一方面，吳尚聚焦於光影本身，表現出對詩歌中的光覺有細膩的觀察。

　　吳淇闡釋光影是為了突顯某些東西，這類品評還可分成幾個細項，首先是與光線變化相關的述評：

　　　　猿鳴誠知曙，谷幽光未顯。巖下雲方合，花上露猶法。（謝靈運〈從斤竹澗越嶺溪行〉）

　　　　小謝《京路夜發》「晨星」四句，正從此首四句脫出。小謝「晚星正寥落」二句[41]，寫將明；「猶霑餘露團」略退一句，復寫未明；「稍見朝霞上」，方寫到十分明。此「猿鳴」句寫已明，「谷幽」句又退寫未明，「巖下」句

---

41 「晚星」根據曹融南校注應作「曉星」（《謝宣城集校注》(上海：上海古籍出版社，2001.4)，頁276)，此四句為「曉星正寥落，晨光復泱漭。猶霑餘露團，稍見朝霞上」。

又進寫明，「花上」句又退寫未明。蓋小謝是「京路」，定要寫明炤見山川之修廣，此詩是「澗行」，只要還寫未明湊下隩隱之險偪。（十四/372）

> 皎皎窗中月，照我室南端⋯⋯凜凜涼風升，始覺夏衾單。豈曰無重纊，誰與同歲寒？歲寒無與同，朗月何朧朧。展轉盼枕席，長簟竟牀空。（潘岳〈悼亡詩〉）

> 室之南端，近窗者也，故月從窗入照即及之，但平日室中有人，故止見照人，而南端則忽焉⋯⋯及之子云亡，己之床簟仍在南端，而之子之枕席又為別設。以南端暗照，當是北端或西端，如古室之奧然⋯⋯後文「盼」字，界得最分明，此等意思全從詩生⋯⋯「朗月」句重把首句「月」字從新提起，原非重複。前曰「皎皎」，乃月當中天之輝，是曰正照。此曰「朧朧」，如月將入之影，是曰折照。安仁所擁之衾枕，既傍南端業已寫得孤苦之甚，于是又借此月之折照遍映室內，顯出之子虛設之枕席。（八/183-184）

吳淇擅長透過比較突顯詩作的特點，第一筆資料中大小謝詩之對照即是一例。集中就光線變化來看，天將亮未亮之際的光影轉變確實十分豐富，吳淇將「明」的樣態作出各種程度的區分（「將」、「未」、「十分」、「已」明），如此明亮程度又牽涉到詩人最後意欲突顯的景致：欲「炤見山川之修廣」，自需將光源導至「十分明」；要呈現「隩隱之險偪」，則需將收束點退至「未明」。吳淇將光源變化做出細緻區分之際，也突顯出詩人對詩歌結構安排的用心。

　　如果說第一筆資料主人翁的視覺觀看較為隱約，那麼第二例則可明確見到詩人視覺的參與。該評與上例相同，俱留意到光影的變化，即「正照」、「折照」之異，不以正照，而以折照烘托情感孤苦，並特別點出折照投射所至之枕席，復與南端「暗照」相應，於朦朧不明的月光中更見詩人「盼」而不得見之悲情。原詩兩次提到明月，然「皎皎」、「朧朧」之別若非吳淇的闡發，恐難如此鮮明地窺見月光及其內蘊意味之差異，他對光覺與情感深刻而縣密的分析可見一斑。

　　上類這組詩評將重心擺在光線變化，另有一類則是留意到光源的問題：

> 夕霽風氣涼，閑房有餘清。開軒滅華燭，月露皓已盈。（謝瞻〈答靈運〉）
> 初霽之夕，月光定然倍好，乃不出庭待之，而反處閑房者，久雨乍霽勢或未便耳。然此夕月光又不可不看，故定要「開軒」也。然又滅燭，燭光小雖不敵月，然燭在房中近，月在房外遠，故妙於看月者必滅燭也。（十四/398）

> 清風動帷簾，晨月照幽房。佳人處遐遠，蘭室無容光。襟懷擁虛景，輕衾覆空牀。（張華〈情詩〉）
> 獨宿幽房，偶因風動帷簾，見月已晨矣，則微宵不寐可知。佳人既遠，蘭室自是無光。但滅燭之後，尚懷意中，忽因月照，更于眼中顯出。（八/173）

　　吳評謝瞻詩在詳述何以滅燭的同時，也將視覺感受光源遠近的

差異性、光源相互干擾的實況（「然又滅燭」以下一段）呈現出來。張華〈情詩〉之評有意思之處在於：詩作本身並未提及燭光，吳淇卻藉由合理的推論指出「燭」這個光源，並點明該光源（燭光）消失後另一光源（月光）的突顯，此刻詩人對「佳人既遠」一事「尚懷意中」，吳淇以「更」字說明月下情懷，情感強度顯然較滅燭前明顯，在視覺轉移復聚焦之際，也漸次烘托並強化詩人感慨內傷之情。

以上詩評無論是對破曉時分的解說，或者是對月光投射角度（正折照）的闡述，再或是追究滅燭的原因或突顯滅燭後的其他光源，似乎不過是詩人最終目的（「隩隍之險偪」、「盼枕席」、觀月、見幽房）前一個過程性的說明，然吳這般光覺分析卻對全詩氛圍或情思的形塑有著關鍵性的影響，若無這段闡發的烘托與蘊釀，恐難深刻而細膩地展現「詩人最終目的」，光覺闡說之重要性由此可見一斑。

人眼面對光線，特別是一片漆黑中的月光，往往易引發情緒的蕩漾，這在吳評中時或可見，前舉之例已可窺得，復觀下列二評：

> 安寢北堂上，明月入我牖。照之有餘輝，攬之不盈手。涼風繞曲房，寒蟬鳴高柳。踟躕感節物，我行永已久。遊宦會無成，離思難常守。（陸機〈擬明月何皎皎〉）
>
> 風繞蟬鳴，又不是明月照出來的，如何楔之使出、令文氣聯貫？……聯貫之妙，却只於既點明月之後、未有風蟬之先，虛虛搖筆，把題「何皎皎」三字，極寫二句……劈首應「安寢」二字，見他已忘情了，如何又起？

只緣他寢的是北堂，中夜明月入牖，照得無賴，又起至
庭前，反覆細細看玩，「照之」句是莫載，「攬之」句是
莫破，其冷冷一片清光攝入，心眼蕩漾，與往時迥然不
同意思，覺得隱隱躍躍，是個節物，只是一時口頭說不
出來。忽而覺得一陣涼風，聽得一聲蟬鳴，兜的一驚省
得都是節物變邊，不覺離思怦怦動矣。（十/248-249）

日落泛澄瀛，星羅遊輕橈。憩榭面曲汜，臨流對迴
潮……亭亭映江月，瀏瀏出谷飈。斐斐氣幕岫，泫泫露
盈條。近矖祛幽蘊，遠視蕩諠囂。（謝惠連〈泛湖歸出樓中翫
月〉）

首四句說「泛湖歸出樓中」六字已盡，于此即點「翫
月」便實而無味，此卻于月將出先寫待月，再相招同翫
月之人也……俄而月出映江矣，月與風宜，適有出谷之
飈，則月不孤。「幕岫」者氣也，月映之斐斐然。「盈條」
者露也，月映之泫泫然。故近翫條上之月，幽蘊自祛；
遠望岫上之月，諠囂自蕩。（十四/395）

此二例俱呈現光覺與空間的關聯，前例因見月光，而使主人翁
由北堂移至庭前[42]；後例詩人視野所及或遠或近，二例除了可見
光線投射範圍之廣闊，在空間中迴盪之光照復有著營造環境氛
圍之效用。其次，上列二評於吳淇諸覺共感的表述中頗具代表
性，透過他的闡發，可以看出二詩俱有視覺（「細細看玩」、「遠

---

42 陸機詩之主人翁並未出房到庭前，吳評應是受古詩十九首〈明月何皎皎〉「出
戶」之語的影響，吳評不甚精確。然而這番闡述正可見到他對光覺引發詩中
主人翁於空間中的步移，也就是光覺於詩中的作用，確有一份特別的留意。

望岫上之月」)、觸覺(「覺得一陣涼風」、「出谷之颷」)、聽覺(「聽得一聲蟬鳴」) 等不同感官同時感知的展現，這固然於原詩中已可窺見，然透過吳淇的說明，則是更為突顯光覺所扮演的「引發」性角色，亦即明月之清光如何使「心眼蕩漾」，從而帶出觸覺、聽覺的感受；所見之月光如何與風、幕岫、盈條聯繫，而使身體與自然界融為一體。光覺於這類品評中扮演著觸動其他感官、撩動情感之啟下作用。

　　光影作為目標物的配角或情境氛圍之烘托，吳淇對此有頗為細緻的觀察；他尚將此帶有虛幻性質、難以實際捉摸之物做為主角加以闡發，此亦前代詩評少見者：

> 攝衣步前庭，仰觀南雁翔。玄景隨形運，流響歸空房。清風何飄颻，微月出西方。繁星依青天，列宿自成行。(傅玄〈雜詩〉)

> 夫雁響之聞以風故，景之玄以夜故；玄而可見以月故，見而不真，以月之微故；影隨形運，以月之微不能照物，而繁星列宿亂光交射之故。凡物被日月所照，在空中其景必直射至地，今月光既微，所照之雁影垂下無多，而四面星光亂射，則前後左右俱有影，故曰「運」；其影四面周旋，故曰「隨形運」，言不出乎其形之外也。(九/219-220)

> 寒郊無留影，秋日懸清光。(江淹〈望荊山〉)

> 「光」不與「影」相對，却與「闇」相對且相悖……大光為物形所礙，不能透過，方顯有闇。然不謂之「闇」，而謂之「影」者何也？影生於形……形既不同，所留之

> 闇之象亦異。可見光與闇緊相切，而形為之界。則光不生於形，而闇則形之所留，故別稱曰「影」，以明此闇屬依類物形者也⋯⋯滿太空皆光，以大地視太空，無異太倉一粒。雖有昏夜之闇，何損太空之滿光？然而人目則不能見矣。至山川之影更小，又何損於大光？但於人目尚有礙而不顯云云。故文通未出魯陽，不及寫日光。而出魯陽則平地，雖有「寒郊」之高心，不足礙吾目中之日光矣，總謂「無留影」可也。所以「秋日懸清光」，方得寫的盡致。此古人細心體物之妙。（十七/453）

二評俱有細膩觀察光影變化之特點，前例藉由光源狀態（「月之微」、「繁星列宿亂光」）帶出影之變化（「雁影垂下無多」、「前後左右俱有影」、「影四面周旋」）；後例則是充分述說光影的物理性質，正所謂「附著陰影可以通過它的形狀、空間定向以及與光源的距離，直接把物體襯托出來」[43]，吳淇即是由此說明光、影、闇、形的關聯，並逐步聚焦，先是指出於魯陽時「人目尚有礙」，藉此對比其後至平地險障盡去，故能「無留影」且見秋日清光，「人目」對光影的感受顯然隨地理空間不同而有差異。不論傅玄或江淹詩，原作涉及光線者俱僅僅單兩三言，乍觀之下似為無足輕重之景語，吳卻耗費不小的篇幅闡發光之樣貌[44]，他對光覺之看重誠不言可喻。

　　《六朝選詩定論》中像這般針對光影變化加以評注者誠所

---

43 美・魯道夫・阿恩海姆著，滕守堯、朱疆源譯：《藝術與視知覺》(成都：四川人民出版社，2006.10)，頁 426。

44 若從吳淇品評傳、江詩之篇幅觀之，他論前者費了超過三分之一的比例、論江淹詩則花了接近二分之一的比重闡述光線。

在多有，例如評謝靈運〈石壁精舍還湖中作〉「『出谷』句……日尚早，陽已微，將時陰寸分刻量，正形『還』字之妙。且下文『林壑』、『芰荷』等物，俱從微陽朦影中看出……『迭映蔚』、『相因依』，亦從微陽朦影中看出。」（十四/366）、評謝朓〈和徐都曹〉「風雖有光，觸草始顯。於『草』下著一『際』字，覺此浮者非草非風，總是一片春色，總形容上文『滿』字，兼形容原題『旦』字。蓋『日華』句分明是旭日始旦，『風光』句分明匪陽不晞，要知此二句全妙在『迴』、『瞰』二字」（十五/414）、評劉鑠〈擬明月何皎皎〉「『落宿半遙城』，言夜已深而不見明月……及清風忽來，吹去浮雲，而羅帳始延明月而入矣。夫以月之明，能透羅帳，則不言皎皎而皎皎可知。」（十三/332）……等論俱是。諸論俱能於形辭架構的分析中兼顧內涵，又再次可見吳評形質兼重之尋常體例。

　　本節所舉與光覺相關詩作如傅玄〈雜詩〉、謝朓〈和徐都曹〉、江淹〈望荊山〉等，吳淇之前幾乎無人做評，吳能拈出闡述，已可窺得其異於前人之觀察；至於其他詩作，歷代品評主要如下：

　　　　寫月光稍活。[45]（評陸機〈擬明月何皎皎〉）

　　　　言景不可以無情，必有「近矚袪幽蘊，遠視蕩諠囂」及末句，乃成好詩。[46]

　　　　平極，淨極。居恒對此，覺謝朓、王融喧薄之氣

<hr>

45　清・陳祚明評選，李金松點校：《采菽堂古詩選》，卷10，頁316。

46　元・方回選評，李慶甲集評校點：《瀛奎律髓彙評・文選顏鮑謝詩評》，卷1，頁1852-1853。

逼人。[47]

　　曲折層次，盡玩字之妙。[48]（以上評謝惠連〈泛湖歸出樓中翫月〉）

　　偶對中有景、有致，機流句外。[49]

　　「猿鳴誠知曙……花上露猶泫」，郁郁乎清芬，渠自披陳物色，了不作一詩意。（以上評謝靈運〈從斤竹澗越嶺溪行〉）[50]

　　「昏旦變氣候，山水含清暉。清暉能娛人，遊子憺忘歸。」天趣流動，言有盡而意無窮。[51]

　　「昏旦變氣候，山水含清輝」，簡潔。陶盡千言得此二語。去緣飾而得簡要，由簡要而入微眇，詩之妙境盡此矣。「林壑斂暝色，雲霞收夕霏」，其言如半壁倚天，秀色削出。[52]

　　凡取景遠者，類多梗槩，取景細者，多入局曲；即迷入細，千古一人而已。（以上評謝靈運〈石壁精舍還湖中作〉）[53]

　　一起四語，清映絕倫。體物之佳，能使景色現前，身嚐其趣。（評謝瞻〈答靈運〉）[54]

---

47 清・王夫之：《古詩評選》，卷5，頁745。

48 清・何焯語，見于光華編：《評注昭明文選》，頁416。

49 明・鍾惺、譚元春輯：《古詩歸》，卷11，頁474。

50 明・陸時雍選評，任文京、趙東嵐點校：《古詩鏡》，卷13，頁126。

51 元・方回選評，李慶甲集評校點：《瀛奎律髓彙評・文選顏鮑謝詩評》，卷2，頁1872。

52 明・陸時雍選評，任文京、趙東嵐點校：《古詩鏡》，卷13，頁124。

53 清・王夫之：《古詩評選》，卷5，頁737。

54 明・陸時雍選評，任文京、趙東嵐點校：《古詩鏡》，卷12，頁118。

即物風華，體裁不妄。（評劉鑠〈擬明月何皎皎〉）[55]

吳淇之前或時代相近者評陸機〈擬明月何皎皎〉，多將重心放在「照之有餘暉，攬之不盈手」[56]，唯陳祚明觸及光覺，然極為簡單，僅「月光稍活」一語，不若吳淇，將手部動作與光覺、整體氛圍聯繫，展現身體的多重感知。謝惠連詩作之評則是簡單點出酰字之妙或該詩風格（平淨）；劉鑠詩之評類此，亦僅扼要指出風華、體裁；其他品評則多由物色角度簡略而直觀論述，可見抽象的表述模式乃歷代最為常見者，這類述評自有精簡而予讀者較多探索空間之特點；相對而言，吳淇則是以光覺為核心展開闡述，或者將酰字如何巧妙、情景怎麼藉由視覺相融、物色如何呈現詩之妙境……等做出具體表述，或者細膩地彰顯光感如何貫穿詩中，從而較好地營塑全詩氛圍。要之，光覺乃歷代詩評家甚少留意之面向，吳淇能聚焦於物色中之光影變化，並做出深刻而具體地闡發，乃其獨樹一幟處。

　　通觀《六朝選詩定論》，會發現吳對光覺評注之語，多為原詩之起始句，這類作為全詩背景鋪陳之景語如前所述，歷代詩評家多視為物色句簡單帶過。值得留意的是，吳淇特別拈出其中之光影、光線、光源加以闡釋，欲掌握可見而不可觸之虛幻

---

55 清・王夫之：《古詩評選》，卷 5，頁 760。
56 例如林希逸「語粹而味深，殆為古今絕唱」（《竹溪鬳齋十一稿續集・清風峽施水奄記》，收於《宋詩話全編》，卷 10，頁 8652）、何良俊「有神助」（《四友齋叢說》，收於《明詩話全編》，卷 24，頁 3565）、馮復京「張協雜詩句……秀拔出群，與陸生『照之有餘輝，攬之不盈手』，可為勍敵」（《說詩補遺》，收於《明詩話全編》，卷 3，頁 7209）、陸時雍「老而潔」（《古詩鏡》，卷 9，頁 78）、孫月峯「照攬兩語極狀景之妙，第味不甚長」（于光華編：《評注昭明文選》，頁 585）……等評，俱將焦點集中於此二語上。

光影本有相當之難度，吳又多著重其「變化」的一面，這或者需要較長時間的觀察，或者必需敏銳掌握變換的瞬間，吳認為江淹「寒郊無留影」云云乃「古人細心體物之妙」（十七/453）的具現，實則其光感之評即是他細心體物的極致展現[57]。

細膩闡釋虛幻、變化多端之光影較一般具體可觸之物更顯不易，而此體物不單只侷限於單純物理光感的層面，吳淇闡發部分詩作時尚有所延伸，留意到光影虛幻、流宕的性質誠較其他實體景物更易於空間中醞釀發酵，對此有越多的掌握，便越能立體架構出詩歌之環境氛圍，而這對詩歌後續情感思維的展現，有著較其他實景更為顯著、鮮明的烘托效用。此亦吳光覺闡發的貢獻之一。

若將《六朝選詩定論》中與光覺闡發相關的詩作歸納分析，會發現吳評涉及光影的詩歌，創作時間若是在大謝開啟的山水物色風尚之後，多以「體物」為核心；謝靈運之前則可窺見張華、潘岳、陸機⋯⋯等人之作的光覺意象為吳淇所留意，他對此之光覺分析則多與詩人情思結合，異於大謝之後體物為主的品評。此述評趨向正合於六朝詩歌由緣情轉向體物的文學發展，吳淇評注之際，當是慮及文學進展之實況；另一方面，吳淇點出難以掌握之光影的精彩表現，像這般深入分析南朝詩作之光感，應有突顯該階段體物是何等精細的意味；而他能於浮靡外見到南朝詩作之創獲，正可見其對該階段詩作所持有之公允態度。

最後，吳淇對六朝詩歌光覺的闡發，除了極少數涉及日光，主要以月光為大宗。何以月光會特別受到視覺矚目？其一應與月亮特別的時空位置有關。在黑暗中更能顯現月亮之光源，此

---

57 包括那些情思與光覺結合述評的作品，吳評亦是於體物基礎上闡發情思。

與白晝一片光亮中的日光頗為不同；相較於眾星，月光又顯得明亮許多；加以夜晚靜謐的氛圍，誠有助月之攝人目光。此外，月亮所以受到矚目，可能又與遠古以來的月神崇拜有關[58]。而詩人寫月的歷史甚長，近現代學者卻多將焦點放在唐詩或者李白、蘇軾等詩人身上[59]，僅極少數涉及六朝[60]。這麼一來，吳淇詩評便有其重要貢獻，亦即透過對光覺的闡釋，突顯「六朝」詩歌的月意象，此其視覺闡發的又一價值。

第四節　誰之「見界」

── 對觀看視角的闡釋

如果說上述的探討是針對視覺本身而言，那麼最後還可談談視覺觀看的主體，也就是由「誰」的「見界」（四/79）觀看外物。前述目光流轉、光覺等，自然也有一觀看的主體，然而從「誰」的角度來觀看並非上述這類評述之重心，前述兩節俱是專注於視覺的特性來談。《六朝選詩定論》中另有一類品評，則是針對觀看視角，也就是主人翁為誰加以闡發，表現出異於前兩節的評註面向，故可單獨討論。中國古典詩歌向來有不明言

---

58 詳參龔維英：〈中華「日月文化」源流探索〉，《貴州社會科學學報》第 4 期(1988)。

59 例如孔儒：〈淺析唐詩中的月文化〉，《語文學刊》第 10 期(2010.5)、宋雪：〈月光中的大唐──從月亮意象論唐詩中的青春精神〉，《大眾文藝(理論)》第 20 期(2009)、羅長青：〈李白、蘇軾詠月詩詞比較談〉，《惠州學院學報(社會科學版)》25 卷 1 期(2005.2)……等文可參。

60 例如王繁：〈「山」月與「情」月──簡論南朝與初唐月詩中月景與詩情的關係〉，《寧波教育學院學報》11 卷 1 期(2009.2)可參。

主詞的特點，因而留下模糊多義的空間。後代闡釋者若能恰切填補說明，誠有助於豐富詩作的內涵。首先，吳淇點明詩中有雙重觀看者的同時，也往往展現出詩歌的多重意蘊：

> 青青河畔草，鬱鬱園中柳。盈盈樓上女，皎皎當窗牖。娥娥紅粉妝，纖纖出素手。昔為倡家女，今為蕩子婦。蕩子行不歸，空牀難獨守。（《古詩・青青河畔草》）
>
> 「青青」二句……分明從作者眼中拈出，卻又似於女子眼中拈出，分明從作者眼中虛擬女之意中，卻又似女之意中眼中之感，恰有符於作者之眼中意中……作者所注目，正在此「盈盈」者。而彼「青青」者、「鬱鬱」者，匪意所存；但非彼「青青」、「鬱鬱」者，則楔此「盈盈」者不出。故從女眼中寫出，不若從作者眼中寫之之妙也。「昔為」四句寫情，似從女意中拈出，實亦從作者眼中拈出……青青之草，鬱鬱之柳，特感動其因緣耳。然不寫入女子眼中，而寫入作者眼中，何也？恃有「皎皎當窗牖」一句，關通其脈也……樓下之人，既見河畔有草、園中有柳，從樓窗中見樓上有弄妝之女。彼樓上之女，豈不由窗牖中見草之青青於河畔、柳之鬱鬱於園中乎？故此「青青」、「鬱鬱」者，在作者之見界中，亦在此女之見界中。（四/79）

一般解讀該詩，多將焦點擺在女子身上[61]。吳淇卻考慮到作者的

---

61 例如張玉穀「『盈盈』四句，就所見之女，敘其不耐深藏，豔粧露手，已為末『空牀難守』埋根」(頁 136)、饒學斌「女於樓上而當窗牖，裝紅粉而出素手，是直特地畫出一娼家女」(頁 156)……等論可參。俱收於隋樹森編：《古詩十九首集釋》。

眼界，而以「皎皎當窗牖」作為作者、女子見界轉換的樞紐。吳認為全詩所繪雖俱存於作者與女子眼中，卻因情境不同而有主客之別。像吳對「青青」、「鬱鬱」楔出「盈盈」一段的立論，為了說明女子也成為詩人眼中之景，故云「從女眼中寫出，不若從作者眼中寫之之妙」，然此景觀又不全然只存於作者眼中，因有窗牖作為媒介，而使此景亦進入女子眼中，但青青鬱鬱是以作者為主、女子為客；與此相反，「昔為」四句則是以女子心緒為主體，吳淇認為這同時又成為作者眼中之景，作者於此反而成為「客」。吳有著意突顯詩人眼界的意圖，就創作而言，從作者的角度書寫成詩本是理所當然而不足為奇，然而正因此詩為代言體，點出作者的存在性，反而更能彰顯該詩代言體之性質，吳淇此評當是慮及書寫之體例；與此同時，他也確實提供一個合宜的解讀方式，使全詩意蘊在詩人與女子交錯的眼界中更顯豐富。

　　除了雙重展現作者與詩中女子之目光，另有一例則是明確點出觀景之人，從而帶出詩人的揣想與情懷：

> 側同幽人居，郊扉常晝閉……庭昏見野陰，山明望松雪。靜惟淹群化，徂生入窮節。豫往誠歡歇，悲來非樂闋。屬美謝繁翰，遙懷具短札。（顏延之〈贈王太常〉）

> 　　顏之遙懷，非由他興，即起於所居之景。兩人既同居，則庭際之野陰、山頭之松雪，必兩人之所同見同望者，應有同懷……庭為野陰所侵而昏，山因松雪所映而明。此景之遙，兩人亦當同見同望也。即因山雪之明，靜思而忽有所悟，萬化頓淹於胸中。復因庭陰之昏，覺吾餘年之已暮，而忽動徂生之感，因而樂往悲來，不能

自已。此等遙懷，不知王亦同此否也。(十二/315)

原詩中王太常見望景物的痕跡並不明顯，然若觀察吳淇之評，便會發現他是以「庭昏見野陰，山明望松雪」作為釋義的關鍵句，「見望」非僅屬於詩人之見界，更屬於王氏，這就使見望不只是單純的眼前所見，更可跨越眼前，納入遙懷，窺得「所見」中存有兩人共同的記憶與情懷。可見若能恰當詮釋觀看主體，確實可使詩作內涵更形飽滿；讀者對該詩視覺的理解亦得更顯豐富。

與見界相關的述評，尚可以謝惠連〈西陵遇風獻康樂〉之注為例：

康樂〈贈惠連〉曰「汀曲舟已隱」，惠連贈康樂云「迴塘隱艫栧」，俱舟中望人之妙。(十四/397)

大謝原詩為「顧望脰未悁，汀曲舟已隱」，惠連詩則為「迴塘隱艫栧，遠望絕形音」，二詩「顧望」或「遠望」之主人翁可以是送行者或被送行者[62]，吳淇逕將見界落在舟中人這端，相較於岸邊觀人，處於移動船上之見界必然與定點觀看不同，應更能展現視野變動的意味，而如此視野之變動，或有暗示詩作情懷隨舟綿延之效用。另一方面，「舟中望人之妙」之品評對應的詩句俱為外在景致，即「汀曲舟已隱」、「迴塘隱艫栧」，吳淇特意將「人」含納至「景」中，這就使詩句不只是單純的外在景致，而是能展現出更具情味的一面。

---

62 顧紹柏即解大謝此二句為「『雙方』未能多望一會兒」(《謝靈運集校注》(臺北：里仁書局，2004.4)，頁247)。

　　最後復舉一例，原詩乍看已點出「誰之見界」，然透過吳淇的述評，誠將詩中人之眼光做了更縝密而富含層次的闡發：

> 命駕登北山，延佇望城郭……邃宇列綺牖，蘭室接羅幕。淑貌色斯升，哀音承顏作。人生誠行邁，容華隨年落。善哉膏粱士，營生奧且博。宴安消靈根，酖毒不可恪。無以肉食資，取笑葵與藿。（陸機〈君子有所思行〉）
>
> 「色斯升」，誰升之？「承顏作」，承誰之顏？定然有營生最奧且博膏粱子居在中間受用。然彼既奧且博矣，誰得而見之？豈知卻有旁人，立在高處冷眼看他，且看得甚仔細。看他者，卻不是他人，正是葵藿之士，即首句「登北山」的。苟非「延佇」，那看得仔細至此？（十/259）

該詩起始處即可見到某人觀看膏粱士之目光，並指出其觀看的樣態，是「冷眼」且「看得甚仔細」，何以能看得仔細？乃因觀看者「延佇」於高處，可見應經過一段不算短的時間；而詩作書寫至「善哉膏粱士」時，似將重心轉移至另一人（即膏粱士），並由此延續，做出最後的警語。吳淇卻特別將詩作後半扣回原詩開頭，如此一來，「善哉膏粱士」以下便不僅是專就膏粱士而繪，尚明顯可見有一旁人觀看的目光，相較於原詩重心從旁人轉至膏粱士，吳評確實更形突顯觀者（即旁人）眼光於詩中前後貫穿的樣貌，也使讀者留意到「善哉膏粱士」以降之雙重影像，而非僅是聚焦於膏粱士本身，如此一來，那冷眼嘲弄膏粱士、顯現膏粱士某種程度沉淪的意味，誠於吳評中獲得更好的彰顯。

　　《六朝選詩定論》針對觀看視角所發之述評並不甚多,然其內涵卻頗為可觀,從不同人的角度觀看世界,所見風光自會有相當的差異,吳評確實提供我們多元觀察詩歌的可能性;加以此乃視覺本身之延伸關懷,可以更完整地見到吳淇對視覺的看法,故有另闢一節探討的必要。

第五節　小　結

　　吳淇對於視覺的闡發,首先可以留意的,是他對俯視仰觀之闡釋,原詩未見俯仰字眼且屬單純景語者,吳評著力突顯「人」的存在,這就將主體重心由「景」轉至「人」這一端,除了可見他對「人」主體性之重視,原詩之景語亦因吳對視覺流動其中的提點而更顯靈動。至於原詩已見俯仰字眼者,評注模式則略作調整,以闡明詩句背後的深意為主。不論是人跡或人情的闡發,在吳評中俱可鮮明見到視覺於物我間的橋梁性質。

　　其次,在「望」的目光流動中,吳淇特別提出「見意存乎望,不在乎見與不見」(十五/419),即可看出他對詩作中「即使不見目標物卻仍堅持遠望」之情的著意關懷。在這類品評中,視覺之漸步流轉往往與情思的逐漸強化相應,而可見身體感官與精神層次之同步起伏。《六朝選詩定論》中「望」與「空間」、「身體動作」有相當之結合,前者可見目光對客觀距離的判斷極易隨主觀情思浮動;於「望」之品評中尚可窺得某個空間裡歷史積澱的樣貌,從而能由此感受到「望」中強烈之情感;這類述評尚有助於我們更深刻思考情、景(空間)之相關議題。

　　至於「望」與身體動作的結合，最常見的是「顧望」與「徘徊佇立」的連繫，吳淇或者將視覺與詩中動作連繫，用以強化原作明言之情；或者挖掘詩中視覺、動作背後之思。在顧望與徘徊佇立的限定搭配中，明確可見視覺感官與行止間連動的樣貌，吳對身體全面性共振得以引發情思之關鍵性質確實多所留意。

　　接著光覺的部分，欲細膩闡發虛幻、變化多端之光影誠顯不易，吳淇費心於此，足見其體物之細微。其光感之評不單只是停留在摹形層面，部分詩評尚指出難以捉摸之光影誠較其他實景容易營造氛圍，而對全詩情思有更鮮明的烘托效用。

　　最後「誰之見界」的探討，旨在呈現吳淇如何突顯相異觀看者之目光。由不同視角出發，誠提供讀者多元觀看暨理解詩歌的可能，此乃吳淇對視覺本身之延伸關懷。

（本文初稿 2016.3.3 於高師大國文系進行學術演講，2017.12 發表於《中正漢學研究》（THCI 核心期刊）第 30 期，2018.1 復增補修改如上。）

第四章　聲聞之應

── 吳淇之聽覺闡發

　　本章標題中的「聲聞之應」，所指為吳淇對詩作中的聽覺加以闡發時，常會觸及聽覺與情思間的種種呼應或反應，以此為題乃欲涵蓋述評中聽覺暨情思兩端。以聲寄情為傳統藝術論中常見之主題，而本章旨在挖掘吳淇如何強化突顯於原詩中表現不那麼明確、甚至未明言之聲情，說明聲響於詩中的關鍵性，以及吳評所展現的聲情有何異同於傳統樂教之偏向，從而展現吳一系列的觀點。

　　在正式進入對吳評的探討前，應率先掌握聲音、聽覺的基本特色。所謂聲音三要素，是指響度、音高與音色，聲音的響度與振幅有關，振幅越大，音量就越大；音高則牽涉到頻率，頻率越密，聲音便越尖銳，一般而言，人耳對音高的敏銳度會高過響度；至於音色，則與音波波形、各種發音體諧音組合的樣態有關。在人耳的聲域範圍內，聽覺將受此三要素影響而引發各種不同的主觀感受，吳淇詩評的探討將可與這些物理性質連繫而得到一些有意思的分析。

　　此外，根據日本色彩學學者的說法，人體五大感官的機能

比例，分別是視覺87%、聽覺7%、觸覺3%、嗅覺2%、味覺1%[1]；而「人的大腦中儲存的經驗訊息，80%左右來自視覺，10%左右來自聽覺」[2]。綜合上述資訊即可發現，不論是當下或經驗累積的感受，視、聽覺佔據身體感官極大之比例，吳淇釋詩時與身體感知相關之闡發以此二者為主，確實合於感官運用之實情。不過若由另一個角度思考，儘管視、聽覺佔主要感官的前二名，兩者比例卻有極大的落差，很有意思的是，在《六朝選詩定論》中兩者的詮釋比重卻相去不遠，換言之，儘管聽覺在日常生活中的重要性遠次於視覺，但若從文學的角度出發，詩人的創作或是詩評家的評注卻有可能將聽覺提煉出來，對此之重視不論質或量俱不亞於視覺，吳淇之評即是明證。

此外，吳對聽覺的費心闡發甚至超越原詩之聲聞描繪，何以會有如此落差？或許和他的著眼點有關，其一是視樂音為詩歌重要之成分[3]，此觀念自然受到傳統樂教相當之影響；其二則是認為聽覺對情緒的影響較其它感官來得強烈[4]，情感質素既然

---

1 日・野村順一：《色の秘密——最新色彩學入門》(東京：文藝春秋，2005)，頁10。

2 陳濤：〈漫話文學中的「聲景」〉，《文史雜誌》第4期(2004)，頁39。

3 從「樂以詩為本，詩以韻為命。韻者，聲應之相比和者也。……惟人兼含五言，故聖人制之，而音韻之學以出，是為作詩之需」(一/8)、「夫六律，萬事之本也。故人有五聲，八音各有五聲，俱當聽命於六律。人之五言，與其五聲互為魂魄，亦當聽命於六律」(一/9)、「凡《選》中之詩，固無不可入樂也。何者？《選》詩無不合《風》《雅》之旨者，特當時無能為之譜，非不可譜也」(一/25)……等論即可看出，吳淇頗為看重樂詩間的連繫。

4 吳淇即言「聲音之道，感人最微」(三/70)、「感人最深者，莫如聲音」(十四/363)。徐珍娟則就音響的特質加以說明，可與此相應並略作補充：「音樂欣賞中感情體驗是一直接的感受……音樂在空間中具有擴散及穿透力，能對人的生理、心理產生一種比其它藝術更強的刺激力及影響力。」語見氏著〈音樂心理學——音樂聽覺和情緒的探討〉，《龍華學報》第16期(2000.1)，頁45。

為吳所重視，連帶地「聲聞如何啟情」自然為他所費心留意。基於吳對樂音、聽覺的多方看重，那麼其述評是否有與眾不同之特點？誠有一探究竟的空間。

根據《六朝選詩定論》實際品評的狀況，首先將探討聽覺媒介下聲樂與情思應和之狀態，主要涉及「人文聲響」與「自然物鳴」兩部分，二者屬性不同，吳評關注偏向亦有落差，故分而論之。此外，在吳淇的品評中，「風」所形成的空間氛圍對聽覺感受有一定程度的影響；聽覺與其他身體感官間另有相當之互動，考量到此二面向乃自然、人文之聲相異之餘的共同呈現，乃更上一層的綜合探討，故擬另闢一節析論。

第一節　絲竹弦瑟之響

── 對人文之樂的闡發

在本文第二章第一節的探討中已經指出，「志在人聲中，則律也、聲也、永也、言也，皆全備無缺」（一/7），人聲乃聲響之重心；而「樂非詩不成，禮非樂不舉」（一/11），則可見吳淇頗為重視聲樂的教化作用；且「歌與詩非二」（一/4），聲歌與義理必須一以貫之。以上乃吳說與傳統詩（樂）論相近處。然亦如第二章所述，吳淇於承續中另有新變，相較於「《關雎》樂而不淫，哀而不傷」這般「性情之正」（一/23）以及傳統的聖賢之志，吳淇的詩樂理論已有所調整，「哀而傷者」（一/23），甚至更進一步有「至情」（一/3）之奸雄、「有恒者」（一/3）

俱為他所肯定，皆可列入聖人之徒之列。由此可見，吳淇在傳統詩（樂）教的基礎上展現出對哀、至之情更大的包容，因此他在指出讀者對詩歌「要宜作『無邪』觀」（一/22）、並將聲歌義理落實於閱讀之際，其實與傳統詩教已不盡相同。

　　透過對《六朝選詩定論》卷一通論處的觀察，即可看出相較於自然之音，吳淇顯然對人文之樂有更多留意；而他對音樂有何作用之說明亦可窺此傾向，且能同步看出他對詩情的重視：

> 　　日歸功未建，時往歲載陰……急弦無懦響，亮節難為音。人生誠未易，曷云開此衿？（陸機〈猛虎行〉）
>
> 　　此時此際，一片激烈之意如何形容得？因借聲音發之。「急弦」二句如高漸離祖送荊軻易水之上，歌為變徵羽聲，自是怒髮衝冠、白虹貫日，斷無和平之響，人生到此，方知未易。（十/255）

> 　　鍊藥矚虛幌，汎瑟臥遙帷。（江淹〈王徵君微〉）
>
> 　　「瑟」不止病中事，然瑟聲清越，足散人病，故撫之。（十七/477）

吳淇將原詩中「急弦」、「汎瑟」的作用做了明確的說明，在「足散人病」、「借聲音」以展「激烈之意」的解釋中，指出樂音或舒緩或宣洩詩人情感的用途。此除了呼應吳氏認為《文選》不棄「哀而傷者」（一/23）之主張，甚至還可初步窺見他對悲怨之情有更多的留意；而人文樂音與情思的密切關聯亦可由此窺得。

　　下列論述將詳細探討吳淇如何闡發人文樂音及其引發的情懷，首先觀察他對詩作中詩人所提及的音調暨樂曲之相關述

評，其次析論吳淇如何留意詩歌整體的架構與音韻。前者牽涉詩人揀選素材的問題，包括詩作裡所提及之音調、樂曲、弦歌等，屬於詩作內部相對局部而微觀的觀察；後者則是於此基礎上做出相對宏觀，也就是針對全詩架構暨用韻的探討。在形式與內容的雙重研析中，期能更完整地呈現吳淇對「聽覺感受人文樂音」的種種看法。

一、探討詩中審音擇曲之悲怨情思

中國古典詩歌在初始時期多具備濃烈的音樂性；即便發展至徒詩不歌的階段，仍有不少詩歌在創作內容中會提及音調樂曲，藉此烘托或強化詩人之情懷。在說明吳淇如何闡發詩中所提到之曲目時，理應率先觀察他怎麼分析樂曲的基本組成分子，也就是音、調的部分。試觀下列兩則經典的述評：

> 黃鵠一遠別，千里顧徘徊。……幸有弦歌曲，可以喻中懷。請為遊子吟，泠泠一何悲！絲竹屬清聲，慷慨有餘哀。長歌正激烈，中心愴以摧。欲展清商曲，念子不能歸。俯仰內傷心，淚下不可揮。願為雙鴻鵠，送子俱遠飛。（蘇武《詩》）

> 聲音之道，感人最微。……音清則悲，絲竹承弦，所以倚歌。歌既清而悲，故屬，清音所以逐歌也。慷慨有餘悲，極寫絲竹之音之清，極哀極悲，正所謂「激烈」也。「長歌」云云，卻單承歌而不及弦者，弦有聲情而無詞情，歌則聲詞俱備，故感之而中心愴以摧也。「中心」

即中懷，當此之時，覺得《遊子吟》之激烈，尚不足敵我之愴摧。更思移宮換羽，轉奏清商之曲；忽又念到漢法嚴，少卿必不敢歸，故不忍更奏清商重傷其心也。然清商曲恐傷其心，而乃奏《遊子吟》者何？按樂家音有清濁，調有高低。其調彌高，其音彌悲。《遊子吟》者，楚人龍丘高出遊三年思歸，望楚而作。其調雖慷慨激烈，然尚未到極高處。清商曲者……其音極清極悲，不啻荊生之變徵羽聲。白虹猶為貫日，人將何以堪此？子卿所以欲展中止也。既爾中止，則心益愴摧，俛仰上下，真有天人兩不可問之意。內心即中心，然變中為內者，清商莫展，則此懷徒蘊在內，終無由喻之於外，惟有淚下不可揮耳……「長歌」四句，言歌不言弦者，詩言志，律和聲，言歌而弦在其中矣。（三/70-71）

　　迴風動地起，秋草萋已綠。四時更變化，歲暮一何速！晨風懷苦心，蟋蟀傷局促。蕩滌放情志，何為自拘束！燕趙多佳人，美者顏如玉。被服羅裳衣，當戶理清曲。音響一何悲，弦急知柱促。馳情整巾帶，沉吟聊躑躅。（《古詩十九首‧東城高且長》）

　　「迴風」四句，言時光易邁，爾時情志拘束極矣，非借聲音以展放之不可。將歌《秦風》之《晨風》乎？其音過於憂思。將詠《唐風》之《蟋蟀》乎？其音傷於儉陋。人生幾何，何為拘束至此，是貴於「蕩滌放情志」也。「蕩滌」二字出《戴記》，蕩，浮也；滌，洗也。言其音之曲折，往來疾速，如以水洗物而浮蕩之，乃鄭

衛之音也。……音之悲，由於曲之清；曲之清，由於弦
之急；弦之急，由於柱之促。蓋音之清濁生於律之長短，
故柱疏弦緩，則聲濁而低；柱促弦急，則聲清而高。高
極則悲，此鄭衛之音最易感人。至此，聽者之情馳矣，
歌者之情亦馳矣。不曰「交馳」者，詩人欲摹歌者，故
就歌者而言馳情耳。（四/89）

上列詩評透露出許多吳對樂曲聽聞的想法，首先是他對細部音
調及其引發的情緒感受之說明。所謂「調有高低」、「律之長短」，
即聲音三要素中的音高（頻），前文已言就生理層面觀之，人耳
對音頻的敏銳度高過響度，面對調高、律短所生之清音，吳淇
進一步指出「音清則悲」、「歌既清而悲，故屬」、「其調彌高，
其音彌悲」、「音之悲，由於曲之清」，可見音越清、調越高，聽
者便越容易受到感應而產生悲感，這就是鄭衛之音何以「最易
感人」之因。由此二評中已可確切窺得聽覺感官與情思間的對
應關係。

　　類似這般著眼於音、調的述評，另有顏延之〈秋胡詩〉之
論可一併留意：

雖為五載別，相與昧平生。捨車遵往路，鳧藻馳目
成。南金豈不重？聊自意所輕。義心多苦調，密比金玉
聲。

「義心」二句，人以此為拙，而不知其至快。「義
心」在內，所守之正。「苦調」在外，其辭則婉。婉而
正，故以金石之聲比之……合末章「高張」云云玩之，
方得其妙。（十二/327）

> 高張生絕弦，聲急由調起。自惜枉光塵，結言固終
> 始。如何久為別，百行愆諸己？君子失明義，誰與偕沒
> 齒？

> 此首起句，亦用聲調比，與其六末二句（筆者案：
> 即「義心多苦調，密比金玉聲」）同意。然前是拒他人，
> 其氣平，故云云；此既知為丈夫，憤極矣，故云云……
> 其拒外人也，則曰「義心」云云。其憤丈夫也，則曰「高
> 張」云云。一用為結調，一用為起調，俱借聲音為喻者。
> 蓋延年詩妙於傳神，是於細若氣、微若聲處，描寫潔婦
> 之性情，那得不入三昧！（十二/328）

該評同樣可見吳氏對於聲調，特別是帶有高、急特點者之留意；另有一特殊之處，在於點出以聲調為喻，並指出此喻在架構上具備前後相應的作用。該評並非點明「借聲音為喻」即止，尚由此延伸，進一步與「義心」、「高張」相聯繫，細膩區分為妻者在面對他人與丈夫時不同的情緒反應（「氣平」或「憤極」），而此情緒反應又與聲音有密切連繫（以高急展現悲憤之情），吳淇所謂「延年詩妙於傳神」，應與該詩聲中雜情，且情、聲隨境轉換有關。

該詩歷來得到不少詩評家關注，然諸家多將焦點放在敘事鋪衍、於顏詩中獨具一格等特點上[5]，未若吳專注於聽聞聲響；

---

5 例如元人方回「善鋪敘」（《瀛奎律髓彙評·文選顏鮑謝詩評》，卷 1，頁 1849）、唐汝諤「為後人開一敷衍法門，而雅澹清真，在顏詩中自別成一種風調」（《古詩解》，收於《四庫全書存目叢書》(臺南：莊嚴文化，1997.6)，卷 21，頁 631-632)、鍾惺「清真高逸，似別出一手」（《古詩歸》，收於《續修四庫全書》，卷 11，頁 469)、賀貽孫「延之詩自〈五君詠〉、〈秋胡行〉諸篇稱絕調」（《詩筏》，收於《明詩話全編》，頁 10403)……等論可參。

而論及「義心」、「高張」，歷代品評不是偏於後者而未考慮兩者的對應關係[6]，便是僅提及此乃妻子之態度，而未進一步指出此態度之別源自為妻者對對象（外人或丈夫）的誤認與否[7]；吳淇顯然兼顧到「義心」與「高張」，且留意到二者間之差異，而能將相異聲調下與其對應的詩情之間做出緊密而貼切的連繫。

　　吳淇在〈秋胡詩〉中特別點出不同聲響（金石聲或聲急）所帶出的相異感受，拓而言之，不同歌曲會引發不同的聽覺感受，這在上列蘇武詩（游子吟或清商曲）、《古詩十九首》（秦風或唐風）的品評中亦可清楚窺得。知道聽覺在生理上是如何運作的，或可加深我們對相異樂曲激起不同情思的理解：

> 音樂被大腦「理解」的過程是：音樂傳入大腦，而大腦將傳入訊息的每個部份，包括音調、旋律、節奏、位置和音量大小做分開的處理，最後再組合，加上情緒的部分，才能把衝擊到耳膜的聲波建構成音樂。[8]

可見不同樂曲在細部訊息組成後很快便在大腦內夾雜各種主觀

6　像是李善云「高張生絕弦，以喻立節期於效命；聲急由乎調起，以喻辭切興於恨深」，五臣李周翰謂此乃「以琴瑟為喻也。高張必致絕弦，立節有以盡命；聲急自於調起，詞苦由乎恨深」（梁·蕭統撰，唐·李善等註：《增補六臣註文選》（臺北：華正書局，1980.9），卷21，頁393），雖皆提及聲調背後的情思，然與音調的連繫不若吳淇縣密，且只單方面考慮「高張」而忽視「義心」，吳論可視為是兩李之注的更上一層。

7　類似解讀可參沈維藩（收於吳小如、王運熙等撰寫：《漢魏六朝詩鑒賞辭典》（上海：上海辭書出版社，2004.3），頁718-719）、王令樾（《文選詩部探析》（臺北：國立編譯館，1996.7），頁111）之說。

8　林沛穎、林昱成：〈從大腦的生理機制談聽覺理解困難〉，《特殊教育季刊》第105期（2007.12），頁26。

感受,是以聽者與個別樂曲接觸之際,會迅速引發直觀而不同的情緒反應。吳淇應是深諳此理,故能將在原詩中層次與差異不那麼明顯的樂曲作出區分:吳直指蘇武詩中的清商曲較〈遊子吟〉悲愴;而《古詩十九首‧東城高且長》中的鄭衛之音又較〈晨風〉、〈蟋蟀〉易蕩滌情志。或有學者認為該詩中之樂音「闇回到音悲弦急,沉吟憂苦,局促感傷一意上,回應上段」[9],著眼點落於前後呼應,便較難窺見前後樂音有何轉換,也較難突顯情感之深化。再者,歷來品評似未見將「弦急知柱促」直繫為「鄭衛之音」者,然由吳淇的這番述評,除了可見他異於歷朝詩評之眼光,更可窺得其意欲突顯樂曲變換之用心,他身為詩評家之獨見於此不言可喻。

此處還可進一步追究的是,吳淇對於詩中樂調選曲變換之闡發,是否有何偏向?他顯然費了更多筆墨述說轉變後的悲怨情思,這一方面除了可見吳對此之強調;另一方面,這其中像是他對蘇武詩中清商曲「極悲」的評述、肯定「鄭衛之音最易感人」,俱展現出情感推衍至極致的樣貌,這就呼應《六朝選詩定論》卷一總論「寧收哀而傷者」(一/23)、讚許「至情」(一/3)的主張,相較於《禮記‧樂記》對「鄭衛之音,亂世之音也」[10]的否定,此處明顯可見吳承續傳統詩(樂)教復顯新變的樣貌。

統而觀之,吳氏在說明不同樂曲特點的同時,尚能細膩帶出詩人主動選擇某一樂聲時背後情思的轉變(「不忍更奏清商重傷其心」、「人生幾何,何為拘束至此,是貴於『蕩滌放情志』」),

---

9 王令樾:《文選詩部探析》,頁480。
10 漢‧鄭玄注,唐‧孔穎達疏:《禮記正義》(北京:北京大學出版社,1999.12),卷37,頁1080。

這就將聽覺與精神層面的情思做了縝密的結合，得以更深刻地展現詩作之意蘊。

上引蘇武詩之述評還有一點可以留意，是關於「弦」、「歌」的論述。吳淇對於弦歌之闡發，與其闡述詩作中擇曲之轉變有異曲同工之妙，皆著眼於情感的堆疊與加強，可與下列述評合觀：

> 思婦臨高臺，長想憑華軒。弄絃不成曲，哀歌送苦言。箕箒留江介，良人處鴈門。詎憶無衣苦，但知狐白溫。日闇牛羊下，野雀滿空園。孟冬寒風起，東壁正中昏。朱火獨照人，抱影日愁怨。誰知心曲亂，所思不可論。（王微〈雜詩〉）

> 此詩全在「絃」、「歌」二字翻出情景來。「高臺」言高，「華軒」言敞，取其聲易遠聞，故於此處弄絃以抒其思。然而不成曲者，其心曲亂也。於是又舍絃而歌……言歌未及闋，而日已闇矣，牛羊下矣，野雀滿園矣，寒風起矣，星見矣，朱火且來照人矣，瞥見孤影心曲亂矣。論即言中之條理，心曲亂甚，言無條理，而歌不終矣。夫絃以成曲，歌以永言。絃既不成曲，而歌後不成聲，思益苦矣。（十三/332）

吳淇自言「人能兼字情、聲情而為言，而八音止能傳其聲情，而不能傳其字情，則人聲貴」（一/7），對照來看，「弦」屬八音，而「歌」方為人聲。[11]加以吳評蘇武詩時云「『長歌』云云，

---

11 吳淇雖將人聲(歌)與八音(弦)別而論之，但由「絲竹之音之清，極哀極悲」，似可看出八音帶有情感。實則絲竹表現為「清」音，乃人為操作所致，且需有「人」感受此「清」音，悲哀之情方始存在。吳評一則著重於弦、歌之異；另一則展現出弦、歌間的關連，二論重心與層次不同，然不相妨礙。

卻單承歌而不及弦者，弦有聲情而無詞情，歌則聲詞俱備，故感之而中心愴以摧」，又言「歌為人聲，人聲感人甚於絲竹」（十七/452），可見「弦」、「歌」有淺深層次之分，吳淇顯然認為後者更能感人。對應至詩作：蘇武詩中由「絲竹」開啟的聲響，尚有賴「長歌」進一步推衍，方得較好地展現心中之愴摧；王微弄弦本欲抒思卻不成曲，只好「舍弦而歌」，然歌竟不終，從「思益苦矣」可見詩人苦情的層層加疊。換言之，從弦、歌到情感，可謂透過對音響闡釋重心的轉移，漸步強化悲怨情懷的深度。吳評另有將「奏」、「歌」對舉者，「奏」幾乎等同於「弦」，「奏」、「歌」之論同樣可見哀怨之情的遞增。[12]

　　蘇武詩中「長歌正激烈」之表述，與《詩品・序》「……凡斯種種，感蕩心靈，非陳詩何以展其義，非長歌何以騁其情」[13]云云頗有相似之處，而鍾嶸論述之重心擺在詩歌得以抒發情感的作用上，吳淇則是更進一步，在與「弦」的對比下，展現「歌」中情感之強度。要之，吳淇這類述評可謂於《六朝選詩定論》中成一體系，他將原詩中層次不甚鮮明的弦（奏）、歌做了頗為清楚的釐析，不論是與舊注相比，或者今人的解說相較[14]，俱可

---

12 以江淹〈望荊山〉為例：原詩「奉義至江漢，始知楚塞長……玉柱空掩露，金樽坐含霜。一聞苦寒奏，再使《艷歌》傷。」吳評如下：「悲酸之至……其嗒然欲喪之狀，真若既聞苦寒之後，又聞《艷歌》之傷者……舊注云：『當此時，若一聞苦寒之曲，則使美艷之歌亦悲傷也。』大謬。蓋《艷歌》非取美艷之義。凡樂始奏曰趨、曰艷。古人作《艷歌行》與《苦寒行》同是一例哀怨之曲。此詩全以『奏歌』二字分輕重。蓋奏為絲竹之聲，歌為人聲，人聲感人甚於絲竹。」(十七/452)吳淇之論實較舊注合理，且能於「奏」、「歌」的細分中帶出漸次深化的情感。

13 梁・鍾嶸著，王叔岷箋證：《鍾嶸詩品箋證稿》(北京：中華書局，2007.7)，頁77。

14 舊注詳參本章註12中吳淇述評裡之歸納。至於今人的解說，或云「弄絃不成

見吳淇確實有著意突顯弦（奏）、歌之別的意圖，而此區別正可
強化展現詩中主人翁悲苦之情懷以及此情之多重性，詩評家品
評之獨見誠不言可喻。

　　綜合本點之探討，可以看出一般被視為相對被動的聽覺，
在上述作品中詩人們明顯展現主動選擇樂音的特點，而吳淇著
意拈出生理性發聲、耳聞等部分加以解說，並進一步闡明情感
受聽覺感官影響的狀況，使得原詩中脈絡不那麼鮮明的樂、情
得到更好的釐清或強化。他對聽覺情感的精彩論述，不論是承
繼遠古以來詩言志歌永言的傳統復有新變，或者是延續至今的
聲情探討，俱顯示出其乃聽覺情感流變史中重要而不可或缺之
一環。

　　其次，吳淇常留意原詩之用字遣詞，藉由細膩區辨字義的
方式呈現樂、情。例如上列援引蘇武詩評區分「中心」與「內
心」（「變中為內」）之別，點出「清商莫展，則此懷徒蘊在內」；
《古詩十九首・東城高且長》的最後幾句述評細辨「交馳」與
「馳情」的不同，正是建立在「詩人欲摹歌者」的基礎上，「情」
之樣態在「歌」者之「馳」中則更添動態與急迫感。此外，吳
氏對〈秋胡詩〉以聲為喻的說明（「義心」、「高張」），則有
細分為妻者心思、態度轉變的用意存在其中。這類述評於《六
朝選詩定論》中時時可見，吳淇藉表面字詞的辨析深化原詩中
樂音與情思的連繫，由此實可見一斑。

　　關於情思的部分，若通觀《六朝選詩定論》，會發現吳淇

曲，哀歌送苦言」為「撫琴竟不能成曲，無可排解之憂愁，終於化為一曲哀
歌」(吳小如、王運熙等撰寫：《漢魏六朝詩鑒賞辭典》，頁 708)，或者釋為「調
撥樂弦卻不能完成曲調，因為這悲哀的歌所送達的都是酸苦的言詞」(王令樾：
《文選詩部探析》，頁 556)，前者層次不明，後者則有將弦歌等同的意味。

品評人文樂聲時，對於使用「促」、「厲」、「急」、「危」等字眼來形容音樂樣態的詩作往往多所青睞，這類樂聲多半帶有悲愴、哀婉的感受，在頻率上較能勾動聽者之心思。這麼看來，吳所謂「感人最深者，莫如聲音」（謝靈運〈道路憶山中〉十四/363）、「聲音之道，感人最微」（蘇武《詩》三/70）之論，所指樂音明顯有哀怨偏向，而非泛指所有聲響。此處還可進一步細究的是，吳評中的這類哀、至之情又多屬激昂、極端者，除了如前所述，可見吳對傳統樂教之承而有變，這類慷慨之樂音做為悲音中亟待抒發者，表現出來的情感力道通常是頗為強烈的，吳評對此再三留意，應是考慮到這類情感之衝擊性，故認為此乃聲響中「感人最深微」者。古典詩歌涉及之樂曲以悲怨居多固然提供吳評如此偏向之可能性，然其評對這類音響深化、細膩的分析，確實有助讀者進一步體認詩情。此外，若從較宏觀的角度視之，中國古典文學處理的主題不論為何，基本上俱有傾悲的表現[15]，心有塊壘欲求抒發，誠所謂「物不得其平則鳴」[16]；吳淇闡發聲情時的悲怨傾向，可說是具體而深切地展現此一文化傳統。

　　最後，綜合觀察本點之相關述評，吳淇留心的詩歌多未得其前或時代相近之詩評家太多的關注，除了顏延之〈秋胡詩〉如上所述，在吳淇之前暨同時有較多詩評家留心，其他詩作的述評便顯得十分零星，更遑論對人文樂音有集中的探討了。為

15　茲以王立：《中國古代文學十大主題》(臺北：文史哲出版社，1994.7)為例，惜時、相思、悲秋、春恨、思鄉、黍離、生死等主題俱有明顯的悲怨傾向，而出處、懷古、遊仙等亦隱約可見哀歎之樣貌。

16　唐·韓愈著，馬其昶校注、馬茂元整理：《韓昌黎文集校注·送孟東野序》(上海：上海古籍出版社，1998.3)，卷4，頁233。

與上文比對，以下列出顏詩暨江淹詩[17]外之零星述評：

> 寄託宛至，而清互有風度。齊、梁以下，一入閨思，即昵昵不耐聽，況唐、宋耶！（評王微〈雜詩〉）[18]

> 曲折不浮，鼓如巨帆因風，自然千里。（以下評陸機〈擬西北有高樓〉）[19]

> 士衡從「傾城」上說向「歡」去，古詩從「徘徊」上說向「哀」去，「歡」、「哀」二意，便分深淺。且夫「中曲徘徊」，則繞梁過雲，不足以踰矣，豈「傾城」可言乎？「徘徊」未已，繼以「三嘆」，「餘哀」之上，綴以「慷慨」，「哀」不在「歡」，亦不在「彈」，非絲非肉，別有神往……彼「佇立」、「躑躅」者，皆隨人看場耳。「但傷知音稀」一語，感慨深遠。但有言說，總非知音，其視「歌者」之「歡」，不過聲色豪華，奚啻雅俗懸絕已哉！[20]

前兩筆俱為王夫之之論，其評詩喜扼要點明該作於詩歌史上的特點，並擅長印象式概括，這確實賦予讀者想像、感受的空間，卻也有抽象不易掌握之虞。第三筆資料則是賀貽孫詩評中難得如此細緻者，不過我們可以看到，聲樂聽聞於陸機原詩中佔相當比重，賀氏卻將關注點放在與古詩十九首原作哀歡、雅俗的比較。相對而言，吳淇將賀氏所輕忽的「躑躅」與陸詩之哀與樂音相連繫，他對聽聞能有自成體系且細緻縣密的闡發，於此

---

17 吳淇以前江淹〈望荊山〉之評亦頗零星，因本章註12已經提及，此不贅引。
18 清・王夫之：《古詩評選》，卷5，頁751。
19 同前註，卷4，頁697。
20 明・賀貽孫：《詩筏》，收於《明詩話全編》，頁10397。

可見一斑。

二、分析架構、音韻轉變對情思之牽動

　　吳淇人文之樂的述評除了特別留意詩作裡已明確提及之音調、樂曲暨弦歌，他尚試圖分析詩作整體的架構與音韻，藉此展現詩作情思之轉變。「探討詩中審音擇曲之悲怨情思」、「分析架構、音韻轉變對情思之牽動」小標目之訂定，悲怨情思於後者亦可見到，而音調選曲的變換也可看到情思之轉變。兩者確實有所重合。然前一點即便涉及情思變化，轉變前後之情俱悲，只是情感強度有所不同，故可以「悲怨」通體涵蓋；後一點轉變前之情思或有不悲者，故將重點放在詩歌結構、音韻安排之「轉變」對情思的牽動。更何況兩點處理的重心不同，本點乃是針對詩歌「整體」架構之探討，有別於前一點對詩歌內部「細部」聲響的闡析，故分列二點說明。

　　首先觀看吳淇如何由詩作結構的層面闡述其中樂音的發展或變化。試觀下列二例：

> 　　客從南楚來，為我吹參差。淵魚猶伏浦，聽者未云疲。高文一何綺，小儒安足為？蕭蕭廣殿陰，雀聲愁北林。眾賓還城邑，何以慰吾心？（江淹《雜詩・魏文帝丕》）
> 　　至夜不可不寫暢，然不可遽寫暢；遽寫暢，則嫌于一羣惡客鬧坐，不見作者筆力。看他將欲寫暢，先于追隨之眾人中獨拈一楚客吹簫。寫靜，又用「遊魚」句[21]，

---

21 吳淇所指應為「淵魚」句，其評注與原詩用語略有出入。

寫他吹得好，足止滿座之喧。「聽者」句，眾不喧嘩，則
滿座皆靜矣。「高文」句，似指各自賦詩，或思或吟，喧
者半，譁者半……此時宴已暢矣，夜已闌而眾客散矣，
遽將止焉，便無意味，于是復作款款留客之語。「何以慰
我心」，以留有餘不盡之意。（十七/459）

　　采菱調易急，江南歌不緩。楚人心昔絕，越客腸今
斷。斷絕雖殊念，俱為歸慮款。存鄉爾思積，憶山我憤
懣……懷故叵新歡，含悲忘春暖。淒淒明月吹，惻惻廣
陵散。殷勤訴危柱，慷慨命促管！（謝靈運〈道路憶山中〉）

　　以聲音起，以聲音結，一詩大章法。蓋感人最深者，
莫如聲音。其音彌精，其感彌深，此詩借寫憤懣如抽蕉
然，層層遞入直到無以加處。《采菱》楚調，《江南》越
歌，乃聲音之淺者……「懷故」二句，極寫道路中之憤
懣，此正所謂「傷禽惡弦驚，愁人惡離聲」之時，讀詩
者至此定謂其停歌罷吹矣。今卻不然，偏要從新作起，
且要比前番更精。何也？凡天下之愁人，皆天下之有情
人也，天下惟有情人善於攬愁，亦惟有情人善於遣愁，
故有以歡遣愁者，更有以愁遣愁者。以歡遣愁者，當愁
之來自寬自解，勉強行樂以避愁鋒。凡人有情往往如此，
此遣愁之一法也。若夫至情之人從不避愁，豈惟不避且
更相兜……康樂……於聞歌斷腸之後，更起絲竹曰《明
月》吹、曰《廣陵散》，較前《采菱》、《江南》，不啻倍
蓰，故曰「淒淒」、曰「惻惻」，直寫到心裏，不僅曰急、
曰不緩，徒為震耳之音也。曰「危柱」、曰「促管」，又

> 從發音之器上加寫一倍悽惻；曰「殷勤」、曰「慷慨」，
> 又從作音之人上加寫一倍悽惻。然孰為訴之、孰為命之？
> 此又至情之人以愁遣愁也。（十四/363）

分析詩歌結構可謂吳淇述評之強項，他多半藉由句式的說明層層推衍，以現詩中音響的樣態。第一例透過留心外界聲響的變化，說明詩人如何寫「暢」，先於一片喧鬧中突出「楚客吹簫」之聲，繼而耳聞「滿座皆靜」，又轉至「喧者半，譁者半」，這就顯示出聽覺其中一個特點，亦即能區辨各式不同的聲源。若比對原詩，會發現除了明確可聞楚客吹簫之音，其他眾賓所發出的聲響便顯得隱微許多，而吳淇著意突顯後者，除了展現對當下環境的合理推測，更可見吳對於外界眾多聲響確實有更全面的留意，更何況眾賓喧靜與否又有烘托楚客吹簫之效用。另一方面，在吳淇的闡發中還可見到不同聲響予人之相異感受，主人的情感亦隨之隱隱醞釀，詩評最後言「有餘不盡之意」，正是在前此各類聲響的逐步堆疊轉換中漸次形成。

　　至於第二例詩評，亦對聲聞的狀態有層次鮮明的解說，從「聲音之淺者」到「更起絲竹」（歌曲之轉換），並進一步延伸，將「發音之器」、「作音之人」層層堆疊，從而扣回「至情之人」，說明此有情人是如何借樂「以愁遣愁」，全詩情蘊便在聲響的逐步推衍中漸次深化。

　　吳淇以為《采菱》、《江南》「乃聲音之淺者」之說或有商榷空間，殆因此二者若真為淺，如何呼應原詩三、四句之心絕腸斷？然而吳淇這番論述，極有可能是為了符合他欲藉聲音轉換漸次推進情感的脈絡，也就是有著突顯《明月》、《廣陵

散》「倍蓰」的明確意圖，透過此例反而更能看出他對全詩架構暨聽覺變化的費心著意。

吳評大謝詩作時還特別拈出詩中「急」、「不緩」、「危柱」、「促管」等語彙加以說明，有進一步強化悽惻之情的功效，此正可與前一點悲怨情思的說明相互呼應。而其評大謝〈道路憶山中〉時，充分展現該作聲樂與情思交融的樣貌，若與前於吳淇或時代相近的詩評家相較，將更形突顯[22]：

> 靈運時必有此二曲（筆者案：指涉江采菱、江南辭），其聲急而怨，故引之以見故山之思，有感於此聲也⋯⋯〈明月吹〉言笛，〈廣陵散〉言琴，靈運當是作此音以寫悲怨。「危柱」、「促管」謂琴、笛之音自緩而急，悲怨至此極也。詩尾應首，然有哀以思之意。[23]

> 可以直促處且不直促，故曰溫厚和平。結語又磬然而止，方合天籟。[24]

> 一起托興便成，語無定軌，正如水注渠成。「殷勤訴危柱，慷慨命促管」，耿耿如訴，顯有餘情。[25]

> 起語亦得借古引今法。追尋一段，序曩日山中之樂，抒寫極暢。康樂再斥以後，法益老，調益熟。淡而能古，質而多情。[26]

---

22 江淹《雜詩・魏文帝丕》在吳淇之前似無人作評，故略之。

23 元・方回選評，李慶甲集評校點：《瀛奎律髓彙評・文選顏鮑謝詩評》，卷3，頁1881。

24 清・王夫之：《古詩評選》，卷5，頁741。

25 明・陸時雍選評，任文京、趙東嵐點校：《古詩鏡》，卷13，頁129。

26 清・陳祚明評撰，李金松點校：《采菽堂古詩選》，卷17，頁547-548。

吳淇之前的品評，很難得可以見到像方回這般有較長篇幅涉及
樂音者，方回不僅指出音調的變化（「琴、笛之音自緩而急」），
更明點樂與情的關連（「作此音以寫悲怨」），不過若與吳評相
較，方回俱將采陵、江南、明月、廣陵之聲同歸於怨，而吳氏
則是於自己的體系中，更偏向展現聲響與愁悲強度的層次之
別。王夫之、陸時雍之論亦隱約展現對詩歌音調的留意，卻頗
為簡單，且於其論中未能成一體系。另一值得留意處在於：三、
四筆陸、陳之論皆提及大謝詩中之情，然此情究竟如何展現，
是否、如何加深加重？從評注中恐難窺得；若暫拋吳淇釋《采
菱》、《江南》待商榷處，他將情感結合樂音加以論述，確實較
陸、陳之論更能具體呈現詩情。

　　《六朝選詩定論》除了如上所述，對詩中展現的樂音有自
成體系的結構分析，亦不乏於形構拆解中闡述詩作本身之音韻
（調）變化：

> 　　青青河畔草，綿綿思遠道。遠道不可思，宿昔夢見
> 之。夢見在我傍，忽覺在他鄉。他鄉各異縣，輾轉不可
> 見。桔桑知天風，海水知天寒。入門各自媚，誰肯相為
> 言？客從遠方來，遺我雙鯉魚。呼童烹鯉魚，中有尺素
> 書。長跪讀素書，書中竟何如？上有加餐食，下有長相
> 憶。（〈飲馬長城窟〉）

> 　　首八句凡四換韻。其調甚急，遂用「桔桑」云云二
> 排句撇開作「入門」云云。後又用急調，詭說魚中有書，
> 極節奏之妙。（四/94）

> 　　西北有浮雲，亭亭如車蓋。惜哉時不遇，適與飄風

會。吹我東南行，南行至吳會。吳會非我鄉，安能久留
滯？棄置弗復陳，客子常畏人。（曹植〈雜詩〉）

前章寫得深細，後章促急，至末二句換韻處，其節
愈促，其調靡急。（五/106）

荒草何茫茫，白楊亦蕭蕭。嚴霜九月中，送我出遠
郊。四面無人居，高墳正嶕嶢。馬為仰天鳴，風為自蕭
條。幽室一已閉，千年不復朝。千年不復朝，賢達無奈
何。向來相送人，各已歸其家。親戚或餘悲，他人亦已
歌。死去何所道，託體同山阿。（陶潛〈挽歌〉）

自其格調音節論之。自「蕭」字起韻至「朝」字，
止凡五韻，序送死之事已畢，卻得「千年不復朝」重喝
一句，轉入別韻，另換一韻。不復序事，只反復詠歎，
慘哀不可勝言矣。（十一/303）

上列諸例俱可見吳淇特別留意詩歌換韻處，而他著意拈出作評
者，換韻後又多有音調變得急促的趨向。細而論之，第一例品
評點出全詩音調由急轉緩復急的鬆緊變化，然而更多的情形則
如二、三例，指出藉由換韻使「急」層層加重（「其節愈促，其
調靡急」），更甚者如第三例，轉韻之際亦是詩歌結構由序事轉
向詠歎之時，哀慘之情自然於音韻轉換中加重加深。就聲調本
身的變化考量，「一篇之中自抑而揚，由緩而急，人之氣為之也。
假令逆而施之，先揚而後抑，先急而後緩，則啟調太高；其弊
也，欲低而不能曳，即欲高而無可復揭，人之氣限之也」（十八
/483），似為理之必然。另外值得留意的是，換韻的同時也使全
詩內涵情思有所轉變，可見轉韻並非只是結構形製的問題，而

與內容密不可分。此外，以上諸例作為《六朝選詩定論》中結構安排上換韻述評的代表，正與前此提及吳淇論人文樂音重哀愴的情感傾向相應，轉韻後的情思多展現傷悲的樣貌，吳淇品評之意向可謂一貫而明確。

　　綜合以上關於吳淇人文之樂的闡發，還可就樂、詩關係做一觀察。樂府乃古典詩歌中較具音樂性的代表，然而吳淇關於人文樂音的述評卻以古詩為主，以本節所舉詩歌為例，僅〈飲馬長城窟〉為樂府，其餘俱屬古詩。樂府較多音樂性卻在聲響上少受注意，古詩較少音樂感卻於聲樂面多受矚目，如此落差著實引人懸念。那麼吳淇這般評述的意義為何？或可由詩歌的發展流變獲得啟發。以清商雅歌曲辭的詩化為例，有學者提出其中之一的特點為「從追求聽覺敘述到追求視覺呈現」，「大多數詩歌也會從視覺的角度來表現主題。這是因為詩歌主要是以文字來進行表現的藝術」，[27]事實上這般以視覺為主體的情形，並非只侷限於清商曲辭的發展，整體漢魏六朝詩歌的演變亦有此趨向，晉詩之「采縟于正始，力柔于建安」[28]、南朝宋詩之「儷采百字之偶，爭價一句之奇。情必極貌以寫物，辭必窮力而追新」[29]，齊梁詩之更重雕采自不待言，這些表現顯然皆是以視覺為重心。那麼六朝詩歌韻調音響的發展可由何處窺得？除了頗具代表性的沈約四聲八病說，吳淇特別闡發古詩中的聲聞亦是對音響的重要表露。在古詩發展逐步走向文人化的同時，吳氏特別提點古詩類似樂府的音樂層面，可謂保留了詩歌較原始的

27　曾智安：《清商曲辭研究》（北京：北京大學出版社，2009），頁137、139。
28　南朝梁・劉勰著，周振甫注：《文心雕龍注釋・明詩》，頁84。
29　同前註，頁85。

聽覺成分，並使我們在注意到晉代以後巧構形似日漸蓬勃發展
的視覺表現外，尚留心到仍有聽覺一系涓流其間，此乃吳淇人
文樂音述評的特殊貢獻。

　　其次，在整個人文之樂的闡發中，吳淇評注對象多集中在
弦樂器[30]，至於管樂器[31]則甚少觸及。漢魏六朝以清樂為主體，
古琴乃其主要樂器，竹管樂器則盛行於民間、胡羌與南方，兩
者隱然有雅俗之別。吳淇對弦樂器多所闡發，一方面合於古樂
的發展樣貌；另一方面，或有強化雅樂的效用，就這點而言，
復可隱約窺得他對傳統樂教雅正面之繼承。

　　然而還需辨析的是，如前所述，吳淇「婉而正」（十二/327）、
「性情之正」（一/23）云云，並非只是單純回歸儒家詩（樂）教
以聲寄情的典正傳統中，此可由《六朝選詩定論》評注詩作之
先後排序窺見一斑：

> 夫宮至低之調也，商則漸平矣，且不及角，況徵乎？
> 其時，詩體始筆，調雖極低，實純粹之極音，誠為《三
> 百篇》之權輿也。《三百篇》中，其《頌》及《大雅》，
> 正「風」之調，最低最平，而變「風」變「雅」則漸高
> 矣。《離騷》者，《小雅》之流也，高矣而未甚。獨至《易
> 水》之歌，則為變徵羽聲……變徵羽聲則淫於七均之外，
> 高之極矣。……余作《定論》，首從虞庭之歌順而觀之，

30　《周禮・春官・小師》：「小師掌教鼓鼗、柷、敔、塤、簫、管、弦、歌。」鄭
　　玄注云：「弦，謂琴瑟也。」（語見漢・鄭玄注，唐・賈公彥疏：《周禮注疏》(北
　　京：北京大學出版社，1999.12)，卷23，頁614)此外，「絲竹」的「絲」亦屬
　　弦類；「柱」指琴上的轉柱，故弦歌、琴瑟、箏、柱等俱屬弦樂器。
31　例如「簫」、「絲竹」的「竹」則屬管樂器。

> 及于《三百篇》,至此歌(案:即易水歌)而亦有觀止之
> 歎,謂其慷慨激烈之至也。⋯⋯《易水》之歌,匹夫倡
> 之,匹夫和之,是謂亂治。⋯⋯亂治者,封建變而為郡
> 縣之兆也。此一聲音之變,而氣運之升降、人才之盛衰
> 攸關焉。(十八/484)

除了前文曾經提及一首詩作由緩而急為「自然之勢」(十八
/483),在吳淇看來,詩歌於歷史上的發展亦有如此趨勢,過於
高悲激烈,即是走向滅亡的表現,此乃上列引文所展現的第一
層意涵。值得進一步思考的是,《六朝選詩定論》中詩歌全按
時代先後排序,何以最後收束時特別將荊軻的〈易水〉歌獨立
一卷,且置於南朝梁詩歌之後?除了如第二章所述,以〈易水〉
歌作結是為了再次展現吳淇對於「聲歌與義理合一」這個由始
貫串至末之主張的強調;此外,結束於此慷愾激烈之作,乃全
書予讀者最後而易繚繞於心之印象,而此「慷慨激烈之至」的
印象,又有異於傳統詩(樂)教中正平和的表現,然而即便不
符和合之性情,仍無礙此歌具有「觀止之歎」,這就呼應前文
所提,吳淇認為只要至情流露,即使只是「匹夫」,其作亦值
讚賞,可見吳淇對樂音的看法並非全襲傳統,他特別留意促、
屬的音樂樣態,於雅正音響中展現對哀嘆性情更大的涵容,此
乃其對傳統樂教承中有變之處,而此「變」者恐怕才是更能展
現吳淇獨到觀點之所在。

第二節　蟋蟀蟬鳥之鳴

── 對自然之音的闡發

相較於人文之樂，吳淇對自然之音的闡發明顯較少，這或許和他在總論處將重心擺在《詩經》所建立的樂教有關。然其評析自然之音仍有可觀處，故有另闢一節探析之必要。關於自然之音與人類聽覺感受的連結，首先可以下例為代表：

> 開秋兆涼氣，蟋蟀鳴牀帷。感物懷殷憂，悄悄令心悲。多言焉所告，繁辭將訴誰？微風吹羅袂，明月耀清暉。晨雞鳴高樹，命駕起旋歸。（阮籍《詠懷·開秋兆涼氣》）
>
> 謝混曰：「悟彼蟋蟀唱」，蓋古之勞人多托興于蟋蟀。蟋蟀感時而鳴，人又感蟋蟀之鳴而悲。其悲也原不關物，只是其人抱有沉憂，感之而發耳。然蟋蟀乃無情之物，有何悲憂可告歟？即有所憂，將訴誰人歟？奈何叨叨然若人之多言、絮絮然若人之繁辭歟？「微風吹羅袂」，則聽者通宵不解衣可知也。「明月耀清暉」，則聽者通宵不合眼可知也。「晨雞鳴高樹」與前「鳴」字正相映，蓋蟋蟀之鳴未已，而晨雞又鳴，無非奈何我愁人者，故命駕而旋歸耳。（七/150）

在這段述評中，吳淇觀察聽覺的面向頗為多元，像是提及聽者的狀態（「通宵不解衣」、「不合眼」）、不同聲響（蟋蟀、雞）交疊下詩人之愁等俱是，其中又以物鳴與人感的連繫最值

留意。在吳淇看來，蟋蟀乃無情之物，人所以有所感，是因為蟋蟀鳴叫的連續聲「叨叨」、「絮絮」與人之多言、繁辭在音響效果上頗為接近，故易引起情緒的波動。吳淇如此述評顯然有特別留意聽、鳴的趨向，他以此為軸線，並著意指出晨雞之鳴「與前『鳴』字正相映」，將原詩中多被視為是獨立的兩個聲響（蟋蟀、雞鳴）相繫[32]，可謂緊扣全詩首尾，而使詩作中的各個環節得以縣密連貫。

其次，上列述評的前二語還涉及文學意象於各時代積累的問題：

> 聽覺意象是人們過去聽到的聲音在人們心中的重現、回憶或聯想，它是一種與人的情感相連的聽覺體驗的重現……它成為了詩人們在情感表達時的一種普遍一致的，較恒定的聽覺領悟模式。[33]

在這裡「蟋蟀」明顯就是一個富含歷史積累的聽覺意象。吳淇這段述評一方面觸及屬於眾人、文化記憶的層面；另一方面，也涉及個人感官於彼時當下的貼身感受。在此二者的交疊中，將使我們對詩中的蟋蟀鳴響有更深層而豐富的理解。若就詩歌理論的層面來看，《文心雕龍》亦言「一葉且或迎意，蟲聲有足引心」[34]，吳淇此評正可窺得與六朝詩論遙相呼應之面貌。

---

32 像是葉嘉瑩(《葉嘉瑩說阮籍詠懷詩》(北京：中華書局，2007.1)，頁86-91)、林家驪(《阮籍詩文集》(臺北：三民書局，2001.2)，頁275-276)的說法，便未特別將蟋蟀與雞鳴連繫，且以蟋蟀為重。

33 廖國偉：〈試論中國古典詩詞中的聽覺意象〉，《東岳論叢》，20卷6期(1999.11)，頁113-114。

34 梁・劉勰著，周振甫注：《文心雕龍注釋・物色》，頁845。

　　除了「蟋蟀」為一極具象徵性的聽覺意象，吳淇對「蟬鳴」亦有較多的留意：

> 安寢北堂上，明月入我牖。照之有餘輝，攬之不盈手。涼風繞曲房，寒蟬鳴高柳。踟躕感節物，我行永已久。遊宦會無成，離思難常守。（陸機〈擬明月何皎皎〉）

> 詩有因情生景者，有因景生情者。在作者正例，只是寫情，而寫景乃其借徑……如此詩本是寫離思，卻以明月楔出風蟬，風蟬楔出節物，只是總楔出個離思來……明月與風蟬，明明是兩般物事不相鈎連。風，氣屬。蟬，聲屬。月，光屬。風繞蟬鳴，又不是明月照出來的，如何楔之使出、令文氣聯貫？……却只於既點明月之後、未有風蟬之先，虛虛搖筆，把題「何皎皎」三字，極寫二句……劈首應「安寢」二字，見他已忘情了，如何又起？只緣他寢的是北堂，中夜明月入牖，照得無賴，又起至庭前，反覆細細看玩，「照之」句是莫載，「攬之」句是莫破，其冷冷一片清光攝入，心眼蕩漾，與往時迥然不同意思，覺得隱隱躍躍，是個節物，只是一時口頭說不出來。忽而覺得一陣涼風，聽得一聲蟬鳴，兜的一驚省得都是節物變遷，不覺離思怦怦動矣。此情景互生之妙也。（十/248-249）

> 側聽風薄木，遙睇月開雲。夜蟬當夏急，陰蟲先秋聞。歲候初過半，荃蕙豈久芬？屏居恓物變，慕類抱情殷。（顏延之〈夏夜呈從兄散車騎長沙〉）

> 此風雖能開雲，然實是薄木之風，一片陰氣已鍾于

> 此。故蟬入夜而更急，蟲未秋而先聞。此詩何時，蘭蕙
> 豈能久芬？物變如此，那得不感？感物如此，暮類之情，
> 那得不殷？（十二/315-316）

於詩歌的書寫裡，已可見蟬鳴所處之境俱為夜晚而非白晝，而原詩中對視、聽覺感官描繪之比重則以前者稍多。很有意思的是，吳淇之品評與原詩對感官的關照有所出入，他似乎更進一步考慮到在陰暗的氛圍裡，本是所有感官中最具強烈主導地位的視覺應有退位的情形，聽覺反而起了彌補作用，於視覺受限的狀態下將相對突顯。因此在吳淇的闡發裡，夜晚聲響牽引情懷的關鍵性地位似乎更為鮮明：第一首陸機之作曾出現在第三章第三節「光覺」的闡述裡，彼處指出光覺扮演著觸發其他感官、撩動情思的「啟下」作用，然而不容否認地是，月光在吳淇看來尚屬醞釀的階段，涼風蟬鳴才是「驚」之「關鍵」，正因蟬鳴「兜的一驚」，使得前此之「隱隱躍躍」明顯轉變為「離思怦怦動」。因此根據吳評，我們可以看出該詩之視、聽覺對情思的引發，分別有「啟下」或作為「關鍵」的作用之別。至於吳評顏作則是追究何以「蟬入夜而更急，蟲未秋而先聞」之因，這就使原詩中「側聽」與「夜蟬」此看似疏離的兩聯緊密聯繫，從而窺得聲響於物變中的先兆性，而見感物情殷。如此評注除了使蟬鳴不單單只是物色之一環，更深刻突顯此聲響聽聞於詩中所扮演明白帶出情感的關鍵性角色。

　　如果說前一段所言是專就原詩與吳評的比較而言，那麼吳評與歷代品評的重心又有何差異？一般品評陸機之〈擬明月何皎皎〉，多將關注重心擺在月光投射之際「照之有餘輝，攬之

不盈手」的景態上[35]，換言之，仍以視覺所見為主；而吳評正如第三章的探討中所言，他試圖將手部行止與光覺、整體氛圍相聯繫，本章之論另可窺得除了視覺外，吳復能留意全詩聽覺的部分，凡此種種，俱可窺見吳全面關照詩歌復顯獨立之品評視野。

再者，吳淇誠將抽象的情景議題做了具體化之展現。「情景」為歷來詩評家甚喜關注的議題，特別是明代，像是王世貞「情景妙合，風格自上」[36]、胡應麟「作詩不過情景二端」[37]、謝榛「作詩本乎情景，孤不自成，兩不相背」[38]、「詩乃模寫情景之具，情融乎內而深且長，景耀乎外而遠且大」[39]……等說法於詩論史上俱有相當之代表性；另一方面，明朝又是詩評發展史上首度對漢魏六朝詩歌有密切關懷的朝代，然而對情景議題的探討卻鮮見明確落實於詩評中者，而有賴後人進一步拓展。相對而言，吳淇以聽覺為媒介連繫物、情所作之闡發，考慮到感官於不同時間點運用的情形，復能明確指出聽覺如何於情景間發揮作用，誠乃將情景議題具體化之表現。

此處還需提出辨析的是，在《六朝選詩定論》中，吳淇雖然多次主張自然物色之無知[40]，卻未因此否定「因景生情」的可能性，不過整體而言，吳氏確實對外物無情有更多的申明。

觀察近代的研究成果，「蟬」歎時、展現生命哀感的意象

---

35 歷代品評對此二語之關注在「光覺」的探討中皆已具列，詳參第三章註56。
36 明‧王世貞著，陸潔棟、周明出批注：《藝苑卮言》，卷5，頁72。
37 明‧胡應麟：《詩藪‧內編》，收於《明詩話全編》，卷4，頁5489。
38 明‧謝榛著，宛平校點：《四溟詩話》，卷3，頁69。
39 同前註，卷4，頁118。
40 吳言「蟋蟀乃無情之物」(阮籍〈詠懷〉七/150)、「風吹秋木，本是無心」(鮑照〈東門行〉十三/344)、「無知之物尚有嚶嚶相求之聲」(謝靈運〈酬從弟惠連〉十四/378)……等，俱主張外物無知。

似於六朝賦和唐詩中較受留意[41]，而六朝詩作藉蟬鳴感時哀歎卻較少受關照，吳淇指出詩體類別中的此一面向，正與《詩品》「秋月秋蟬……四候之感諸詩者也」[42]相呼應，這意味著「蟬」在六朝詩、賦中已展現共同的象徵性，在情感上並未因文學體裁不同而有太大的區別，而這樣的意涵又共同為唐代之蟬意象導夫先路。

　　吳淇對自然之音的闡發除了如上所述，對聽覺意象有較多留意外，另有一些品評看似簡短，卻仍可見其一貫重情之特點：

> 孤鴻號外野，翔鳥鳴北林。徘徊將何見？憂思獨傷心。（阮籍《詠懷·夜中不能寐》）
>
> 幽房之中，必風動簾開，帷啟而後見月，因月而見所感之物。……野外之哀鴻，林間之鳴鳥，我皆得而聞之矣。于野外寫所聞，正于室內無所見，一琴之外，無他長物，無可感之物。（七/147）

> 猿鳴誠知曙，谷幽光未顯。（謝靈運〈從斤竹澗越嶺溪行〉）
>
> 其谷既幽而光尚未顯，何由知為曙也？以猿鳴故。猿亦夜鳴，何由知曙？蓋用《元康地紀》「猿與獼猴不同，山宿臨旦則相呼」之義，用代雞鳴以別此地之為幽谷也。（十四/373）

> 王事離我志，殊隔過商參。昔往倉庚鳴，今來蟋蟀

---

41 蟬的象徵意涵及當代學者關注的焦點，可參王鵬坤、李寅生：〈中日古典詩歌中「蟬」意象的異同〉，《牡丹江大學學報》第 23 卷第 5 期(2014.5)、侯立兵：〈漢魏六朝賦中的蟬意象〉，《求索》第 10 期(2007)、尚永亮、劉磊：〈蟬意象的生命體驗〉，《江海學刊》第 6 期(2000)……等文。

42 南朝梁·鍾嶸著，王叔岷箋證：《鍾嶸詩品箋證稿》，頁 76。

吟。人情懷舊鄉，客鳥思故林。（王讚〈雜詩〉）

　　既以王事不宜思歸，但念昔年之往，倉庚鳴春，是何等時！今之來也，蟋蟀吟秋，又是何等時？今時既非昔時，曷得不思歸耶？但人懷舊邦，鳥思故林，乃人物之常情。（九/224-225）

　　鳴嚶已悅豫，幽居猶鬱陶。（謝靈運〈酬從弟惠連〉）

　　「嚶鳴」者，乃新出空谷之鶯，見彼無知之物尚有嚶嚶相求之聲，而人獨睽違，弗遂兄弟鳴和之願也。（十四/378）

　　朝鴈鳴雲中，音響一何哀！（應場〈侍五官中郎將建章臺集詩〉）

　　首二句欲將代鴈為詞，未開口之先，先寫其音響之哀。此「哀」字直貫到底，即下「良遇」難獲、「伸眉」無階者。（六/142）

這裡可以看出吳淇對自然之音觀察之多元性，或如一二筆資料，繪音的重心在於突顯視覺之薄弱，如前所言，視覺一但因外在環境變暗而被削弱，聽覺往往會起彌補的功效。第一筆資料自然還需考慮在阮籍眼中，鳥之象徵意涵大過寫實之可能性，不過吳淇藉由對自然音聲的彰顯 （「于野外寫所聞」），回扣至原詩「不見」的悲情（「正于室內無所見」）[43]，倒是提供我們思考阮詩鳥意象構思之來源，是否正由於昏暗環境中聽

---

43 詩中之「將何見」是否如吳言般只是偏於「室內無所見」？恐還有商榷空間。然此非本文論述重點，故略而不談。

覺較容易受到觸動，故引發詩人對鳥鳴有較多的留意，換言之，聽覺在鳥意象的建立上，恐怕扮演著關鍵之角色。第二筆述評則是指出不同聲響對應的空間（「用代雞鳴以別此地之為幽谷也」），並進一步點明詩人由此悟得「看得不甚分明」之「險危」（十四/372）。二例俱可見視覺削弱雖有聽覺彌補，卻只會增添情緒之不安，很有意思地涉及感官轉移之際情思的變化，此乃原詩中不甚鮮明者。

至於第三筆資料，旨在由聲突顯今昔之不同「時」，「今」、「昔」等字眼雖已存在於原詩中，然而吳評中重複出現「是何等時」之語，當有更形突顯異時聞聲、強化思緒波盪之效用；第四筆則是由「嚶嚶相求之聲」聯想到兄弟間的相和；最末筆要在點出「音響之哀」在全篇的關鍵性地位。諸例雖各有所偏，然透過吳淇的闡發，聽覺感官俱較原詩有所強化，而展現進一步帶出或烘托情思的作用。

此處還可提出另行留意的是：第四筆資料又再次見到吳淇稱自然之物為「無知之物」，或可由此窺得吳淇對人文之聲有更多的留意。在吳淇看來，外界聲響不過是自然而然的存在，自然之音發聲的當下是否具有意義，還得端看是否有「人」感應，人們若有所回應，也是出自人本身的情感。相較於自然界的音響，樂器發出聲響必需有人彈奏，明顯有主動之偏向，此特性正與吳淇重視人的主體性相應。吳淇是否更看重人文之樂？在與自然之音述評的比對中誠更顯明白。

在結束自然之音的論述前尚可作兩點歸納。首先，與吳淇之前或時代相近的詩評家相較，將可看出吳論的細膩與深刻。綜合自然之音中列舉的詩作，有不少詩評家採取印象式的評注

模式[44]，如前所言，這固然是一種傳達詩歌精神風格的方法，卻留下許多空白。另有部分詩評涉及詩歌情感，而多集中在阮籍〈詠懷〉（開秋兆涼氣），茲條列如下：

> 唯此宵宵搖搖之中，有一切真情在內，可興，可觀，可群，可怨……然因此而詩，則又往往緣景，緣事，緣已往，緣未來，終年苦吟而不能自道，以追光躡景之爭，寫通天盡人之懷。[45]
>
> 阮籍詩《詠懷》「開秋兆涼氣」隱隱衷曲，如泣如訴，固知情深者文明。「晨雞鳴高樹，命駕起旋歸」，情事何其彷徨，去就何其果決，語致高迥。[46]
>
> 亦既再三詠之矣！何云「焉告」、「訴誰」？頗謂公八十二首，盡是莫訴之情。[47]

阮籍詠懷之情思向來予人難以捉摸之感，姑且不論其情實際上與哪些政治事件牽連，而專就「使讀者充分感受阮詩情思」這點而言，上列諸評俱提及阮籍情之真與深，惜多僅點到為止，或論及此苦情之久長（「終年苦吟」），至於哪裡可看出該詩

---

44 例如陸機〈擬明月何皎皎〉，第三章註 56 之評述暨王夫之言「平原擬古，步趨如一，然當其一致順成，便爾獨舒高調。一致則淨，淨則文，不問創守，皆成獨搆也」（《古詩評選》，卷 4，頁 697）；賀貽孫評顏延之〈夏夜呈從兄散騎〉「新警可喜」（《詩筏》，收於《明詩話全編》，頁 10403)；王贊〈雜詩〉得陸時雍「『朔風動秋草，邊馬有歸心』，氣韻生動」（《古詩鏡》，卷 9，頁 83)、王夫之「通首淨甚，一結尤淨，如片雲在空，疑行疑止」（《古詩評選》，卷 4，頁 707）……等評，俱可見概括、印象式的述評特點。

45 清・王夫之：《古詩評選》，卷4，頁681。

46 明・陸時雍選評，任文京、趙東嵐點校：《古詩鏡》，卷7，頁60。

47 清・陳祚明評選，李金松點校：《采菽堂古詩選》，卷8，頁242。

之真情？又是如何情深？但言「寫通天盡人之懷」、「隱隱衷曲」、「盡是莫訴之情」，實留下極大的揣摩空間。吳淇透過對蟋蟀、晨雞前後鳴叫復相應的闡發，漸次展現詩人之憂悲，則提供讀者相對確切感受詩情的可能。要之，吳淇透過聲響闡發情思，確實使情之展現在具體度上更勝一籌

透過上列對自然之音的種種觀察，可以發現吳淇對自然界聲響的關懷，尚可區分為鳥鳴及非鳥鳴兩大類。就詩歌創作而言，鳥鳴是詩人們頗愛運用的意象，實因鳥的種類多元，聲響也有較多變化。然而吳淇對鳥鳴聲的評注，似乎較為單純，且若以本節所引之鳥鳴為代表，由此觸動的聽覺聯想不論是「懷舊邦」、「兄弟鳴和」或有志難騁等，似乎都有較濃厚的政教倫理色彩。相對而言，蟋蟀、蟬鳴等音響本身幾乎沒有太大變化，吳淇對此卻有較多的留意，不論在述評篇幅或內涵上俱有相對於鳥鳴更顯細膩的闡發，其中涉及聽覺及全身感知的表現皆強烈許多，詩人的情感也因此得到更細緻的突顯。從這樣的差異來看，吳淇對自然之音的聽覺闡發在留意政治倫理之際，似乎更看重詩人偏向私領域的情懷，他一方面強調尊經教化的重要性，尚不忘於傳統基礎上有所新變，詩人細膩的情思或所謂之「至情」（一/3）因此而更形彰顯，此乃《六朝選詩定論》中不應被忽視之處。[48]

---

[48] 此處所言吳淇對音響的品評趨向，自然是考慮到詩歌本身對述評之侷限，也就是詩中有鳥鳴者自易有與此相關之評，詩中有蟋蟀蟬鳴者亦同。然而《文選》詩中的鳥鳴另有政教倫理以外之面向，卻鮮受吳淇留意；蟋蟀、蟬鳴或可輕忽而過，吳評卻大篇幅著墨，凡此種種，俱可看出詩評家之獨立意識。

第三節 聽覺與身體感知

在前兩節的探討中已可見到曲調、物鳴如何以聽覺為媒介感盪詩人之情思。若稍微跳脫音響本身，從另一較廣泛的層面來看，不論是人文或自然樂音的傳播，俱與環境氛圍有密切關聯；而聲響在空間中散播，被人耳接收後又常引發其他感官一連串的感受。統而觀之，身體各個感官的交互反應往往與詩人所處的氣場氛圍相牽連。《六朝選詩定論》對聽覺的闡發既然常涉及「環境氛圍」與「其他諸覺」，故下文擬以聽覺為軸線，將這緊密關連的兩部分連繫探討。

一、環境氛圍中的聽覺感受

環境氛圍與空間有密切關聯，故先由空間論起。空間本身究竟是寬敞或狹隘，將會影響聲響的傳播。例如上文提到王微〈雜詩〉的述評，「高臺」、「華軒」等遼闊空間適合聲音傳播，於此弄弦或許更具紓解情思的效用。類似描繪在評江淹《雜詩・王徵君微》亦可見到：「帷窄狹，恐瑟聲不暢，故取于『遙帷』也」（十七/477）[49]，足見空間的寬仄將左右聲響的流動，從而影響詩人聽覺的接收。

此外，聽覺在空間中還具備帶出距離、確定方位的作用[50]，

---

49 原詩為「汎瑟臥遙帷」。
50 「當聲音到達聽者的知覺系統，透過此刺激物的資訊：它的空間方位、材質、與其他聲源的區別……等，此聲音的來源即被辨明。」語見 Clarke, Eric. *Meaning and the Specification of Motion in Music*, Musicae Scientiae, 2001, p219.

吳淇的詩評也留意到這點,而有「景俱在室外,益顯室內之空。室內既空,又是夜間,何由知有獨守之佳人?故添借鳴琴,以醒出徑臺庭闈」(江淹《雜詩・張司空華》十七/463)之論,將聽覺於空間中定位的特性詮釋出來,吳淇對聽覺觀察之細膩由此亦可見一斑。

空間本身的樣態會影響樂音的流動,而樂音暢響與否又將牽引出不同的思緒變化,此即環境空間對聽覺感受的影響。進一步來談,聲響如何傳入耳中?風的流動往往於其中扮演關鍵性的角色,吳淇顯然也留意到這點。在他的認知裡:

> 其(筆者按:指地籟)最著而有恒者莫如風,即大塊所噫之氣也,應時而發,如環無端,與十二律之周而復始相同。(八/163)

雖云「風為地籟」(八/163),然風本身若欲發出聲響傳入人耳,尚需接觸某些外物與風產生共振,方得成響:

> 激楚佇蘭林,回芳薄秀木。山溜何泠泠,飛泉漱鳴玉。哀音附靈波,頹響赴層曲。至樂非有假,安事澆淳樸?(陸機〈招隱詩〉)
>
> 「激楚」以下,是申明左思不必絲竹意。「激楚」、「回芳」,舞名[51],借以當風,言清風徐來,林木婆娑,便是一部絲竹。(十/244)

---

[51] 根據金濤聲點校的《陸機集》(北京:中華書局,1982),頁43,「激楚」影宋鈔本做「結風」,而「回芳」一般則解作香氣迴旋。吳淇的解說雖與此略有出入,然「激楚」、「回芳」確實都有風的影子存在其中,無礙吳氏之自成一說。

> 傷禽惡弦驚，倦客惡離聲⋯⋯野風吹秋木，行子心
> 斷腸⋯⋯絲竹徒滿坐，憂人不解顏。長歌欲自慰，彌起
> 長恨端。（鮑照〈東門行〉）

> 總以首二句內「離聲」為主。「離聲」者，即別親
> 友時所奏之絲竹。絲竹滿座，乃遊所所奏者，惟塗中無
> 絲竹，則用「野風吹秋木」五字補之。風吹秋木，本是
> 無心，入離人之耳，則以為離聲耳。滿座絲竹亦然。（十
> 三/344）

上列兩首原詩作裡並未特別申明風的作用，吳評卻點明諸如「野風吹秋木」是如何牽引出情感，指出風吹林木而成「一部絲竹」、風吹秋木成為「離聲」，真所謂「有風傳遞其聲，始有盈耳之歎」（四/82），相較於原詩，吳明顯有著將自然界音響彰顯出來的用心，從而使詩作中不論是「至樂」或憾恨的情懷，俱能於林木與風共振的繚繞聲響中有較好之突顯。

其次，前一段引文中言「風」為「大塊所噫之氣」，而吳論陸機詩亦明言「風，氣屬」，足見風屬於氣之一環，他評陸機〈擬明月何皎皎〉、顏延之〈夏夜呈從兄散車騎長沙〉之論俱為明證。[52]如果說風相對而言還比較可以看出方向性與範圍，那麼氣就是鋪天蓋地，難以指出其源出之方位。另一方面，從「此風雖能開雲，然實是薄木之風，一片陰氣已鍾于此」又可看出，風在一開始或許有方向性及範圍，然而當它擴散開來，原有的方向、範圍便會逐漸消弭，顯得無邊無際，而形成某種氛圍氣

---

52 吳淇評注之原文詳見前一節「自然之音」中關於「蟬鳴」的探討。本段引文俱由此而來，故不另外標示頁碼。

場。而此氛圍包覆全身,音響隨之環繞身體,則更易撩人情思,因此吳淇才會說「忽而覺得一陣涼風,聽得一聲蟬鳴,兜的一驚省」,甚至以「故」之因果句帶出「蟬入夜而更急」,以現蟬鳴在夜的氛圍中易顯急切的樣貌。風之無邊無際與聽覺交融,尚可由「風繞蟬鳴」之述評窺得。陸機〈擬明月何皎皎〉原詩「涼風繞曲房,寒蟬鳴高柳」前句偏室內,後語則屬室外,且未確切連繫風與聽覺,然吳淇打破室內外的界線,並做出「風繞蟬鳴」的合理推斷,則使外景與身體感知、感受較明確地交融一體,從而展現物我不分之境。要之,透過吳淇這類述評,我們可以清楚見到風迴循環所形成的氛圍氣場對音響效果暨情思之加乘作用。

在風、氣的探討中,已可見聲響聽聞與環境氛圍脫離不了關係,另有二例為證:

> 高樓一何峻,迢迢峻而安……佳人撫琴瑟,纖手清且閑。芳氣隨風結,哀響馥若蘭。玉容誰能顧?傾城在一彈。(陸機〈擬西北有高樓〉)

> 「芳氣」二句,風從樓上佳人身邊過來,佳人之芳氣與風結作一團,而佳人之哀響,乘此芳風,一齊吹到樓下人身邊。此時樓下人,不惟眼中仿佛,抑且耳根惝恍,止覺鼻息開通……然此許多趣味,止在風前暗領,樓之高峻如此,佳人之玉容,誰能真真一顧?然亦不必顧,即此一彈,已足徵其有傾城傾國之色矣。(十/251-252)

> 步出上東門,北望首陽岑……寒風振山岡,玄雲起重陰。鳴鳩飛南征,鶗鴂發哀音。素質遊商聲,悽愴傷

我心。(阮籍《詠懷·步出上東門》)

　　「素質」即秋氣，承上「寒風」二句。「商聲」即承上「鳴鳩」二句，中加一「遊」字，言此秋聲秋氣無處不遊到，其慘澹晦暗之氣色，不惟上東門裏，且及首陽之岑矣。即欲效采薇之行而亦不得，蓋傷心之甚也。(七/151)

從「佳人之哀響，乘此芳風」即可看出風確實有助於音響的散布，而一般談到「芳氣隨風結，哀響馥若蘭」，多將重心擺在後句聽覺與嗅覺的通感表現上[53]，吳淇也留意到這點，他尚進一步將此二詩句交融之狀態充分地呈現出來，並指出風迴還繚繞的功用，詩人所處的空間容易在風的流淌中形成某種氛圍，聲音迴盪其間，更易激發情緒的波動，第二例從「秋聲秋氣無處不遊到」，聲、氣共同形成的慘澹晦暗氛圍導至「傷心之甚」，以及第一例「情在聲」（四/83）[54]中由風點醒、趣味由風暗領，俱可見氛圍、聲響與情懷三者交融難分的樣態；「風」對聲響傳播以及氛圍形成所扮演的關鍵性角色誠不言可喻。

　　本點析論結束前，尚可做出如下之歸納。首先，在吳淇的闡發中，與環境氛圍相關並涉及聽覺感受之詩作，自然與人文聲響皆有，而以前者稍多。很有意思的是，一般或許會認為自然之音多出現在離居之郊野，然而翻查《昭明文選》，會發現這些與自然聲響相關的詩評並未偏向遊覽或行旅類，可見吳淇

---

53 最具代表性的說法可參錢鍾書：〈通感〉，《七綴集(修訂本)》(上海：上海古籍出版社，1996.2)，頁69、71。

54 此乃吳評《古詩·西北有高樓》之語，因吳留意古詩原作與評陸擬作的重心相近，故援引之。

認為自然之音不一定需刻意走進大自然才能感受，反而更留心生活週遭的各類聲響，如此貼近日常的脈動，使得這類自然聲響帶有某種程度的人文性，這也可以視為是吳淇解讀聽聞時偏重人文的一個表現。

其次，就氛圍、風、聽聞三者而言，「借助於對天氣和氣候的知覺，我們發現自己置於這樣的氛圍之中，這種氛圍因湧入寬廣而總是無邊無際，而寬廣做為我們身體感覺的背景總已不自覺地被給予了。」[55]可見氛圍對身體感受的影響是全身性的。而風作為身體與外界環境間一個重要的橋樑，「風……是一種真正的存在，能夠在皮膚上感覺到的、能夠聞到、看到、聽到的具體變化。」[56]以上所呈現的，乃是風與氛圍的普遍性理論。那麼吳淇於此基礎上，還表現出哪些特點？首先，在他之前的詩評家，甚少像這般留意風的作用[57]，因此對風的闡釋十分少見，相對而言，吳淇對風的留意便顯得數量較多而質精。其次，若由一般的印象出發，風與各類感官之交涉似以觸覺最多而明顯，殆因風吹拂身體，其與皮膚接觸時必然會產生涼或熱等觸感；且風吹拂所至，不見得一定會發出聲響，然在吳的評注裡，他則是聚焦於風與聽覺，這一方面彰顯了此二者之互動，使我們對這個層面有更多留意，而有別於尋常對觸覺的關注；

---

55 德‧赫爾曼‧施密茨著，龐學銓、馮芳譯：《身體與情感》，頁 74。

56 日‧栗山茂久著，陳信宏譯：《身體的語言──從中西文化看身體之謎》，頁 275。

57 若就中國傳統的文學理論體系而言，遠自《周禮》、《毛詩‧序》，即已論及風化、諷諭之風；《文心雕龍》有〈風骨〉篇、《詩品》多次論及「風力」，亦可見「風」於文藝層面的論述。然而此處所指，乃就大自然中實際的風而言，與詩教、文藝美學之風並非同一層次。

另一方面，由此二者互動所做的推衍，又有助於讀者更深刻而具體地理解原詩之情感，此乃吳評精密獨到處。

二、聽覺與其他諸覺之關連

關於身體各器官之間的連結，胡塞爾有一簡潔而明瞭的概括：

> 身體始終作為感知器官在共同發揮著作用，並且它自身又是由各個相互協調的感知器官所組成的一個完整的系統。[58]

從生理學角度出發，大腦中由不同區塊掌管相異的器官，每個器官都有各自的功能；而這些器官間尚能「相互協調」，同時起作用的結果將使身體同時感受到一個以上器官的運作，在下文的論述中，我們將會發現此亦吳淇費心留意的一個面向。此外，感官間也可能有挪移的表現，吳淇對此雖也有所留意，但相對於闡述各個官能間之連結，通感的關照顯然較為少見。

若以聽覺為觀察重心，聽覺在《六朝選詩定論》中除了獲得吳淇獨立的關懷，尚有為數不少的評注涉及聽聞與其他感官的互動，或者配合上一點的氛圍之論，而聽覺夾雜其中；或者由聽覺引發其他感官之感受。

首先觀第一類。前文已兩度提及的陸機〈擬明月何皎皎〉、顏延之〈夏夜呈從兄散車騎長沙〉俱屬之。延續上一點對環境

---

58 德・胡塞爾著，倪梁康等譯：《生活世界的現象學》，頁 57-58。

氛圍的探討，因為風與身體的接觸是全身性的，故易引發身體感官的同步感受。原詩中雖已提及聽覺、嗅覺、視覺、觸覺等各類感官，卻略顯斷裂；對照吳淇，茲以其評陸詩做說明，從月光遍灑到涼風擴散，空間裡彌漫著無邊無際的薄光與微涼感，於此夜晚氛圍的逐步推衍中，漸次帶出蟬鳴所蘊含的悽清感受與難忍之離思，吳淇特別指出風流動其中，藉由風的串連，將身體整體與自然界的互動巧妙地交融在一塊；此亦吳「文氣聯貫」（十/248）式的結構性分析之體現。

其次，原詩裡的聽覺於所有感官中似乎未特別突顯，然若細細琢磨，會發現吳淇對聽覺當有較多的留意，吳論陸機、顏延之二詩尚可與下列評述合觀：

> 日落泛澄瀛，星羅遊輕橈。憩榭面曲汜，臨流對迴潮。輊策共駢筵，並坐相招要。哀鴻鳴沙渚，悲猿響山椒。亭亭映江月，瀏瀏出谷颷。斐斐氣幕岫，泫泫露盈條。近矖袪幽蘊，遠視蕩誼囂。（謝惠連〈泛湖歸出樓中翫月〉）
>
> 首四句說「泛湖歸出樓中」六字已盡，于此即點「翫月」便實而無味，此卻于月將出先寫待月，再相招同翫月之人也。「哀鴻」二句，待月之情也。若曰「鳴沙渚」者，其「哀鴻」耶？「響山椒」者，其「悲猿」耶？俄而月出映江矣，月與風宜，適有出谷之颷，則月不孤……故近翫條上之月，幽蘊自袪；遠望岫上之月，誼囂自蕩。（十四/395）

吳淇指出謝惠連詩之結構乃「于月將出先寫待月」，而釋「哀鴻鳴沙渚，悲猨響山椒」為月未出之際時的「待月之情」，使得原

詩中本傾向單純繪景之二語顯然有了詩人參與其間的影子；而
吳評藉由「鳴」、「響」推測聲響來源的提問，復使原詩貌似平
鋪直敘之語增添了一層由聽覺啟發聯想的意味。

　　復與顏、陸二詩詩評合觀，如前所述，吳評較原詩更考慮
夜間感官運用的實情，意即在視覺弱化的情況下，聽覺極易被
突顯出來，像是吳對顏延之詩之「聽」有較多的著墨；以問句
的模式評注謝惠連詩之聲響，使讀者對詩中之聲響有更多的注
目；指出陸機詩中「蟬鳴」對節物變遷的「驚省」，俱可見聽覺
於特定氛圍（夜晚、昏暗的環境）中，比其他感官更受吳淇的
留意；此亦可見感官作用之強度將隨環境不同而有所差異。[59]

　　除了上列之評，另有一例可更鮮明地見到吳淇對聽聞感官
的著意強調，聽覺引發其他感官之感受亦可由此窺得：

　　　　只一聲聞，逗得六根皆動。「哀響馥若蘭」，耳連鼻
　　　動。「顧望」，目動。「躑躅」，身動。「再三歎」，口動。「思
　　　駕歸鴻羽」，意動。（陸機〈擬西北有高樓〉十/252）

吳淇於此對聽覺的強調頗為明顯，因哀響承芳風而下，使得「不
惟眼中仿佛，抑且耳根惝恍，止覺鼻息開通」（十/251），此論
恰與該評最後，也就是上列獨立引用之論述相互呼應，透過吳

---

[59] 這裡需稍加辨析的是：在前一章論及吳對「光覺」的闡發時，曾經指出因月
亮是黑暗中特別明亮之光源，故較受視覺矚目。該論與此處「夜間視覺弱化」
云云不相矛盾，殆因前者乃專就視覺而言，即使夜間所見受限，並不妨礙在
受限視野中，月光是相對鮮明可見的。此處則是著眼於視、聽覺之相較，指
出感官起作用的強度之別。再者，「光覺觸動其他感官」與「吳評後續對聽覺
的留意」兩者亦不相衝突，前者屬於感官作用時較前面的階段，後者發生的
時間點則在前者之後。要之，視覺、聽覺兩章雖同樣援引謝惠連〈泛湖歸出
樓中翫月〉，然論述重心並不相同。

淇由單一感官帶向其他器官共感(「只一聲聞,逗得六根皆動」)的闡發,使得我們在見到原詩各類感官於評注中自然交融成一體的同時,亦可更顯分明地窺得感官逐一被牽動的樣貌,聽覺引發的全身性感受於此鮮明可見。

除了上述這般與眼、鼻等身體器官相互連結的詩評,尚有一組論述值得留意,是關於聽覺所引發的視覺想像,此亦屬身體感知的一環:

> 今日良宴會,歡樂難再陳。彈箏奮逸響,新聲妙入神。令德唱高言,識曲聽其真。齊心同所願,含意俱未伸。(《古詩十九首》)
>
> 今試取「彈箏」一連六句細細吟之,儼有一絕代佳人見於紙上。他人寫佳人專就色寫,或色與聲交寫。此詩只就聲寫,全不靠色一字,真繪風手段。(四/82)

> 西北有高樓,上與浮雲齊。……上有弦歌聲,音響一何悲!誰能為此曲?無乃杞梁妻。清商隨風發,中曲正徘徊。一彈再三嘆,慷慨有餘哀。(《古詩十九首》)
>
> 不於歌者口中寫之,卻於聽者口中寫之,且於遙聽未面之人口中寫之……「上有」二句,乃乍聽未真而訝其音響之悲也。「誰能」「無乃」,故為猜料之詞,殆欲攝歌者之魂魄而呼之使出……此亦是從聲中摹出個絕代佳人來,但此章較前章(筆者按:指「今日良宴會」)更說得縹緲,令人可想而不可即。然前章是行樂,又是覿面,故聽而並識其德之真。此章是述懷,又是未面,故聽而止知其意之苦……此章情在聲,故中用「風」字點醒。《十九首》中,惟此首最為悲酸。(四/82-83)

「此章情在聲，故中用『風』字點醒」明顯可見風於聲音傳導時的關鍵地位，前已詳述，此不贅言，僅約略提及以現吳評對「風」確實有著意之關照。此二例連同陸機〈擬西北有高樓〉俱有一撫瑟的佳人，吳淇特別指出這些詩作「只就聲寫」、「於遙聽未面之人口中寫之」、由風暗領哀響而未見佳人玉容，明顯可見他對聽覺角度的費心留意。然而若僅止於此，則與原詩之表象相去未遠，吳評很有意思的地方在於：他對聽覺的闡發其實已將視覺暗含其中，吳進一步指出聽者不必真見佳人，「即此一彈，已足徵其有傾城傾國之色」，原本屬於耳聞的聽覺，卻帶出視覺的想像[60]，可見人們的感官雖各司其職，卻有連結轉移的可能，聽覺引發視覺層面的想像，使得抽象的聽聞變換成相對具體可見的視覺畫面，像這般感官轉移至具象化的例子，足見視覺所見當比聽覺更能予人確實掌握之感，而這也呼應本章前言所述，在五大感官的機能比例中，視覺是人們最看重而依賴者；另一方面，從聽覺引發視覺想像，甚至還進一步使讀者聯想到佳人之德（「德之真」）、之意（「意之苦」），像這般展現感官跨界、從而帶出情志的述評，乃《六朝選詩定論》中之精彩展現。

　　行文至此，理當思索視、聽覺與情感間的關係。儘管吳淇的這段述評提及聽覺引發視覺之想像，促使我們留意到視覺之具象性暨排列第一的機能性特點，然該評最終還是回到聽覺來談，並言「此首最為悲酸」。吳淇並未明確指出何以該詩最為悲酸的原因，然而若由該評主要集中在音響這點觀之，或可作出一些推論。聲音雖是人耳具體可聞者，然而與最主要的感

---

60 上列二例雖未如陸〈擬西北有高樓〉之評直接明言，但從述評的脈絡推斷，確實也有「從聽覺聯想到佳人容貌、形象」的意涵。

官──視覺相較，聽覺似乎顯得不可見而難以捉摸，這種抽象性
容易帶來較大的想像空間，其中又有「風」來助興，促使聲音
迴還繚繞，而能表現出較強之感染力，加上聲音「感人最微」
（三/70）的特點，在這些因素的加乘下，悲哀的感受性或有更
形強烈的趨勢，何以吳評「此首最為悲酸」，應與聽覺的這些
特性有關。

　　透過以上探討可以發現，聽覺即使能夠獨立出來研究，很
多時候它與其他器官仍有密不可分的關連。吳評能夠進一步指
出聽覺做為「主導性感覺」相對於其他「共感覺」所扮演的關
鍵性角色[61]，就讀者而言，有助於更深層掌握詩歌中的感官表現
甚至全詩意蘊；就詩評史的角度觀之，則可突顯吳評之自成體
系。要之，不論從哪個層面來看，這類聽覺述評俱有無可取代
之價值。

第四節　小　結

　　吳淇對於聽覺的闡發，主要可由人文之樂、自然之音、聽
覺與身體感知等三部分來談。在人文之樂的述評中可以看到，
吳氏對帶有高、急特點的聲調有較多留意，並能將原詩中差別
不那麼明顯的樂曲善加分隔，且將「弦」、「歌」所蘊含的聲
情、詞情做出區別，樂音、聲聞與情思的聯繫在吳評的層層推

61　「在五官直覺活動上，有直接感受和分量動態等的區別，即主導性的感覺和
　　伴隨性的感觸，伴隨性者為共鳴，也稱之為共感覺。」語見蘇文清、嚴貞、
　　李傳房，〈聲音與色彩意象之共感覺研究──以中國氣鳴樂器吹孔類（笛與簫）
　　為例〉，《人文暨社會科學期刊》第 2 卷第 2 期(2006)，頁 6。

衍中有了較原詩更為清晰而有層次之展現。

　　此外，吳淇對人文之樂的述評，亦不乏針對詩作架構、換韻等層面提出看法，此俱非只是形式上的表現，尚多涉及屬於內涵面之情思。

　　吳淇論人文樂音有重哀怨的情感傾向，這一方面與中國古典文學的悲怨傳統相應；另一方面，則可見吳在繼承傳統詩（樂）教之際，展現出對促厲情思更大的涵容。其次，這些評論多集中在對古詩而非樂府的闡發中，吳氏特別指出古詩的音樂面向，保留詩歌較原始的聽覺成分，對於逐步喪失音樂性的古詩而言，不啻是指出其淵源已久且未曾間斷的聲響層面，此誠為吳淇人文樂音述評的特殊貢獻。

　　至於自然之音，吳評仍展現一貫重情、將情思具體化之特點，且常可窺見聽覺在昏暗環境中對視覺的彌補作用。細部而言，鳥雖因種類多元、聲響變化較多，而受到漢魏六朝詩人們較多的關懷，然吳淇之述評卻有簡單化的趨向，多展現較濃厚的政教倫理思維；蟋蟀、蟬鳴的音響雖較無變化，但吳淇之闡發反倒細膩許多，且更清晰地突顯詩人之情感，如此述評差異可見吳淇在留意政治倫理之際，更不忘彰顯詩人私領域的情思，表現出尊經之際復顯新變之樣貌。

　　關於「聽覺與身體感知」，在第一個細目「環境氛圍中的聽覺感受」中，吳淇觸及空間與聽覺的關係，進一步而言又牽涉到風、氛圍與聽覺三者，詩人所處空間易因風的流淌而形成某種氛圍，聲音迴繞其間，則易激發全身性的震盪與情緒的波動，而可見氛圍氣場對音響暨情思的加乘作用。吳淇述評中與環境氛圍暨聽覺相關之詩作，自然聲響稍多於人文樂音，然前者多

出現於日常生活周遭，而非離居之郊野，這意味著吳評中的自然聲響帶有某種程度的人文性，此亦吳解讀聽聞時偏重人文的表現之一。

至於第二個細目「聽覺與其他諸覺之關連」，吳淇或者於眾多感官間突顯聽覺的關鍵性角色，或者指出聽覺引發其他感官的特點，這一方面呈現出聽覺在吳評中的特殊性；另一方面，也於品評中將身體感知做了具體而明確的展演。

六朝詩作中聽覺的表現樣態曾被歸納出以狀聲詞最具特色[62]，然而吳淇卻未對此有特別留意，他反而另行拓展出一套體系，具體結合聽覺的種種特點，將身體感官與人之情感思維融合闡說，或者明確點出原詩中不那麼明確的音響效用，或者較原詩充分展現聲調的層次之別，除了展現出與前代詩評家不同的觀察視野，亦將六朝詩歌中的聽覺面做出深切的闡發，此俱為吳評值得留意之處。

（原文 2017.6 發表於《中正漢學研究》（THCI 核心期刊）第 29 期，2017.12 復增補修改如上。）

---

62 相關論述請參陳秋宏：《六朝詩歌中知覺觀感之轉移研究》，頁 304-311。

第五章　舉手投足

── 吳淇之行止闡發

　　就身體感官而言，透過前兩章的探討可以看出，視覺、聽覺等作為身體之主要感官，吳淇有頗為集中之論述；饒富意味的是，相對於視、聽覺，行為舉止便顯得易受忽視，吳淇卻展現出對此之細膩觀察，使我們留意到行止的重要性。就身體的動作而言，它常蘊含某些思維，這些行為的結構不單只是一種物理實在，而是「一種知覺對象」、「一個被知覺的整體」[1]，換言之，情思與行為舉止間實有著一連串密切的關連：

> 色聲香味觸、手勢表情、行止坐臥間的當下身體感受，都表現了我的整個存在作為一個特異的生成變化……生活身體對於色彩和音調的體驗，是透過「共鳴」和「感應」這兩個概念來加以探索的。[2]

吳淇自然未運用「身體感」這一類的辭彙，然其述評卻可見到詩人於舉手投足間所展現對身體存在之種種感受。與此相關之

1　法‧梅洛龐蒂著，楊大春、張堯均譯：《行為的結構》(北京：商務印書館，2005.5)，頁217。

2　龔卓軍：《身體部署──梅洛龐蒂與現象學之後》，頁99。

論述在《六朝選詩定論》中的數量雖不特多,卻頗能呈現吳淇異於歷代諸評之特色,且多能於其闡發中深刻窺見詩人之情意,故有獨立探討的價值。

　　吳淇對於行為舉止中暗含情意之闡發,主要集中在「手」、「足」等動作,除此之外,尚有一些零星的舉動,例如「飲」酒、「延」頸、「散」髮⋯⋯等,吳淇對此背後的情思亦有深刻的闡說,擬於下文依序分析。

第一節　或徘徊或佇立

── 足部意象的情意闡發

　　關於「足」部之行為闡發,吳淇之評中有立、延佇、佇立、踟躕、足淹、徘徊⋯⋯等,乍看之下似顯紛亂,然若深入本質,卻可窺得吳淇基本上對「徘徊」、「佇立」兩大類別有集中的關切。那麼吳淇對此二類別之闡發有何特點或偏向?闡述內涵又表現出哪些重要的意義?茲逐步探析如下。

一、徘徊之慨

　　關於「徘徊」,首先可參古辭〈傷歌行〉之評:

　　　　昭昭素明月,暉光燭我牀。憂人不能寐,耿耿夜何

長。微風吹閨闥，羅帷自飄颺。攬衣曳長帶，屣履下高堂。東西安所之，徘徊以彷徨。春鳥翻南飛，翩翩獨翱翔。悲聲命儔匹，哀鳴傷我腸。感物懷所思，泣涕忽霑裳。佇立吐高吟，舒憤訴穹蒼。（四/95-96）

此首從「明月何皎皎」翻出。古詩俱是寐而復起，俱以「明月」作引，俱有「徘徊」「彷徨」字。但彼於戶內寫徘徊，戶外寫彷徨，態在出戶入房上。此首徘徊彷徨俱在戶外中，卻於離牀以後、下階以前，先寫出一段態來，各極其妙。

「昭昭」二句，言已寢也。「憂人」二句，復起而離牀。「微風」二句，離牀而閨闥回望床之羅幃也。「攬衣」句，已至堂矣，「屣履」句，已下階矣，「東西」句，已立於庭矣。「徘徊以彷徨」，仍立庭時之態也。此下情景，皆照此句。……「憂人」句，正寫態，兼亦寫月；「攬衣」句，正寫態，兼亦寫風，字字皆有相生之妙。

「彳」字旁的字與行走有關；「徘徊」則有著來回行走、猶豫不定之意。在吳淇的這段評論中，首先提及「徘徊」於歷史中積累的樣態（「從『明月何皎皎』翻出。古詩俱是……」），〈傷歌行〉就中國古典詩歌創作的時間點而言，已屬十分早期的階段，卻還前有所承，吳評於論述的開端即已暗示「徘徊」可能隱含的文化情感意識，也就是在與古詩相較中，展現出在居所內外這個熟悉的空間裡，主人翁糾結的情緒與前此之作有何異同；而中國古典詩歌中「憂人徘徊」的意象在吳評前後歷時疊合的闡釋裡，顯然呈現出更為縈繞迴還的一面。

　　其次，吳淇於述評中指出「徘徊以彷徨……此下情景，皆照此句」，點明「徘徊以彷徨」於全詩中的關鍵地位，其後詩中的舉止與情思莫不緊扣此句而來；而吳淇對於該句之前一連串的解說，則有蘊釀徘徊情緒的作用。具體而言，「憂人不能寐……東西安所之」這一段，吳淇的闡述顯然俱緊扣主人翁的行動來談，「起而離牀」、「回望」、「『至』堂」、「『下』階」、「『立』於庭」等俱是。很有意思的是，原詩中像是「微風吹閨闥，羅帷自飄揚」之語，本偏向純粹繪景之句，吳淇卻特別指出主人翁於其間之「離牀」、「回望」，這就透過對詩中動作的合理推斷，將景緻所蘊含的詩人情愫隱隱表現出來。要之，吳評可謂是以「徘徊」為中心，將詩中一連串的舉措統攝起來，而使詩中之舉止莫不指向彷徨鬱結之思。

　　該評還有一關鍵字「態」，按照吳淇的解釋，該詩之「態」來自詩人身體之移動（「離床以後、下階以前，先寫出一段態」），這其中尚有風、月烘托包覆，而使舉手投足與外景合和不分地融為一體。另一方面，正是藉由「離牀」、「回望」等行為舉止的逐步蘊釀，終而帶出詩人「立於庭」時的彷徨之「態」，全詩之「態」之妙，正是在這些細微的動作中一點一滴累積成形。

　　吳淇對〈傷歌行〉的品評，恰好與時代相近的孫鑛（1543-1613）、沈德潛（1673-1769）之論做一參照：

　　　　通篇不屬對，且句句有味有力，不淡不弱，然是高妙，但細玩卻是兩句一意耳。[3]

---

3 收於于光華編：《評注昭明文選》，頁518。

不追琢，不屬對，和平中自有骨力。[4]

上列二評俱將焦點集中在骨力、屬對上。而吳淇之論則是將重心擺在徘徊等動作所共同營造之「態」，相對於骨力此偏陽剛面之品評，吳關注到詩作中較為柔婉緜延的一面，可謂另顯觀察之視角。至於形式上雖「不屬對」，但孫鑛「兩句一意」之評則有合掌重複的意味存在其中；上引吳評之第二段在一開始雖也兩句一組解說，但在徘徊動作逐步醞釀復延續引發情感的闡發裡，誠可見動作變化的同時情感亦漸次推進，這就較「兩句一意」之說顯得較具變化與層次，而此當較符於詩作情思逐漸加深之實情。

　　在《六朝選詩定論》中，類似像上例這般針對徘徊加以闡發者，尚可參看下列諸評：

> 夜移衡漢落，徘徊帷戶中。（鮑照〈翫月城西門廨中〉）
> 「徘徊」句，不是玩月，乃是懷人。徘徊既久，不覺夜已深矣。（十三/341）

> 明發心不夷，振衣聊躑躅。躑躅欲安之，幽人在浚谷。（陸機〈招隱詩〉）
> 「振衣」，欲往從之也。然欲往則竟往矣，胡為又寫出「聊躑躅」及「躑躅欲安之」八字？一者寫其半疑，故且卻；一者寫其半信，將闚幽人之所為，故且進也。（十/243-244）

---

4 清·沈德潛選：《古詩源》，卷3，頁80。

> 馳情整巾帶，沉吟聊躑躅。思為雙飛燕，銜泥巢君
> 屋。(《古詩·東城高且長》)

> 「沉吟」者，意之且前且却也，「躑躅」者，身之且
> 前且却也。中間加一「聊」字，見雖且前且却，而早已
> 傾心於君矣，故曰「思為」云云。(四/88-89)

> 襟懷擁虛景，輕衾覆空牀。(張華〈情詩〉)

> 「襟懷」二句，乃想徹宵不寐之景也。月已晨矣，
> 宵餘幾矣，猶怨其長，有須臾難度之意。……寫通宵不
> 寐，只是心中憑空摹擬，或摹從前舊景，兜的猛省，却
> 見衾覆空牀，始覺所擁者空景也。「覆空牀」者，見只
> 是徘徊房中，連己亦並不在牀。(八/173)[5]

上列諸評亦可看出吳淇對於徘徊（躑躅）的說明，不光視此為
單純的動作，多能於深究詩人何以踟躕之際，彰顯詩人之情思。
第一例若按照鮑詩的脈絡，「徘徊」者應指月光，似與吳評有所
出入。然該詩既有懷人之意，無礙見月徘徊的同時，詩人本身
亦有徘徊之舉，吳評遂將詩中之「徘徊」直繫「懷人」一端，
述評內容雖然簡單，卻可窺得其對詩歌之情的費心留意。二、
三例俱可見躑躅舉動背後心緒之矛盾樣貌，特別是第三例，吳
更是透過對連詞的說明（「聊」），將徘徊、不敢直接表情，
實則卻是心有所屬的扭捏狀態很好地展現出來。至於張華此二
詩句，本身已有明顯的動作性（「擁」、「覆」），然原詩既
未見「徘徊」的字眼，更未清楚呈現徘徊之樣貌，吳淇之評的

---

5 「襟懷擁虛景」之「景」應解為「影」，吳淇似將此理解成景象、景色一類之
意，其評疑誤。然此並不妨礙他對徘徊舉措維妙維肖的解讀，故暫略之。

特殊處在於：透過對這些小動作（「擁」、「覆」）的觀察，以合理的方式推測這背後更大動作的移動（即「徘徊」），而此移動當有更形強化詩人孤苦心緒之功，使我們清楚看到詩人活靈活現身影的同時，能更深刻地感受蘊含於此背後之情懷。

上列這組詩作若與歷代品評相較，會發現除了《古詩・東城高且長》，餘者幾乎未見與徘徊行止相關之述評[6]。論及《古詩・東城高且長》中之「踟躕」者主要有張庚、饒學斌與劉光蕡三人，然張庚幾乎全襲吳淇之論[7]，饒氏則將重點擺在「沉吟聊踟躕」的「聊」字上而有吳說的影子[8]，這麼看來，僅劉氏「士之自薦如女自媒，犯禮而行，失身無補，故『沉吟』、『踟躕』不敢違禮而動」[9]真正關注到徘徊之行止。因此綜觀這組詩作之歷代品評，吳對此之著意闡釋既能發人所未發，復能深切導向詩中之情意，當可見其觀察視野有獨立之價值。

---

6 本段引用之四首詩作中，鮑照詩幾乎無人作評；陸機〈招隱詩〉主要有陸時雍「一起韻致猶夷，費許點飾，獨立至尊，輸他本相，凡緣飾愈巧，則聲格愈卑」(任文京、趙東嵐點校：《古詩鏡》，卷9，頁78)、陳祚明「『輕條』二句，新秀。『山溜』二句，警亮。結語朴老有古風，此是佳作」(李金松點校：《采菽堂古詩選》，卷11，頁318)、沈德潛「必富貴難圖而始稅駕，見已晚矣。士衡進退，所以不無可議」(《古詩源》，卷7，頁159)等評；張華〈情詩〉之評更眾，然主要集中在「居歡惜夜促，在戚怨宵長」二語，如「傷於拙」(許學夷著，杜維沫校點：《詩源辯體》，卷5，頁93)、「『居歡惜夜促，在戚怨宵長』，即『歡娛嫌夜短，寂寞恨更長』，而居然雅俗之別」(宋徵璧：《抱真堂詩話》，收於《清詩話續編》，頁121)、「以『居歡』跌醒『在戚』，隨承明『宵長』，傷歎作收」……等可參。歷代品評貌似不少，卻幾乎未見與行止相關者。

7 張庚之語如下：「『踟躕』身足，為之且前且卻；此是理欲交戰情形，以起下「思為」云云一結」。收錄於隋樹森編：《古詩十九首集釋》，頁102。

8 饒學斌之語如下：「『沉吟聊踟躕』，數不盡輾轉反側情形。『聊』字妙，所謂『明知無益事，還作有情癡』也」。收錄於隋樹森編：《古詩十九首集釋》，頁182。

9 同前註，頁210。

「徘徊」此一大類別的述評中，另有未出現「徘徊」的辭彙，卻同樣展現游移不前之舉動者，茲以下評為例：

> 高節難久淹，揭來空復辭。遲遲前途盡，依依造門基。上堂拜嘉慶，入室問何之？日暮行采歸，物色桑榆時。美人望昏至，慇歡前相持。（顏延之〈秋胡詩〉）
>
> 此章「淹」字映前章「馳」字。「馳」字寫重色人乍見時光景。「淹」字寫既見後光景。自「弭節中阿」，其淹已久，但屈於「高節」不得不去，意中猶以為「難久」耳。「遲遲」，足之淹；「依依」，心之淹，總是一片戀戀不捨之意。故自桑野而前塗、而門基、而堂、而室，一步一步細細寫來。然前章「凫藻馳目成」，心馳、目馳、足馳，此止足淹、心淹者，從上「空復辭」來，兼伏下文「慇」意，故不復回頭再望。（十二/327-328）

「淹，久也」[10]，故「足之淹」者，即有徘徊裹足之意。吳淇從解釋前章「心馳、目馳、足馳」到此章的「足淹、心淹」、「不復回頭再望」，透露出一些有趣的訊息，首先，「足之淹」與「心之淹」有密切關聯，可見外在的身體行動乃內心情懷之具體投影，吳淇於此確實留意到了身體與情感間的關係。更進一步來看，吳乃是透過動作的轉換，說明詩中主人翁情懷如何起伏、從而漸次轉向「慇」之情態，可見動作的變化常蘊含情思轉變的意味，兩者間細微之相應正是彼此關係密切的最佳表現。

其次，此處之舉措不單只是「足淹」，尚有是否「回頭再

---

10 晉・郭璞注，宋邢昺疏，李傳書整理，徐朝華審定：《爾雅注疏》(北京：北京大學出版社，1999.12)，卷2，頁43。

望」的動作，復觀察前文所舉與「徘徊」相關的詩評，會發現吳淇在解釋這類行動時，因腳步迴旋之際，內心所展現的往往是不確定的思緒或者對某事物有所期待，因此常會伴隨視覺搜尋四方，這固然與眼睛做為人類最常運用的感官有關，尚因目光能夠眺望、搜尋的功能恰與足部徘徊的情思相符應；於此同時，也可看出感官雖各司其職，實則透過吳評誠能見其密切的連動性。

　　一如本文第四章所述，歷代詩評家觀看〈秋胡詩〉，多將焦點集中在其敘事性、於顏詩中別具一格上[11]，然而吳淇一反主流的觀看眼光，轉將重心擺在全詩結構的分析、身體移動暨情思之變換上，若與吳對該詩聲調的種種闡發[12]合觀，誠有助於拓展觀看此作的視野；而與歷代品評合觀，則有助讀者更全面性地掌握該詩之內涵。

　　綜合觀察「徘徊」類的詩評，會發現這類評述時常涉及「時空」主題，茲以上述提及之詩評為例，「不覺夜已深」（鮑照〈翫月城西門廨中〉）、「徹宵不寐」以徘徊（張華〈情詩〉）即涉及時間；從戶內到戶外（〈傷歌行〉）、「徘徊房中」而不在牀（張華〈情詩〉）、從桑野移動到堂室（顏延之〈秋胡詩〉）等，則涉及空間。何以徘徊會出現與時空結合之偏向？此與徘徊本身的性質有密切關聯。就「徘徊」的動作而言，或許移動的範圍不大，但相較於下文要談的「佇立」，它畢竟有所移動，這就牽涉到空間的部分。吳淇這類述評特別值得留意者，在於前述諸如〈傷歌行〉、〈秋胡詩〉等評，他並非只是

---

11 詳參第四章註5。
12 詳參第四章「聽覺」第一節之一的探討。

單獨指出詩中主人翁徘徊之定點（「庭」、「桑野」），還費心鋪陳定點徘徊之前或後的空間（從離床、至堂、下階到立於庭；從桑野、前塗、門基、堂至室），亦即主人翁較大幅度移動之範圍，藉由空間的延展移動，對照出徘徊之定點打轉，或可更形烘托定點徘徊時，於一個有限場所內迴旋之際那無法舒展的糾結情緒。

　　另一方面，徘徊的舉動因為猶疑盤旋之故，自然會耗費掉相當的時間，因此亦常涉及時間主題。值得留意的是，就時間點而言，在《六朝選詩定論》中，吳淇對徘徊的闡發似有集中於「月夜」的趨勢，除了前舉〈傷歌行〉、〈翫月城西門廨中〉、〈情詩〉等例，另有曹丕〈雜詩〉、《古詩‧明月何皎皎》可茲為證。此現象固然受限於原詩，然而吳淇對此確實有一套細膩的看法：

> 　　明月何皎皎，照我羅床幃。憂愁不能寐，攬衣起徘徊……出戶獨彷徨，愁思當告誰？引領還入房，淚下霑裳衣。（《古詩‧明月何皎皎》）
>
> 　　無限徘徊，雖主憂愁，實是「明月」逼來。若無「明月」，只是槌床搗枕而已，那得出戶入房許多態？（四/93）

可見明月皎潔的夜晚確實較易引發詩人之愁思，而此愁思正是以徘徊之舉動做為具象的展現，換言之，徘徊之「態」於明月籠罩的氛圍中更得醞釀發酵，若與〈傷歌行〉之評合觀，吳淇顯然留意到身體行止與特定時段暨環境氛圍間之關聯。

二、佇立之思

「佇立」類詩評與「徘徊」類最大的不同在於：足部本身移動與否。此貌似簡單之別，卻使吳淇在評述兩大類別時展現出不少相異的樣貌。茲以下列三組詩評為代表：

> 遊目四野外，逍遙獨延佇。蘭蕙緣清渠，繁華蔭綠渚。（張華〈情詩〉）
>
> 「遊目」句即跟上章來，一夜空房之中，冷冷清清、慘慘澹澹，無聊極矣。甫晨即起出門遊目四野，故于延佇着「逍遙」二字。言己之延佇非敢望佳人之來，只是奈不得一夜無聊，借此以遣襟懷耳。（八/174）
>
> 發軔清洛汭，驅馬大河陰。佇立望朔塗，悠悠迴且深。（陸機〈贈馮文羆〉）
>
> ……至于駕車驅馬、登高臨深而望夫斥丘離京遙遠，豈登高臨深而望所及？只是形容馮等去後，署中另換一輩人物，無足語者。故駕言出遊，以寫我憂耳。全要將清洛大河形出與吳中山水迥爾不同，而駕車驅馬非南人之慣習，「佇立望朔塗」者，入洛以後詩中佇望只是南向，至此忽轉而北望，真有萬萬難堪者，況「悠悠迴且探」乎？「迴且深」者，謂斥丘在極北之地望者已自難堪如此，則馮以南人而身當其地者更何如哉？（十/242）
>
> 永歎遵北渚，遺思結南津……佇立望故鄉，顧影悽自憐。（〈赴洛道中作〉之一）

> 佇立愧我歎，寤寐涕盈衿。（〈赴洛〉之一）
>
> 　士衡赴洛，一步一步，俱有回顧故鄉之思。原詩首
> 章「遺思結南津」，是臨行一顧。「佇立望故鄉」，行到晚
> 夕又一顧。……「佇立愧我歎」，是入洛後一顧……（十
> /235-236）

上列諸例評述「佇」之內涵，俱與空間相關，乍看之下似乎與
「徘徊」類的情形相仿。然而若細細觀察，會發現終究有所差
異。在「徘徊」類中，吳淇著意突顯詩中主人翁於空間中「移
動」的樣態，然此移動畢竟是在有限的空間中打轉，視野反而
是相對侷限的。倒是「佇立」類雖屬定點不動，卻多與遠眺之
視野相連繫，甚至由此帶出對「方位」的張望，反而使其涉及
之空間更顯廣袤。

　　上列述評同樣可見足部動作與情思間之聯繫：所以延佇四
顧，是為了「遣襟懷」，而此情懷還是「非敢望佳人之來」，
純粹只是為了個人排遣之用，這就將延佇之際之具體情思做出
清楚的說明。至於此處引用陸機的兩組詩作，因皆涉及視覺，
故於本文第三章「吳淇的視覺闡發」中俱已援引，此處為了論
述方便，復引用如上。〈贈馮文羆〉詩句中僅「佇立望朔塗」
如此簡單一語，吳淇卻將陸機入洛後佇立的舉止由南轉而北
望，細細搭配詩人從懷鄉到送友人情懷轉變之「難堪」，從而
將原詩中「悠悠迥且深」之情做了進一步的深化。而〈赴洛〉、
〈赴洛道中作〉在第三章第二節之二「徘徊佇望之心念」中已
經論及視覺與動作結合、身體感官與行止間連動、共振甚至全
面性的感受，故此處僅就感官行止與「時間」的聯繫做一說明

（此亦有與「徘徊」之時間表現比較之意圖）：「佇立」暨「望」於原詩中皆已明白點出，吳淇的特殊處在於著意指明「佇立」暨「望」之時間點（「臨行」、「晚夕」、「日落」等），這就加強指出「佇望」多次出現的樣貌，而此佇望雖頻，卻隱約有匆匆之感，如此行止所展現的，正是對故鄉的無盡牽掛（頻頻佇望）卻不得不往繼續前行之無奈（倉促佇望），吳淇於述評中加強彰顯視覺流轉與舉手投足間之聯繫，並慮及時間因子，凡此種種，俱有助於烘托該詩之情意，促讀者得以更具體地掌握詩情。

《六朝選詩定論》涉及「佇立」之詩評另有「別路尚在亂離，故為之瞻望而延佇」（王粲〈贈蔡子篤〉六/129）、「後半『依嵩』以下，未入洛心事，都又轉歸此詩『南望』云云，乃是入洛時，羈旅佇佇，追思一路光景」（陸機〈赴洛〉十/235）……等，吳淇述評之內涵大體不脫上述所言，故僅扼要列出以現吳對此確有集中之關懷，而不贅述。

吳淇對於足部意象的情意闡發，另有難歸入「徘徊」、「佇立」類，卻饒富意味者，例如：

> 良時不再至，離別在須臾。……長當從此別，且復立斯須。……（李陵〈與蘇武詩〉）
>
> 前云「離別在須臾」，尚有須臾之延，後云「且復立斯須」，並無須臾之可延矣。立者，留得一刻便是一刻，情益苦矣。（三/67）

該評之「立」顯然與前述徘徊、佇立之際時間的延續性質相異，此處所著眼於時間之逼迫感，在「須臾」已短「斯須」更促的

比照下，強化所「立」之「一刻」隨時都會結束的緊張感，此「立」之焦躁、「情益苦」在吳淇的闡釋中有了更明白的突顯。

　　總括而言，吳淇對於足部的相關闡發，可以看出暗含背後之情思多具悲苦性質，這固然於原詩中已可窺見，然吳淇對足部動作的探討，實有具體並強化、突顯抒情傳統感傷性質之功。

　　其次，徘徊與佇立的動作，若就實際體驗而言，兩者常有交錯呈現的情形，此於陸機〈擬西北有高樓〉「正為他歎得知音，故佳人亦徘徊不去……其歎而至再至三，不辭佇立之勞者，冀得佳人之歡心」（十/252）之評中可清楚窺得。然而在吳淇的述評裡，更多的情形則是偏向解說徘徊或佇立，例如前引〈傷歌行〉一詩，「徘徊」與「佇立」之詞明確出現於詩作中，然吳淇卻對後者隻字未提。這意味著同屬足部之跡，在吳淇眼中卻有輕重之別，這麼一來，隨著述評側重面不同，詩歌情懷是伴著徘徊走入糾結，抑或是隨著短暫佇立而迫入往前行走之無奈？便展現出相異的面貌，吳淇或有更重情感繚繞（徘徊）之偏向，而屬於詩評家個人之意識復可由此窺得一二。

　　再者，不論是徘徊或佇立，俱涉及時間、空間暨視覺等範疇[13]，然在吳淇眼中，兩者之表現樣貌誠有所差異。徘徊涉及之空間多為尋常生活之處所，或許因此空間之有限性，而使視野較受拘束。很有意思的是，日常居所雖為主人翁熟悉的空間，然目光卻未因熟稔而表現出安穩之樣貌，反而顯得搜尋不定；

13　此處展現出行止、視覺、時間、空間等主題交錯之樣貌，而逕置於「行止闡發」中論之，殆因吳淇的這些述評多以足部為核心，其中像是部分時間因子在吳評中不甚明顯，乃筆者觀察歸納所得；加以此處所論是為了突顯「徘徊」與「佇立」的差異，權衡之下，方置於行止一章中探討。

而此徘徊所欲見之對象亦顯得較為間接，意即以前文所舉〈傷歌行〉、張華〈情詩〉為例，見望對象表面為（空）床，實則展現欲見另一半之企求。至於時間層面，如前所述，吳淇除了留意徘徊之定點，尚特別提及移動至此定點前後之空間（例如由戶、至堂而下階），整個徘徊舉措耗費較長之時間也就因此較明顯地展現出來。

　　至於佇立之空間，在吳淇的品評中則較偏向郊野，相對而言展現出較明確的方位性。佇立雖為定點不動，卻因其所處空間比「徘徊」類遼闊，因此視覺表現多有遠眺的趨勢，而眺望的目標則較為直接而明確（例如朔塗、故鄉等[14]）。不過較之徘徊類中時間予人緩慢緜延之感，吳評「佇立」類中的時間因子除了少數可見如上之樣態，另有在時間延續中展現各個時間點間跳躍、變換快速之面貌者，這或許和詩人佇立當下的情境，也就是稍作停留即須啟程的狀態有關，因此在時間的展現上便顯得倉促許多。

　　綜觀「徘徊」與「佇立」類在時空、視覺表現上的種種差異，可以看出兩類之主人翁大致上有身分相對的趨向，意即前者多為留守之人，常於徘徊之際展現等待的焦慮；後者則以游子較為常見，而於佇立的舉止中表現冀得歸鄉（國）之情。饒富玩味的是，不論是哪一類別，這些動作背後所表現的情思多共同指向對親友之思念，僅以本文所舉之例以小窺大，本節所擇11首與徘徊、佇立相關的作品中，就有8首涉及思念親友之情思，比重高達73%，而這些對親友的思念，不論是站在留守者或

---

14 此處乃就詩歌或詩評中明確指出眺望的對象而言，至於目光是否真能望見此物，則屬另一層面的問題。

外出者的角度，又多與游子遠征、欲建功立業的現實樣貌有關，這就顯示出一個頗為重要的意義，意即透過吳淇對徘徊與佇立的闡發，可謂具體而微地展現出中國傳統羈旅文化中悲苦而無奈之相思情懷。

第二節　揮招採握等
── 手部意象的情思解說

　　如果說足部動作相對而言是比較粗糙的，那麼手部因其結構的關係，行動起來便細緻許多，這一原本的生理特性對於吳淇品評有著相當的影響，意即促使吳對手部行為之闡發更顯細密而多元。首先可觀陸機〈擬迢迢牽牛星〉之評：

> 　　牽牛西北迴，織女東南顧。華容一何冶，揮手如振素。
> 　　原詩「纖纖擢素手」，只是寫織。此詩「揮手如振素」，乃是招手，反教牽牛移船就岸也。不曰「招手」，而曰「揮手」，凡招手者，必先揮展其手，而後乃招返其手。但招返之際，手之光彩不見，而見於開展之際，故以「振素」擬之，偷暗織意，且舉一手之潔白，以申顯出全副華容之冶也。（十/246-247）

該評對手部舉止之分析十分細膩，首先點出原詩與擬作對手部動作著眼點之別，復由此推衍，詳辨「招」手與「揮」手間的

細微差異，除了指出兩者先後之順序性，更說明詩人何以擇「揮」而不用「招」之用心；對於「揮手」與「振素」間的聯繫，吳淇又巧妙指出背後的暗喻，並辨別「振」之多重意蘊與「擢」「只是寫織」之異。這就使詩作中「揮手如振素」這一原本簡單而易受忽視的動作更顯豐富，織女於擬作中不同於原作之細微情態，也在吳淇對手部行動的闡發中得到更好的彰顯。

對於陸機擬作的解讀方式，吳淇乃是針對手部動作做出細緻的區分；另有一類述評，則是將重心擺在闡釋手部動作的背景環境、內心情懷……等，茲以謝惠連的〈擣衣〉為例：

> 衡紀無淹度，晷運倏如催。白露滋園菊，秋風落庭槐。蕭蕭莎雞羽，烈烈寒螿啼。夕陰結空幕，宵月皓中閨。美人戒裳服，端飾相招攜。簪玉出北房，鳴金步南階。欄高砧響發，楹長杵聲哀。微芳起兩袖，輕汗染雙題。紈素既已成，君子行未歸。裁用笥中刀，縫為萬里衣。盈篋自余手，幽緘俟君開。腰帶準疇昔，不知今是非。

> 擣衣必在月下，「宵月皓中閨」句，照出擣衣。先以「夕陰結空幕」陪說一句，正形出擣衣人之苦也。……「欄高」四句寫「擣」字已畢，然而不肯住此者，待下文寫「衣」字耳。……「執素」四句實寫衣。「盈篋」四句，方寫擣衣之情。細玩其語，憐、妒二意俱有。君之腰帶，疇昔如此，今其是耶？其是惟一，其非邪？其非有二：或過或減，其減耶？是君之念妾，亦如妾之念君也；其過耶？是君則忘妾也：總不可知。我唯準疇昔而

作，以明己心之無改而已。（十四/395-396）

吳淇評注該詩的模式與上例很不一樣，並未特別強調「搗」的
手部動作，僅以「寫『搗』字已畢」輕輕帶過，然而在這之前，
則是費心說明搗衣當下的氛圍（即「夕陰」二語），搗衣的動
作與此外在環境相互感染[15]，從而引發內在之情，故云「正形出
搗衣人之苦」。搗衣動作之後，復細細分析搗衣當下的情懷是
如何既妒復憐，由此回頭觀看詩中「搗」衣的動作，此舉止於
吳評中隱然有承上啟下的關鍵作用，意即承續了月光遍灑的氛
圍，復開啟下文衣成之際之慨，「搗」衣動作承載之情意在漸
步醞釀鋪陳中而有了豐厚的展現。

謝惠連該作歷來得到不少詩評家關注，其中關注焦點與吳
評相近而可加以比照者，則有方回與鍾惺、譚元春之論：

> 以上八句（筆者案：指「美人戒裳服……輕汗染雙題」一段），
> 不過賦搗衣而已，無佳處。又前八句則述秋夜之景而已。[16]
> 此詩之拙，在景與情分為兩截，不能作景中情語。[17]

上列二說俱認為謝作前段繪景有抽離情感之虞；吳淇之評言
「搗」雖傾簡單，卻隱然可見該動作之關鍵性，先是適切地將
搗衣之苦情與景結合，這除了有深化景句之功，在景句蘊釀之

---

15 就理論而言，「行為本身就是對環境的一種敞開，在行為出現的地方，環境依
  據機體的存在在世界中顯現出來，而機體除非在世界中尋找到一個合適的環
  境，否則就不可能存在。」正可與吳淇的這段評論相應。語見韓桂玲：《吉爾·
  德勒茲身體創造學研究》，頁52。
16 元·方回選評，李慶甲集評校點：《瀛奎律髓彙評·文選顏鮑謝詩評》，卷4，
  頁1895。
17 明·鍾惺、譚元春輯：《古詩歸》，卷11，頁477。

後接續的搗衣之語，也因景語的鋪陳而使「搗」更顯意蘊，吳淇緊扣「搗」衣所作的闡發應是更有情味的。

此外，《六朝選詩定論》中尚有一類述評看似簡單，卻有效地加強了動作的生動暨完整性，從而更鮮明地帶出詩中主人翁之情懷：

> 曉月發雲陽，落日次朱方。含悽泛廣川，灑淚眺連岡。（謝靈運〈廬陵王墓下作〉）

> 首句「發雲陽」，曰「曉月」，起身特早，急急欲到墓下也。「次朱方」曰「落日」，窮目之力，急急欲到墓下也。「含悽」句，發雲陽之時，舟中行尚未望見王墓，故止「含悽」於內。及至朱方，則淚下矣。淚下交睫則不可望，故揮灑其淚以眺王墓。（十四/375）

> 寧憶春蠶起，日暮桑欲萎。長袖屢已拂，雕胡方自炊。（沈約〈三月三日率爾成篇〉）

> 「寧憶」二字，不止「憶春蠶」，須直貫下「春蠶」云云十八個字，蠶又正起，桑又欲萎，所以佳人急急採之也。長袖屢拂，終日採桑，奚暇「鳴寶瑟」也？彫糊自炊，薄暮方食，奚暇「泛羽觴」也？（十六/429-430）[18]

上列兩段述評與手部動作相關的字眼分別是「揮」與「拂」、「採」。就大謝詩加以觀察，在前二語的描繪中，詩人的情緒

---

18 關於「長袖屢已拂，雕胡方自炊」之解釋，或云「只用長袖屢次拂面，表示留客的意義，把彫胡草做的美飯，親自為客燒煮」（王令樾：《文選詩部探析》，頁 576），展現女子留客之意，與吳淇表現女子勤奮之解相異。然吳論亦能自成體系，不妨姑成一說。

不甚明顯，似偏向空間移動的說明，然而吳淇卻特別點出「起身特早」、「窮目之力」，並帶出這些身體動作背後的「急急」之情，如此闡釋實為後來激昂的情緒做了很好的鋪墊。吳淇於後文中雖僅添一「揮」字說明大謝灑淚的樣態[19]，然此「揮」字卻用得頗為傳神，一來此動作幅度較大，較能呈現詩人激動之情，二來在與「淚下交睫」的相應中，配合前此「起身」、「窮目」（「急急」）的蘊釀，「揮灑」的動作確實將整個情緒推至高潮。歷來評大謝此作亦多留意到該詩之情，而吳淇藉由行為舉止與外界景觀的搭配具體展現其情，誠於他家印象式論述外獨樹一格[20]。

吳淇評沈約之作亦展現類似的關懷，何以「長袖」會「屢拂」？乃因佳人欲「急急採」桑，評註於「拂」的動作中復增添「採」字，較之原詩僅見單一「拂」之動作，吳淇則是在展現佳人行動連貫暨變化（拂、採交錯）的同時，復使整個畫面更顯豐富；而以「急急」形容「採」，則是藉由動作之匆忙展現「蠶起桑萎」的實況。乍看之下吳淇在述評中似未著意突顯這類手部舉止，然若細細比對原詩，則能看出評注對手部動作的闡說確實有畫龍點睛之妙，此其值得留意處。

手部動作中尚有一類牽涉到手所碰觸的物品，而此外物帶

---

19 根據王力的說法，「揮」有「振去」(王力主編：《王力古漢語字典》(北京：中華書局，2002.12)，頁 378)之意，而「灑」則有「散落」(頁 649)之意。這麼看來，「揮灑」當較「灑」者更能展現激動之樣貌。

20 例如馮復京「攄寫胸腹，感慨悲涼豈徒長於登臨賦詠而已」(《說詩補遺》，收於《明詩話全編》，卷 3，頁 7217)、陸時雍「氣格最遒，情長語短」(《古詩鏡》，卷 13，頁 127)、陳祚明「情深」(《采菽堂古詩選》，卷 17，頁 543)……等論，對情之說明俱顯抽象。

有鮮明的象徵性，茲以下列品評為例：

> 握中有懸璧，本自荊山璆。（劉琨〈重贈盧諶〉）
> 「懸璧」着「握中」，珍惜之極。亦見昔曾在握，雖現不在握，終冀復歸于握也。（十一/281-282）

> 景翳翳以將入，撫孤松而盤桓。……已矣乎！寓形宇內復幾時，曷不委心任去留！……聊乘化以歸盡，樂夫天命復奚疑！（陶潛〈歸去來辭〉）
> 年已老矣，「盤桓」所以息老，曰「撫孤松」，亦不失節也。……「委心任去留」，正是「乘化」，尤妙在前有「撫孤松而盤桓」，是妙於樂此餘生也。（十一/300-302）[21]

璧玉和松樹在中國傳統文化中乃美才、高節的象徵，劉琨、陶潛運用此意象時亦不脫此傳統。那麼此二作品何以要安排「握」、「撫」等手部動作與這些外物接觸？殆有透過「手」將物品的象徵性與「我」之情志連繫之意，這點透過吳淇的闡說則顯得更為清晰。〈重贈盧諶〉中的此二詩句一般多視為劉琨美盧諶才德之語，此說固然不錯，然若僅止於此，或有比喻古板之虞，吳淇特別以「曾在」、「不在」、「冀復歸」形容「握」的情形，可說是透過手部動作具體表現兩人交往有過之曲折，而劉琨又是何等珍惜盧諶，這麼一來，「握中」此兩詩句便顯得靈動、深情許多；而在藉「握」展現二人深厚交情的

21　吳淇自云「武帝〈秋風辭〉，與陶元亮〈歸去來辭〉，《文選》另立辭部。按辭亦詩之一體，今併入詩。」(三/63)

闡發中，也為該詩冀盧助己（劉琨）之意圖埋下饒富意蘊的伏筆。

　　吳淇述評〈歸去來辭〉中的「撫」字乍看之下似只是單純沿用詩作，不若前例解「握」字深刻，實則其「不失節」、「妙於樂此餘生」云云，若無「撫」與「盤桓」貫串其中，何以具體展現「不失節」與「樂此餘生」之心緒？吳淇於此實隱約指出「撫」與「盤桓」等身體動作乃外物與情志間連繫的重要橋樑，而這些動作亦可視為是詩人內在情思之具象化展現。

　　整體而言，吳淇對於手部意象的闡發，不若足部明顯可歸納成兩大類，而顯得較為瑣碎，然此狀態正好呈現手部舉止的細膩與複雜性，隨之而來背後蘊含之情思也顯得更為多元。

　　其次，像是揮手、招手、揮淚、採桑等，手部所展現的多是頗為尋常之動作，閱讀詩作時極易輕忽而過，特別像是揮手、招手等舉止變化迅速，單一動作停留時間甚短，吳淇卻能費心闡發，除了展現其觀察細微之特點，其評所展現之獨特眼光自是不言可喻。

第三節　手足以外的其他舉止

　　吳淇除了對舉「手」投「足」有較多的闡發，其他舉止便顯得零星而難以歸類。然而這部分若捨棄不談，可惜之處在於將錯過其中的灼灼之論；再者，亦需搭配這部分的論述，方能較完整地呈現吳淇對行為舉止的關照，故仍闢一節加以探討。下文將涉及「飲」酒、射、騎、「振」策、「延」頸、「散」

髮、「抱」杖……等舉止。

在正式觀看述評前需稍作辨析的是，下列舉例中諸如「射」、「抱杖」、「振策」等舉止乍看之下俱為手部動作，然不歸於上一節中談論，主要是因為這些述評多牽涉到全身或者是其他部位的移動或舉止，相較於上一節中之例證，顯得較不單純集中於手部動作，權衡之下，擬歸於「其他」類別中探析。

這部分首先可觀蘇武〈詩〉之評：

> 鹿鳴思野草，可以喻嘉賓。我有一尊酒，欲以贈遠人。願子留斟酌，敘此平生親。
>
> 舊評曰：「尊酒別情淺得妙，唐人反以深失之。」不知尊酒雖淺，全在「鹿鳴」二句，用古道振起精神來。蓋此一尊酒，乃古人所以眖嘉賓者，故珍之重之，以贈遠人。此古人舉動，皆以古道相期，借此尊酒，以敘昔情，所謂情禮兩盡。古人之不草草于離別如此，謂以淺得，非也。（三/69-70）

該詩最後六語（即上列引用之詩句）頗為淺白，似無費詞解釋之必要，然而吳淇卻著意強調此斟酌飲酒之動作並不簡單，一方面展現出個人之間的情誼（「以敘昔情」），另一方面更著眼於相對廣袤之面向，也就是中國文化中贈酒之傳統（「以古道相期」），如此可謂明白指出「贈酒同飲」於公、私領域之雙重意蘊，而使此舉展現饒富咀嚼之韻味。

與飲酒相關者另可參陶潛〈雜詩〉之評：

> 秋菊有佳色，裛露掇其英。汎此忘憂物，遠我遺世
> 情。一觴雖獨進，杯盡壺自傾。
>
> ……此憂無所解，故借飲酒解之。飲以同人為暢，
> 今乃獨飲，初只道一杯半杯，不料一杯復一杯，遂至傾
> 壺，可知其憂之甚多。（十一/295-296）

該評雖簡，但對「飲」字的解說卻饒富玩味的空間，配合飲酒
的狀態（獨飲與否），從半杯、一杯到傾壺，可以看出「飲」
的動作有一漸進性，而此動作正可窺見詩人內心之「憂」逐步
積累的情形，情感之糾結可謂於身體舉止中表露無遺。吳淇此
評當可視為是對本已淺白的詩句做出更縝密而細部之闡述。

　　類似上例由行動的漸進變化帶出情緒者，尚可觀陸機〈赴
洛道中作〉之二之評：

> 遠遊越山川，山川脩且廣。振策陟崇丘，安轡遵平
> 莽。夕息抱影寐，朝徂銜思往。頓轡倚嵩巖，側聽悲風
> 響。……
>
> 頓轡嵩巖，固是將見天子，必先沐浴之禮，然實是
> 迴寫從前一路若醉若癡，至此忽省身已至洛，明日應當
> 見朝，因此徬徨起來。……兩章三個「轡」字，一個「策」
> 字[22]，舊評譏其重複，非也。凡物違其性則悲，性成于所
> 習。士衡吳人，習吳不習洛。吳本水鄉，習舟不習馬。
> 其不習洛之故，不敢顯言，故寫其不習馬以寓意。「總轡」
> 是始上馬，「頓轡」是駐馬，遇崇丘不得不振策，遇平莽

---

22 二「轡」、一「策」已見於上列引詩中。另有一「轡」出現在〈赴洛道中作〉
　之一的前兩句，即「總轡登長路，嗚咽辭密親」。

> 便攬轡信馬而行，是他於閒處冷笑，正於忙處痛哭也。
> （十/234）

吳淇對於前朝舊評的反駁，乍看之下似乎是針對「轡」與「策」字，然而若由整段述評觀之，實際上是從如何操縱「轡」與「策」的動作說起。從「總」轡、「頓」轡、「振」策到「攬」轡信馬而行，吳淇將這一連串動作細節的變化做了集中的論述，並提及「頓轡」的關鍵性質，藉此說明詩人內心情緒的轉變（從「若醉若癡」到「徬徨」）[23]；而「忙處痛哭」之情懷，正是在此三「轡」一「策」之行止中漸步加深而來。相較於舊評譏陸詩單純重複的說法，吳淇對於詩人騎馬時行動的觀察，確實較能具象呈現內心糾結思緒層積之實貌。

　　吳淇另有一類述評，試圖闡發動作背後詩人的思維，亦足可觀，茲以鮑照之〈擬古〉為例：

> 幽并重騎射，少年好馳逐。氈帶佩雙鞬，象弧插彫服。獸肥春草短，飛鞚越平陸。朝遊鴈門上，暮還樓煩宿。石梁有餘勁，驚雀無全目。漢虜方未和，邊城屢反覆。留我一白羽，將以分虎竹。
>
> 全章一「騎射」二字為主。分言其事，曰「騎」、曰「射」，合言其用，總曰「馳逐」也。……騎射之時，成於性情，故曰「好」。下「氈帶」二句寫騎，「石梁」二

23　「頓轡」前後之情思是否如吳淇所述，有「若醉若癡」、「徬徨」等相異情懷，恐有保留空間，畢竟該作是以不樂離鄉為基調，似未見「將見天子……若醉若癡」之相關抒懷。然由此評正可看出吳淇對於頓轡等一系列動作所蘊含情感的轉變，確實有著高度之關切。

> 句寫射。「氈帶」二句，寫少年馬上裝束，正寫騎，暗帶
> 寫射。「獸肥」二句，正寫馳逐，亦帶寫射。「朝遊」二
> 句，專寫馳，見騎之能。「石梁」二句，專寫逐，見射之
> 巧。末四句又將射寫得鄭重。按，古者六藝之科，射、
> 御並重。茲獨重言射者，馳逐之事，昉於晉，荀吳毀車
> 崇卒之後，御道已廢。惟今日之射，猶是古之道也，將
> 以古道報吾君父爾。此詩人占地步。（十三/337-338）

首先，該論將騎、射等動作間的關聯暨差異做了極為細密的闡
發，這些動作在呈現上有正寫、暗寫、帶寫之別，如此評述不
僅將騎、射的主從關係表現出來，更指出詩句接續書寫時騎、
射主從間的翻轉與變化，如此一來，既可見逐、射、馳、騎等
動作生動融合的樣態，復可窺其各自的特點。

其次，詩中有一些較偏靜態的描繪，諸如「氈帶佩雙鞬」、
「象弧插彫服」、「獸肥春草短」等俱是，面對這些人文、自然
之景，吳淇特別以「正寫騎，暗帶寫射」、「正寫馳逐，亦帶寫
射」釋之，有著增補動作意象於其中的用心，而顯然可見他對
行為舉止有多一分的留意；另一方面，如此述評內涵誠為相對
平鋪直敘之詩句增添動態感，而使全詩更顯活潑。

吳淇這段關於身體動作的描繪，尚有一饒富玩味處，即點
出「獨重言射」。若按照原詩以及吳淇正寫、暗寫等解說，騎、
射二者應有不相上下之重要性，何以吳淇其後又言「獨重言
射」？貌似與正、暗寫之論有所扞格。關於這點，或可由吳「尊
經」（一/1）之思想尋得解答。蓋今日之「射」仍保留「古之道」
云云，正可見由身體舉止導向情意思維的脈絡，意即「射」之

動作並不單單只是勇武之表現，更有著延續中國傳統文化的用心，而此所謂之傳統文化，也就是六藝者，乃《周禮》之重要內涵，吳淇既言「余之專論詩者，蓋尊經也」（一/1），復云「今日之射，猶是古之道」，後者的詮釋理路可說是其中心思想的具體實踐，「獨重言射」而略御者，雖則「御」亦為六藝之一環，然在吳看來「御道已廢」，因此專就仍存古道的「今日之射」來談，正是為了展現延續經典傳統之用心。至於鮑照該詩是否真有「以古道報吾君父」之意？或有再作商議的空間，然無可否認的是，就吳淇的詮釋體系而言，其評或可自成一說，而可見詩評家個人之偏側。

《六朝選詩定論》中像上列這般留意揭示行動背後情意者實所在多有，復列舉二例以概其餘：

> 谿谷少人民，雪落何霏霏。延頸長歎息，遠行多所懷。（曹操〈苦寒行〉）
>
> 「延頸」，二句，言我之北上，定有汎所，我懷在此，所懷而不至，則不能不延頸而望也。「延頸」二字，即又帶出寒意來。蓋凡人遇寒則縮其頸，延頸則風雪侵及衣領矣。（五/102-103）

> 吏道何其迫？窘然坐自拘。纓緌為徽纆，文憲焉可踰？恬曠苦不足，煩促多有餘。……散髮重陰下，抱杖臨清渠。屬耳聽鶯鳴，流目玩儵魚。（張華〈答何劭〉）
>
> ……蓋疑何（筆者案：指何劭）自處以靜以明，而譏己之躁且闇也，故首六句極寫一「躁」字，似是認業，却是極不認業。……下「散髮」云云極寫之，以答原詩「舉

爵」「茂陰」云云,句句與本詩首六句[24]相照。曰「散髮」
則身得自由,不迫于纓綏;曰「抱杖」則行得自由,而
不至坐自拘;曰「屬耳」云云,則耳目恬曠而無煩促之
苦。（八/171-172）

評曹詩有意思之處在於「縮」頸與「延」頸間的辨證。他在該
評中指出常人遇寒時的動作（「縮其頸」）,用以對比詩人「延頸」
的用心,除了藉此展現「風雪侵及衣領」而更顯「寒意」外,
更重要的是,此不顧寒意的「延頸」又回過頭來突顯詩人對「所
懷」情感之深。〈苦寒行〉歷來評價甚夥,卻未見如吳淇般由舉
止闡發苦寒而顯如此生動有情味者[25]。

　　第二例亦涉及詩人身體之舉止,復以對比的方式,說明張
華當下及其期待之情緒（「躁」與否）:前六句特別是一、二、
五、六句,直接抒懷的樣貌頗為明顯;而引文末四句「散髮」、
「抱杖」、「屬耳」等則偏向動作之語,吳淇點明此身體舉止所
展現的恬曠之情,除了與前此之「躁」相對,透過放鬆的身體,
當更能表現身、行俱得自由之無拘情懷。

---

24 即上列引文的前六句。

25 與「苦寒」相關之述評,主要有「北人所苦,莫甚於寒。故魏武〈北上篇〉
備言冰雪溪谷之苦……凡行役從軍,車摧馬瘏,雖壯夫悍士,不可堪勝者也。
而況太行與天為黨。羊腸結曲,飛雪千里,長路斷絕,其為悲苦又可知矣」(徐
獻忠:《樂府原》,收於《明詩話全編》,卷8,頁3055)、「此因行役苦寒而作……
首四,就行役所至,先敘山路崎嶇之苦,為『寒』字預作襯托。『樹木』六句,
正寫蕭條寒景。『熊羆』二語,更插得可畏。『延頸』四句,介入遠行思歸心
事,局勢一拓……『行行』四句,就苦飢中帶轉苦寒,極便極密」(清・張玉
穀著,許逸民點校:《古詩賞析》(上海:上海古籍出版社,2000.12),卷8,
頁176)、「『延頸』以下,始入己行旅之苦」(清・方東樹:《昭昧詹言》(臺北:
漢京文化事業有限公司,1985.9),卷2,頁68)……等論可參。然諸評多偏總
括大意、對文意簡單串講,而罕見詩評家本身對詩作之深刻觀察。

納入本節中探討之行為舉止雖較繁雜，仍能窺得某些偏向。首先，像是飲酒、散髮等舉止，因有較固定的文化積累，儘管吳淇點出其背後之情懷，然而不可否認的是，其述評內涵之獨特性是較為有限的。相對而言，振策、射、騎⋯⋯等在詩作閱讀中或許較易被視為是單純的動作而受輕忽者，吳淇卻著意點出詩人於特定情境中之個別體驗，頗能彰顯這些舉止背後之特殊情誼，如此一來，看似平凡的動作便展現出較明顯的個人烙印，這般述評除了深化該詩作之獨特性，亦有助於拓展讀者觀看詩作之視野。

其次，吳淇於尊酒「覘嘉賓」、射的延伸說明中俱提及「古道」，前者可溯自《儀禮》、《禮記》的「鄉飲酒禮」、「鄉飲酒義」，後者則源自《周禮》之六藝。統而觀之，這些行止並非只是當下一個簡單的動作，吳淇特別指出其背後蘊含之古道，並可見這些古道俱來自六經，正與他「尊經」（一/1）、「主漢道」（一/1）之中心思想相符，所謂「聖人之道未墜」（一/2），此類品評乃是其偏向「延續傳統」一脈的主張之具體實踐。

第四節　小　結

《六朝選詩定論》中與行止相關之述評，足部類以「徘徊」與「佇立」為大宗，兩者明顯涉及時間、空間與視覺等議題，而有「展現時間延續或跳躍」、「足部動作涉及之場所」、「視野侷限與否」⋯⋯等種種差異。然而不論「徘徊」或「佇立」，因其多與游子遠征、欲建功立業的背景相關，表現出思念親友之

情，故得具體而微地展現傳統羈旅文化中之感傷情懷。

　　至於手部，因其生理構造可做出相對於足部細微之舉動，故吳淇之評相應細膩而複雜，也表現出較為多元之情思。至於舉手投足以外之行為舉止，若與手部闡發合觀，多可見吳對單純而易被忽略的尋常動作有不少關照，詩評家觀察細微與其之特殊眼光正可由此窺見。「其他」類之行止品評尚可見吳淇「尊經」、「主漢道」等思維，前者可謂是後者的具體實踐。

　　最後，可藉由德國當代新現象學創始人赫爾曼・施密茨之言，作為本章之收束：

> 　　人的具體行為舉止，在理論、實踐和意識上，是以各種獨特文化的對象化為指導的——諸如以某種評價標準形成科學和世界觀的概念，法律、道德、宗教、藝術和詩歌等，這些獨特文化的對象化其實都是（有時是有意識的，有時則是完全無意識的）對身體震顫狀態的應答。[26]

行為舉止乃獨特文化之具現、甚至行為舉止可積累形成某種獨特文化，像這般頗具現代感的身體理論，早在吳淇的部分品評中，已透露相同之精神。落實而言，行為舉止並非瑣碎而無足觀，透過對吳行為舉止闡發的觀察，可使我們具體而微地窺見中國古典文化的某些面向，例如羈旅情懷、古道等，這麼一來，吾輩觀看《六朝選詩定論》，便不光只能由單純闡釋個別詩作的角度視之，而是能藉由對吳評行為舉止的系列探討裡，見到六

---

26 德・赫爾曼・施密茨著，龐學銓、馮芳譯：《身體與情感》，頁13。

朝詩歌融攝於傳統文化脈絡之樣貌，此乃吳淇行止闡發之宏觀性意義。

（本文初稿 2016.5.27 於世新大學中文系主辦之「宏觀與微觀──第九屆兩岸韻文學學術研討會」上宣讀，2017.1 收錄於《第九屆兩岸韻文學學術研討會論文集：宏觀與微觀》（臺北：世新大學出版），2017.12 復增補修改如上。）

第六章　凝滯或推移

── 吳淇之時間闡發

　　就物理層面而言，時間具備瞬逝、變動不居、不可逆等特質，人們分分秒秒面對時間的流逝，這些客觀特點誠引發詩人們相當之焦慮，遠從《古詩十九首》起便對此主題有不間斷的探討與書寫。值得玩味處在於，詩評史上需遲至《六朝選詩定論》，方可理出軸線，見到對時間議題相對集中之評析。誠如本文第一、二章所言，吳淇把詩歌發展史分成西周以前、東周至南朝梁、唐以後（陳隋屬唐之濫觴）等「三際」（二/40-41），展現出對詩歌歷史流變之關照，張健稱之為「宏觀詩歌史」[1]，而此亦為目前學界關注之重心。吳淇的三際說引人懸思處在於：像這般對歷史流脈宏觀之留意，相當程度地展現出吳對時間變遷中詩歌發展樣貌之費心，那麼微觀來看，他對個別詩作中的時間又是如何詮釋？表現出哪些述評偏向？學界對此未有留意，然吳淇卻有頗多精闢的看法，故當有聚焦探析之價值。

　　就吳評全盤觀察，可以見到他對當下時間的重視，表現出

---

1 張健：《清代詩學研究》，頁 229。

對「化塵剎為永恆」的著意闡發；另一方面，過去、未來的存在亦是以當下為中心，因此將率先討論「現前」及其延伸之相關問題。如果說前此傾向對「主觀期待時間凝滯」或主要聚焦於「當下」的探討，那麼吳淇對時間推移之主觀感受的闡發，則有留意「頓漸」與「遲速」的偏向，其中又展現出哪些異於前一主題的情緒思維？乃接下來欲探析者。在對凝滯、推移等主觀時間感受有所掌握後，還可進一步追究的是：詩人們對時間變化的種種思緒感受，又是從何而來？吳淇認為較常見的狀況是受到外物影響，包括四季變化。這部分於《六朝選詩定論》亦佔相當比重而可見吳之獨到觀點，將另闢一節探討。

第一節　現前一刻之強調

　　面對不斷往前推移的時間之流，人們身處其中，隨時都可將時間區分為過去、現在、未來三個階段，其中又以「現在」最貼近人們，「現在是『自知的時間』，它處於時間的中心」[2]，因此詩歌創作會對此多所著墨，似乎也是理之必然。在《六朝選詩定論》中，吳淇對現前一刻有特別的強調，那麼他是如何呈現現前一刻的重要性？此又與過去、未來有何連繫？此乃下文欲著意探析者。

2　張堯均編：《隱喻的身體　梅洛──龐蒂身體現象學研究》(杭州：中國美術學院出版社，2006.7)，頁77。

一、化塵剎為永恆

　　首先可以留意的，是在《六朝選詩定論》中，「截斷過去未來，止留眼前片刻」（十/246）之相關述評時或可見：

> 　　歡娛在今夕，嬿婉及良時。……握手一長歎，淚為生別滋。努力愛春華，莫忘歡樂時。生當復來歸，死當長相思。（蘇武〈詩〉）
>
> 　　凡人未別以前，有以前之恩情，既別以後，有以後之恩情。兩處境界極寬，惟欲別未別之一刻，境界偪甚促甚，最難着筆。古人偏於此處著筆者，正所謂於塵剎上立世界也。蘇李五言首唱如此，前章有「敘此平生親」，此詩「努力」云云，其于別之前後着筆，正于欲別未別之一刻着筆也。（三/70）
>
> 　　對酒當歌，人生幾何？譬如朝露，去日苦多。（曹操〈短歌行〉）
>
> 　　劈首「對酒當歌」四字，正從《古詩・今日良宴會》之「今日」二字來。截斷已過、未來，只說現前，境界更偪，時光更促，妙傳「短」字神髓，較《古詩》更勝。蓋「今日」二字雖妙，然一日之間未必皆「對酒當歌」之時也。（五/101）
>
> 　　親昵並集送，置酒此河陽。中饋豈獨薄，賓飲不盡觴。愛至望苦深，豈不愧中腸！（曹植〈送應氏詩〉）
>
> 　　此章只就臨別一刻，杯酒依依、不忍分袂光景，以

見平日之傾倒，而其人之足重可知矣。古人別詩，大約
如此。（五/124）

朔風吹飛雨，蕭條江上來。既灑百常觀，復集九成
臺。……平明振衣坐，重門猶未開。耳目暫無擾，懷古
信悠哉。（謝朓〈觀朝雨〉）

無始無終曰常，有始有終曰時，有始無終曰悠，有
終無始曰久。前截始後截終，止目前之一頃曰「暫」。此
詩用「暫」字、「悠」字妙甚。此是言我之懷，雖出於眼
前觀雨之頃，而其意固千古不盡也。（十五/416）

生平少年日，分手易前期。及爾同衰暮，非復別離
時。勿言一樽酒，明日難重持。夢中不識路，何以慰相
思？（沈約〈別范安成〉）

……下四句正就那別離一刻上摹寫。「勿言」二句少
展一限，「夢中」二句，忽又倒轉今夜，謂明日以後且不
消算計，只此分手而去，知爾今夜宿在那里？……看他
一篇文字，只覷定「別離時」三字，真是看着日影說話。
往前寫，直說到「少年日」，何其太長；往後寫，只說到
「明日」便止，何其太短。一短一長，只逼此眼前離別
之一刻，真老年人手筆也。（十六/439）

諸評有意思之處在於：送別種種、觀雨、對酒當歌等在原詩中
俱占極大篇幅之描繪，然而吳淇卻特別提醒讀者此刻甚短、極
易消逝，「欲別未別之一刻，境界偪甚促甚」、「只說現前，境界
更偪，時光更促」、「只就臨別一刻」、「止目前之一頃」、「只逼

此眼前離別之一刻」，這就與原詩大比重、貌似這些場景俱延續一段一定長度時間的書寫形成強烈對比，如此述評之用意，在於使人充分意識到時間逼促樣貌之際，復能感受詩人「於塵剎上立世界」、主觀拉長時間的苦心；吳評謝朓詩言「千古不盡」之懷古情思凝鍊於「眼前觀雨之頃」，述評思維殆同於此。「只有現在存在，這之前和這之後都不存在……真正的現在是永恆性」[3]，吳著意指出當下之時間點，意欲突顯剎那永恆的可能，正是海德格爾這段理論的具象化展現。

那麼具體而言，吳淇又是如何強調現前一刻永恆之樣貌？他多選擇突顯原詩中的某個場景，像「對酒當歌之時」、「臨別一刻，杯酒依依、不忍分袂光景」、「眼前觀雨之頃」俱是。諸評所展現的，是一暫時凝滯的畫面，「以空間的形式保存了時間……在圖像中，時間已經被空間化了」[4]，這就使時間在某個層面上轉換為空間，而呈現定格的樣貌；於此狀況下，吳淇又加強闡釋此場景，而使彼刻似乎超出時間不停流逝的性質外，展現詩人當下情思永恆的可能性。

上列評曹植詩還有一處頗值留意，那就是按照吳淇的解說，當下場景若擴大來看，尚可「見平日之傾倒」，這意味現前一刻並非只有當下，尚有所拓展，蘊含著普遍日常的性質；反而言之，此普遍日常復凝煉於現前，可謂藉前者尋常積累的力量，強化後者短暫卻得精神層面永恆之可能性，這般述評誠貼切揭示詩人臨別之際暨平日的樣貌。

---

3 德・海德格爾著，陳嘉映、王慶節合譯，熊偉校，陳嘉映修訂：《存在與時間(修訂譯本)》(北京：三聯書店，2008.6)，頁487。
4 龍迪勇：《空間敘事學》(北京：三聯書店，2015.8)，頁417。

　　吳淇對現前一刻之重視，除了表現在對永恆之強調，他尚細細區辨不同的時間點，或者說明相異時段予人不同的時間感受，藉此突顯當下之特殊性。其評〈觀朝雨〉對「常」、「時」、「悠」、「久」、「暫」之區別，將原詩不那麼清晰的時間長度做了細膩的說明，從而彰顯觀雨之「頃」那帶有偷閒意味的感受，這就從時間長度之別的闡發中推衍出詩人當下之情懷；言「『對酒當歌』之時」較「今日」更短，吳淇以為此乃詩歌本身「妙傳『短』字神髓」，實則就品評的內涵觀之，吳精細指出詩中飲酒「當下」時間點之逼促，則更顯其評之妙，他對現前的費心留意於此復可見一斑。

　　吳淇彰顯「當下」的述評模式，另有與前後時段，也就是過去、未來相比對之方式。像是評蘇武詩指出別前別後「境界極寬」，用以對照欲別未別之際是如何促迫；評沈約詩則是點出少年日與明日之長短，如此「一短一長，只逼此眼前離別之一刻」，這般分析確有深化眼前一刻何等短促之功。必需特別指出的是，蘇武詩中離別前後的時間樣貌並不明顯；「少年日」與「明日」於原詩中的作用亦不清晰，若非吳淇做為解人，恐難深刻彰顯詩中「現在」這個時間點，他對當下之重視誠不言可喻。

　　綜上所述，「現在」乃是「存在與意識相一致的區域」[5]，而「『存在』……是承擔著過去並蘊含著未來的現在這一剎那間的充實」[6]，因此「現在」可以見到過去與未來的影子；對應至吳評，他彰顯「當下」對詩人們的重要性，強調當下雖短，卻是意識的中心，所有感受知覺莫不於此刻有最鮮明強烈的觸動。

---

5 法・莫里斯・梅洛龐蒂著，姜志輝譯：《知覺現象學》，頁530。
6 松浪信三郎：《存在主義》(臺北：志文出版社，1992.5)，頁109。

換言之，過去、未來與感受、意識俱凝煉於現前，而使當下展現出頗為豐厚之樣貌，此乃吳淇闡發「當下存在」之重要意義。

二、記憶過去之哀

藉由不同時間點突顯現前一刻，於《六朝選詩定論》中頗為常見，卻另有一類表現出異於前一點諸例之思維情懷，而以闡述「過去」為大宗：

> 疇昔之遊，好合纏綿。借曰未洽，亦既三年。居陪華屋，出從車輪。方驥齊鑣，比迹同塵。（陸機〈贈馮文羆遷斥丘令〉）

> 述舊……前第四章宜用實寫，却用王貢彈冠事虛寫，至此方用居陪出從實寫，最有妙意。蓋凡人一堂聚首時節，眼前實景，視為固然，不消所得，只說兩心纏綿的意思。及到別離時節，心中之纏綿依然如故，而往日實景渺焉欲逝，又不覺提到眼前。此人情所必至，因以見作文之妙也。（十/231）

> 青青河畔草，鬱鬱園中柳。盈盈樓上女，皎皎當窗牖。娥娥紅粉妝，纖纖出素手。昔為倡家女，今為蕩子婦。蕩子行不歸，空牀難獨守。（《古詩·青青河畔草》）

> 景與情妙在虛實相生，了無痕迹，尤要在現前之一刻。此詩「盈盈」四句，就作者眼中實寫。「昔為」四句，就作者意中虛寫……蓋此時作者與此女同在草青柳鬱之一刻中，全在「昔」「今」二字，逼出現前妙趣……序及

> 昔今者何？今此女昔不為倡，女則獨守已慣；或今不作
> 蕩婦，則行有歸期。故唯「昔為」云云，故最難當此現
> 前之一刻，而覺昨夜空牀猶成已過也。凡現前一刻，古
> 詩最重，如「今日良宴會」及「對酒當歌」等詞，皆同
> 此意。（四/78-80）

二例俱可見吳淇藉由對虛實筆法的分析，帶出過去對當下的影
響：評陸機詩將「往日實景」「提到眼前」，一方面使過去延續
至今日，讓不同時間點跨越時差疊合交錯；另一方面，別離當
下的情感也因有過去情懷的堆疊而更顯纏綿深厚。吳對虛（過
去）、實（現在）表層結構的說明，誠有著借過去烘托、強化今
日情感之效用。至於評〈青青河畔草〉，則點出過去女子為倡（虛
寫）對今作蕩婦（實寫）的重大影響，吳淇將「最難當此現前
之一刻」的因由做了合理而貼切的追究，現前一刻誠背負著過
去諸多的不堪。

吳淇側重闡發往昔某些時間點，用以突顯現在之感慨，尚
可參下列述評：

> 追兵一旦至，負劍遠行遊。去鄉三十載，復得還舊
> 丘。升高臨四關，表裏望皇州……扶宮羅將相，夾道列
> 王侯。（鮑照〈結客少年場行〉）
>
> 「去鄉三十載」，人鮮不以為過文語耳。殊不知一篇
> 關鎖，全在此句。……人生做事，全在壯年，此却重寫
> 老，輕寫壯年，何也？因其輕而輕之，正是重寫少年也。
> 當少時只因負酒使氣，遂致亡命，非有邪也。亡命凡三
> 十載，此三十載中正是壯年做事時候，試問此三十年中

無所為乎？觀其歸家而歎，正歎此三十年間，或不得有為，或為未成耳。至「升高」云云，亦是去鄉三十年中，家下時勢人情俱變盡。今之將相王侯，非昔之將相王侯者。曰「扶」、「羅」，曰「夾」、「列」，何王侯將相之多乎？我獨不能取此，所以百憂交集也。（十三/343）

　　昔日繁華子，安陵與龍陽。夭夭桃李花，灼灼有輝光。（阮籍〈詠懷〉）

　　蓋凡人作此等詩，必從極興頭處，直說到極敗興處，而此則纔到盡歡處便住口，却是妙寫極敗興，緣他從開口處即用「昔日」二字作柄，謂此已成昔日之事，把無限繁華繾綣却纏成冷落棄擲，真足發人深省。（七/148-149）[7]

前詩要在闡述今日的一事無成，後者旨在敘說安陵與龍陽是何等繁華與契合。儘管重心各有所偏，然值得留意的是，吳評的其中一個重點在於對二詩所蘊含時間因子的闡發。原詩「去鄉三十載」、「昔日」乍看之下會認為不過是表層結構之「過文語」及詩作簡單的開場，吳淇卻特別拈出「過往」這個時間點在詩中的作用：或者著意解釋詩歌僅以「去鄉三十載」一語「輕寫壯年」，點出詩人面對明明真實存在而持續一段頗長時日的壯年卻輕忽帶過，如此虛語文飾般的書寫正是對「此三十年中無所為」、今日一事無成的最佳表示；或者言「昔日」是如何「盡歡」，「卻是妙寫極敗興」，從而於今昔對比中帶出深層的慨歎。這麼

7　一般視此為「引昔以論今」(靳極蒼：《阮籍詠懷詩詳解》(太原：山西古籍出版社，1999.9)，頁47)之作，亦即以安陵、龍陽(昔)諷諭司馬政權(今)，與吳淇之解有所出入，卻無礙二說之並存。

一來,誠可見「過往」對當下以及當下情感有著十分鮮明的烘托效用。

　　上列四例已可見吳淇對現前一刻之闡發,似乎多與過去連結而較少談論未來,類似論述所在多有,王讚〈雜詩〉「『朔風』一動,邊馬便有歸心。我之『分析』『靡靡』至今,所經不止一秋,何至今日而始思歸歟!」(九/225)、陸機〈贈從兄車騎〉「首四句,今之翩翩連翩,遊宦于此者,固昔之同林共藪者」(十/241)、顏延之〈秋胡詩〉「秋胡歸路,即秋胡去路。去路如此,則歸路可知。故只下『遵』字,遂接『昔』、『今』二字」(十二/325)、謝惠連〈搗衣〉「君之腰帶,疇昔如此,今其是耶?其是惟一,其非邪?其非有二:或過或減,其減耶?是君之念妾,亦如妾之念君也;其過耶?是君則忘妾也:總不可知。我唯準疇昔而作:以明己心之無改」(十四/396)、任昉〈贈郭桐廬出谿口見候余既未至郭仍進村維舟久之郭生方至〉「『悲歌』句寫眼前相見光景,帶完往日之寒溫」(十六/441)……等評俱可見到如此趨向。評註固然受限於原詩,然而值得留意處有二:這些詩作即使出現今、昔等字眼,過去與現在的時間聯繫並不明顯;吳淇站在詩評者的角度,或者追究何以今日會有如此樣貌,或者著重闡發詩中今昔安排的用心,從而展現過去、現在的密切關聯,這就將原詩中的時間因子更為鮮明地展現出來。另一方面,就時序的劃分而言,《選》詩內涵涉及「未來」時間點者亦不少見,吳淇很多時候卻只是簡單提及,甚至略而不注[8],倒是

8　例如本節第一點所舉之例,可以看出吳淇即使提及「未來」,卻多只是簡單做為對比「當今」之用。另外像是曹植〈贈白馬王彪〉「離別永無會,執手將何時」、陶潛〈擬古〉「豈無一時好,不久當如何」……等詩句,都有指向未來的意味,然吳評俱未針對未來的時間點有所闡述。

對「昔」、「今」有較多的闡發，這就展現出詩評家的品評趨向，
也就是更偏重「昔」、「今」二者。

可以進一步思考的是，吳淇何以會特別關照詩作中「過去」
這個時間點？恐怕在於欲藉由對「過去」無論如何都無法重來
的強調，說明時間之不可逆，而此特性將引發「現在」時刻的
詩人因無法回到過去而產生當前難熬、「百憂交集」、「發人深省」
之悲感，從而強化展現詩人對當下時刻敏銳之意識。

除了時間不可逆之特性，過去與現在的關係是否還有其他
層面，促使吳淇對此多所留意？或可由梅洛‧龐蒂的論述得到
啟發：

> 我們始終以現在為中心，我們的決斷來自現在，因
> 此它們總是要與我們的過去有聯繫，它們從來就不是無
> 動因的。[9]

相較於飄渺不可知的未來，過去是曾經經驗、而現在是正在感
受者，時間於今昔間的流動、過去對現在的影響（「動因」）已
然可見，這些都是經歷而較好掌握的。其次，「現在」得以「對
過去的記憶的現場敘事化」[10]，「過去」雖已逝去，卻能於「現
在」見到它的身影，在吳淇的闡發中，正因往昔的重量堆疊於
現今之上，而使過去有著加深當下情緒強度的作用，諸如今日
之「始思歸」，暗含過去「不止一秋」之積累；正是「往日之寒
溫」，加深今日悲歌之「不自持」；「往日實景渺焉欲逝，又不覺

9　法‧莫里斯‧梅洛龐蒂著，姜志輝譯：《知覺現象學》，頁 535。
10　黃筱慧：〈追憶歲月年華中記憶的流逝與情感的重現〉，《哲學與文化》第 488
　　期(2015.1)，頁 100。

提到眼前」，像這般具體表現「人情所必至」（十/231）者，同時也是「現在帶出了過去的現在意義」[11]之具現。換言之，「現在」知覺情緒的強烈觸動，「過去」扮演的推動角色是頗為關鍵的，此亦吳淇何以多次藉由過去突顯現在之可能因素。

然而《文選》所收詩歌採用「昔……今……」句法者，「並列相同境遇者少，對照不同境遇者多，而且後者幾乎全部都在強調今非昔比的情感」[12]，吳淇以「過去」烘托「當下」之相關品評亦有此傾向，這就使時間議題帶有較濃厚的悲劇色彩。

綜合本節之探討，可以見到吳淇在闡發詩作中「當下強烈的時間感」之際，一方面極力突顯彼刻永恆之可能性；另一方面，他尚試圖挖掘詩歌中「過去」對「現在」之影響，這類品評多顯哀感，而可看出「過去」具備強化「當下」知覺情緒的關鍵性作用。不過此處還需特別辨析的是，本節第一點「化塵剎為永恆」之評注舉證即便涉及過往，終究以更大篇幅描繪當下；而本節第二點述評對「往昔」闡述之比例有時明顯較「現今」為重。兩類品評雖俱涉及今昔，重心顯然有異，前者著意闡發時間停留的可能，而後者則更在意時光之不可逆與悲感的堆疊，故使述評所展現之情感走向大致有積極、消極之別。兩者雖有如此差異，卻俱為詩人時間感受之真實樣貌；吳淇在點出詩作時間感多重面向的同時，也可看出詩評家本身對時間議題有著強烈的關懷。

本節提及之詩評若與歷朝品評相較，將更能突顯吳評之獨

---

11 同前註，頁98。
12 吉川幸次郎著，鄭清茂譯：〈推移的悲哀(上)──古詩十九首的主題〉，收於《中外文學》第6卷第4期(1977.9)，頁44。

特性。歷代不論是零星而鬆散的詩評[13]，或者是針對上列單一詩歌有較明顯品評偏向者，對時間議題有所關懷者均佔少數，茲條列後者較具代表性者[14]如下：

　　魏武《度關山》、《對酒》等篇，古質莽蒼。[15]

　　聳然高峙，絕無緣傍，壯士搔首語，不入綺羅麗句，老氣酷烈撲人。[16]

　　跌宕悠揚，極悲涼之致。[17]

　　此嘆流光易逝，欲得賢才以早建王業之詩。[18]（以上評曹操〈短歌行〉）

　　詞藻氣骨有餘，而清和婉順不足。[19]

　　思深言遠，一氣團結，此為建安風調。[20]

　　惜別中都帶憤激。[21]（以上評曹植〈送應氏詩〉）

---

13 例如王贊〈雜詩〉似僅有陸時雍「『朔風動秋草，邊馬有歸心』氣韻生動，然是晉語」（《古詩鏡》，卷9，頁83）一評；沈約〈別范安成〉雖有較多品評如馮復京「佻薄已極」（《說詩補遺》，收於《明詩話全編》，卷4，頁7226）、鍾惺「字字幽，字字厚，字字遠，字字真」（《古詩歸》，卷13，頁497）、賀貽孫「風骨道上，為齊、梁間僅見」（《詩筏》，收於《明詩話全編》，頁10405）……等，然諸論各有不同聚焦而俱未見對時間的關懷。至於鮑照〈結客少年場行〉在吳淇以前或同時期，僅陸時雍評「搔首平生，撫懷悲吒」微含時間意味（《古詩鏡》，卷14，頁136），卻頗零星，而難做進一步的探討。

14 顏延之〈秋胡詩〉之評詳參第四章註5，以善鋪述、於顏氏詩作中別具一格之論最為常見，因前文已述，此不具列。

15 明・胡應麟：《詩藪・內編》，收於《明詩話全編》，卷3，頁5471。

16 明・陸時雍選評，任文京、趙東嵐點校：《古詩鏡》，卷4，頁31。

17 清・陳祚明評選，李金松點校：《采菽堂古詩選》，卷5，頁128。

18 清・張玉穀著，許逸民點校：《古詩賞析》，卷8，頁175。

19 明・胡應麟：《詩藪・內編》，收於《明詩話全編》，卷2，頁5460。

20 清・何焯語，收於清・王文濡：《古詩評註》（臺北：廣文書局，1982.4），卷下，頁20。

　　曾原謂「此詩刺輕於仕進而不能守節者」，得之。（劉
履語）

　　以如此美人，而必託言「倡家」者，喻君子處亂世
也。（朱筠語）

　　此託為離婦之詞，以況君臣朋友少不自持，所依非
人，終致失所。（劉光蕡語）

　　娼家女……妙在一「昔」字揭過，歸結到「今為蕩
子婦」，則……為紅粉、為素手，悉屬鏡花水月矣。（饒學
斌語。以上評〈青青河畔草〉）[22]

　　是其攄志緣情之作，微傷媚焉。[23]

　　止結二語佳。[24]

　　千古擣衣妙詩不能出結二語範圍，覺一為淺拙之氣
頓洗。[25]

　　一結能作情語，不入纖靡。[26]

　　前八，以流光易逝意起，便即時物鋪敘秋景。[27]（以
上評謝惠連〈擣衣〉）

歷代評曹操、曹植之作，即使將範圍縮小至單一作品，亦如上
所列，多脫離不了由建安風骨的角度作評；〈青青河畔草〉則是

---

21 清・張玉穀著，許逸民點校：《古詩賞析》，卷9，頁197。

22 俱收於明劉履等著，隋樹森編：《古詩十九首集釋》，頁60、121、206、156。

23 明・馮復京：《說詩補遺》，收於《明詩話全編》，卷3，頁7219。

24 明・陸時雍選評，任文京、趙東嵐點校：《古詩鏡》，卷13，頁131。

25 明・鍾惺、譚元春輯：《古詩歸》，卷12，頁477。

26 清・沈德潛選：《古詩源》，卷11，頁246。

27 清・張玉穀，許逸民點校：《古詩賞析》，卷16，頁373。

以政治美刺之品評為大宗；〈搗衣〉則多將重心擺在結語之佳。上列諸論涉及時間者，僅張玉穀〈短歌行〉、〈搗衣〉以及饒學斌〈青青河畔草〉之評，然張評近乎對詩作要旨之概括，而難窺見詩評家本身的時間意識；饒論頗有意思，從往昔身分映照出今日美貌之虛幻性，卻近孤例，較難看出系統性的看法。吳淇能大量留意詩歌中所描繪的當下瞬間與今昔時光，發前後詩評家之所未發，在展現對時間一系列看法的同時，更藉此突顯詩人的情懷與感受，其述評之特殊性實不言可喻。

　　通觀《六朝選詩定論》，吳淇對「現前」之相關闡發，以別離相思之作最為常見。茲以上列舉例加以歸納，蘇武〈詩〉、曹植〈送應氏詩〉、沈約〈別范安成〉、陸機〈贈馮文羆遷斥丘令〉、〈贈從兄車騎〉、任昉〈贈郭桐廬出谿口見候余既未至郭仍進村維舟久之郭生方至〉、謝惠連〈搗衣〉、《古詩‧青青河畔草》等俱屬之。如果試著與別離詩的特性相較，當更能清晰窺見吳評之側重面。松浦友久曾歸納別離詩的特性在於空間隔離感、「再會之日遙遙無期而憂慮的時間距離感」以及心理距離感[28]等三點，一、二點對應至吳評，會發現原詩中部分空間描繪之語似有被吳淇忽視的傾向[29]；而於未來再會無期的時間感受，也有相當比例被吳轉換成對現前一刻之留意。別離詩特性之一與吳評間的落差，意味著相較於空間隔離感，吳淇確實更看重別離詩中的時間因子；至於別離詩特性之二「對未來的憂慮」，似非吳所著重者，他用以品評古詩所謂「現前一刻，古詩最重」（四/80）

---

[28] 松浦友久：《李白詩歌抒情藝術研究》（上海：上海古籍出版社，1996），頁67。
[29] 例如曹植〈送應氏〉的「山川阻且遠」、蘇武〈詩〉之「行役在戰場」，表現的正是別離後空間的阻隔，吳淇對此卻未有所著墨。

者，實際上正是吳淇本身對時間關懷的趨向，亦即更看重當下，或者極力突顯詩作中化剎那為永恆的面向，或者展現當下的強烈感受，相較於憂慮未來之哀情，吳評似乎展現出對時間更積極正向的把握。

　　再者，別離相思之作尚有一處值得留意，就是欲別未別之際往往是人際變化的起點，前此或有共同相處的記憶，不論時間長短，至少皆為詩人與親友所共有。於分道揚鑣前的最後相聚之時浮現過往記憶，或者是別後憶起雙方曾共同擁有之時光，俱為現前一刻之自然感發；而吳評費心於此的啟示在於：欲凝結別離的當下或將過往烙印於現在，此乃撫慰當下情懷的重要方式之一。

　　另一方面，如前所述，闡釋內涵涉及今昔者，尚有一類表現出較顯著的悲哀情懷，這就呈現出異於「積極追求永恆」的另一層面，不過整體而言，告別場景設定於當下的作品，所呈現的時間情懷以企望永恆者居多。要之，吳評展現的乃是最真實的人情，一方面呈現詩人戮力希求恆久的情懷，亦不乏透露他們內心憂愁之悲感，可謂淋漓盡致地展現出詩人對時間種種真切的感受。

　　最後還有一點值得玩味，專就《古詩十九首》而言，若與吉川幸次郎〈推移的悲哀〉一文相較，會發現吳淇、吉川二人俱留意到時間永恆的面向，吉川認為「比較常見的是超越時間而永恆不變的真誠」[30]，然吳淇留意處卻與他不同，除了評〈迢迢牽牛星〉「詩中自首至尾，亦不及秋夕一字，終年如此，終月

---

30 吉川幸次郎著，鄭清茂譯：〈推移的悲哀(上)——古詩十九首的主題〉，頁53。

如此，終日如此。所守之貞之苦，終古如此也」（四/86）近於吉川之論，吳淇顯然更重「現前之一刻」（〈青青河畔草〉四/78），諸如「全在『昔』『今』二字，逼出現前妙趣」（〈青青河畔草〉四/79）、「劈首『今日』二字，是一篇大主腦。以下無限妙文，皆回照此二字」（〈今日良宴會〉四/81）、「如此一刻，真抵千金」（〈東城高且長〉四/89）云云俱屬之。二人皆有著改變時間物理性質的主觀意願，如果說吉川之永恆屬於「永遠不放棄真誠」[31]、於時間流中持續綿延甚至超越時間者，那麼吳淇所重則在化當下為永恆，明顯將焦點集中在眼前這一刻。兩人從不同面向關注詩人們對永恆時間的嚮往，正可看出《古詩十九首》時間議題內蘊之豐富性。

第二節 「時間推移」之解讀偏向

　　時間的計算雖可明確而客觀地區分出分秒，並見其恆常規律地流逝，然「對於個人，存在著一種我的時間，即主觀時間」[32]，在吳評中，主觀時間顯然受到較多關照。如果說上一節對時間凝滯的可能、或者說是「當下」這個時間點做了較多的探析[33]，那麼本節則更著重於時間的流逝。就時間「推移」的主觀感受而言，《六朝選詩定論》中以「頓漸」、「遲速」兩大類別之述評

---

31 同前註。

32 許良英，李寶恒，趙中立：《愛因斯坦文集》（北京：商務印書館，2009.12），頁156。

33 前一節第二點關於過去的探討，重點在於展現「過去」對「現在」的作用性，雖並提今昔，然時間推移的層面並非吳評之重心。

最為突顯，吳評點出時間流逝予人起伏不定的感受，強化展現詩人對時間難以掌握之焦慮感，茲探析如下。

一、積累之「漸」發於一頃（「頓」）

就客觀的物理性質而言，時間分秒流逝是規律而平均的，人們處於日常規則的生活中與時間同步向前，通常不會隨時感受時間的流逝，此乃「漸」之樣態。然而時間積累的力量是頗為驚人的，詩人們一旦被外物觸動，「頓」時所感往往會引發強烈的情緒，而對時間有極具意識的感受。對於頓漸的闡發，吳評《古詩·庭中有奇樹》無疑是最好的代表：

> 庭中有奇樹，綠葉發華滋。攀條折其榮，將以遺所思。馨香盈懷袖，路遠莫致之。此物何足貴，但感別經時。
>
> 夫經時之感，止在折榮相贈之一刻。而必自樹之「奇」說起者，以見感雖生於兜然，而時之積已久……「此物」，即「其榮」，蓋樹有三物：曰條、曰葉、曰花，就折之時，命之曰「其榮」，為其附著於樹也。故連葉條而對言之，以明時之成於漸積也。就折之後，命之曰「此物」，為其已離別於樹也，故離條葉而專言之，以見感之觸於蓦然也。「感」字應前「思」字，蘊之為思，發之為感，但感之發因於時，而時之變徵於物。故由榮而遡之葉，由葉而遡之條，時亦屢變，豈容無感？但物未極其盛，則時亦未極其變，故有思而無感。及其葉而榮矣，物盛極矣，

> 時變極矣，感雖發於偶爾之一頃，而從前積累之蘊，都攝聚於此一頃……不從條葉說起，則寫時變不出，寫感字亦不出，故必由「庭前有奇樹」發端耳。（四/85-86）

吳淇對詩中「頓漸」之感的說明，主要是由字辭區辨以及全詩架構進行分析。前者集中在「此物」、「其榮」與「感」、「思」的辨析。何以詩人會稱「其榮」為「此物」？固然還有感傷而不貴此物等其他層面的解釋，吳淇卻由條、葉、花三者的樣態（「離條葉」與否）導出「此物」與「其榮」的差別，從而指出背後時間作用或感受之不同（「時之成於漸積」、「感之觸於驀然」）。「感」、「思」之辨則是在指出感情思維不同樣貌之際，同時也展現時間頓漸之別（「時亦未極其變，故有『思』而無『感』」、「『感』雖發於偶爾之一頃」）。吳淇的字辭區辨誠非停留於表層形構之說明，而是能藉此更為層次分明地展現詩作裡時間暨情感的推進。

以上乃吳淇就詩歌細微處談頓漸。在字辭辨析的基礎上，他又是如何從全詩架構來分析頓漸？要在「感之發因於時，而時之變徵於物」。「物」乃「時」變之表徵，而「感」又來自「時」的改變，「時」顯然具備關鍵性地位。值得留意的是，此處之「時」並非泛泛之論，吳特別指出此「時」是有所限定的，也就是於「時之積已久」的背景下忽生之「驀然」，而此「頓」的瞬間又是以「物盛極」作為標幟，正因有「時」之「變極」引發物變，從而進一步帶動情感之起伏。吳在點明物色隨「時」推衍之際，也同步揭示詩人情感之變化，詩人對時間的感受在吳對詩歌組織的層層解說中有了更鮮明的展現。時變、感物等論述於《六

朝選詩定論》中隨處可見，下文還會再議。

細觀原詩，最後「但感別經時」雖點出時間因子，然時間如何由「漸」過渡至「頓」、物與時的關係等，於詩中誠未能明確窺得。吳淇則能以「時」為核心，在頓漸感受的說明中，串連節物與詩人之情；其次，吳淇由「漸」至「頓」的述評，同時也細膩點出詩人面對時間推移時情感的起伏變化，可見就主觀感受而言，時間的流逝並非恆定規律者，而是有起伏緩促的差異；再者，原詩中的榮華亦因吳評刻意指出其中暗含的時間因子，而使此意象更為豐厚飽滿。吳淇在這些層面的提點，無一不顯其品評之妙。

類似上述這般闡說，尚可參下列述評：

> 形變隨時化，神感因物作。（盧諶〈時興〉）
>
> 凡人之形變而衰老，時變之也。時之變物以漸漸而忘焉，故曰「隨時化」。凡人之神感而悲戚，物感之也。物之感人以頓頓則驚矣，故曰「因物作」……形為時變，冉冉老至而功名不遂也。（十一/289）
>
> 凜凜涼風升，始覺夏衾單。（潘岳〈悼亡〉）
>
> 在此時之覺亦非痛定，止是借此涼風一升，逼出衾單之覺，以顯出前此之不覺耳……自此一覺，因而猛驚此天氣漸寒矣。（八/183）

前詩透過頓漸將「物」、「時」、「感」三者的關係與區別明確標示出來，這裡所呈現的，乃是尋常與否的對比，正因「時之變物」是尋常而緩慢的變化，予人之感受性不強，故云「漸漸而

忘」，可見人們並非敏感地隨時留意時間，物變的緩慢積累必需達到較大幅度的變化時，方易使人頓驚，換言之，人們多於物色轉變之際方有所知「覺」。饒富意味的是，頓漸於盧諶原詩中俱未明示，吳淇卻藉此二者將詩人的感受充分展現出來。第二例「前此之不覺」為「漸」，而對時間之「猛驚」則為「頓」，同樣可見吳對時間予人之頓漸感受確有特別之留意。

　　關於詩歌中頓漸的時間感受，除了如上列諸例指出兩者的關聯性，而有更偏重「頓」之「驚」感的傾向；吳淇還表現出另一番觀察視野，而相對突顯「漸」的感「覺」性：

> 相去日已遠，衣帶日已緩。浮雲蔽白日，遊子不顧返。思君令人老，歲月忽已晚。（《古詩・行行重行行》）
> 「日已」二字，却又挑動下文「忽已」二句……勿謂人之未老，歲月尚有可待也，屈指從前歲月，固不可云不晚矣。妙在「已晚」上著一「忽」字。彼衣帶之緩曰「日已」，逐日撫髀，苦處在漸，歲月之晚曰「忽已」，兜然驚心，苦處在頓。（四/77-78）

> 涉江采芙蓉，蘭澤多芳草。采之欲遺誰？所思在遠道。還顧望舊鄉，長路漫浩浩。同心而離居，憂傷以終老。（《古詩・涉江采芙蓉》）
> 「思君令人老」，「老」字頓其難堪在前；「憂傷以終老」，「老」字漸其難耐在後。（四/83）

> 浩浩陰陽移，年命如朝露。人生忽如寄，壽無金石固。萬歲更相送，聖賢莫能度。服食求神仙，多為藥所

誤。不如飲美酒，被服紈與素。(《古詩・驅車上東門》)

　　「陰陽移」，猶云日月逝。但「逝」字頓，「移」字漸，日月逝，與人年命無關，陰陽移，却有關於人年命事……自古及今，死死生生，展轉相送，俱在一「移」字摹出來。(四/90)

諸例俱可見吳淇特別留意詩人的遣詞用語，在此基礎上展現吳對頓漸時間感受的多重觀察：首例可見漸頓之間相應的樣貌，在「逐日撫髀」與「兜然驚心」的雙重折磨下，時間帶來的苦處實為無所不在地難熬。第二例則是在與其他詩作相較中，說明同樣言「老」，卻有頓漸之別，而此頓漸又牽涉到不同的時間階段，或者由過去別離相思之積累帶出今日之「頓」(「頓其難堪在前」)，或者將「漸」由現在往未來持續綿延(「漸其難耐在後」)。末例姑且不論「日月逝」是否真與人命無關，吳確實對頓漸多所著意而慮及詩人選詞用字之費心。此處再次可見吳淇闡發詩作表層用語之際，也同步展現對時間之細微觀察，以及與此相應之時間感受，而可見詩作形式與內容層面密切交融之樣貌。

　　這裡還可進一步思考的是，時間線索於原詩中已可窺得，那麼吳淇的品評究竟多出哪些隱形層面？或可與原詩涉及之時間關鍵句相互比較。原詩中不論是「思君令人老，歲月忽已晚」、「思君令人老」，或者是「人生忽如寄，壽無金石固」，似乎多將重心放在老死與「倏忽」這個衝擊力道最強的時間點上，此亦一般閱讀這些詩作時最容易留意到的時間層面。那麼像這類衝擊力道最強的時間點，究竟是如何醞釀而成？乍觀原詩，誠

不甚清晰，吳淇卻著意於醞釀的階段，指出「逐日」、「漸」的緩慢變化，說明此苦處不亞於「頓」，這就將原詩中暗含時間「漸」之一端較明確地突顯出來。這組詩評與前述《古詩十九首》、盧諶、潘岳詩論雖同樣涉及頓、漸，然後面這組詩評的闡釋重心更偏向「頓」，相對忽視「漸」之感「覺」性；此處則是更細膩地考慮到「漸」之難耐與苦辛，在頓、漸時間感的比照中，「漸」這個於原詩中易受忽視的一端，似乎在吳評中獲得彰顯，而得以同「頓」受到較為平等的重視。

　　透過上列述評尚可看出，物理時間的流逝雖屬恆定，但對人們而言，心理的時間感受卻是不規律而顯多重、複雜。吳評可說是將較表層的時間樣貌做了更深刻的挖掘，呈現時間推移的多重面貌，也就是在說明「頓」對詩人們情感衝擊的同時，亦不忘細細提點「漸」之作用。

　　吳淇之評的特殊性還是需與歷代詩評相較，方能更顯其價值。上列這組詩作與時間相關之品評主要如下[34]：

> 因墓中之人，而思人生如寄，神仙皆妄，不如飲酒被服，以樂餘生。（董訥夫語）

> 人壽有限，雖往古聖賢，亦莫能過越於此者。（劉履語）

> 一詩之骨，而以不如甘飲華服，取適目前收足之。（張玉穀語）

> 「移」字妙甚，自古及今，死死生生，更迭相送，都在一「移」字中。（張庚語）

---

34 盧諶〈時興〉歷朝幾乎無人做評；潘岳〈悼亡〉之評留待下文再敘。

「浩浩」二句，從上文詠歎而出，言所以有生有死者，因陰陽換移所致。（朱筠語。以上評〈驅車上東門〉）[35]

妙在已晚下著一「忽」字，彼衣帶之緩曰「日已」，逐日拊髀，苦處在漸；歲月之晚曰「忽已」，陡然驚心，苦處在頓。漸與頓皆久中之情。（張庚語）

「相去日已遠」二句，與「思君令人瘦」一般用意……「歲月忽已晚」，老期將至，可堪多少別離耶？日月易邁而甘心別離，是君之棄捐我也。（朱筠語）

「日遠」六句，承上轉落，念遠相思，蹉跎歲月之苦。（張玉穀語。以上評〈行行重行行〉）[36]

歷來評〈驅車上東門〉，關注點多集中在人生短暫、及時行樂上，前三例堪為代表，其論止於全詩要旨之概括而未有所延伸；至於張庚、朱筠之論，套用吳淇說法的痕跡頗為明顯，而俱將重心放在「移」字上。然而不論是及時行樂這組詩評，或者是襲用吳說者，對時間的品評俱不如吳淇深刻。吳淇一方面開啟異於及時行樂的關注面，復於頓、漸對比中深化展現詩人感受時間「移」動之苦，相較於張、朱之論只言「移」者，吳顯然更進一步展現出「移」之變化與層次（即頓漸）。

至於〈行行重行行〉之評，張庚僅補上「漸與頓皆久中之情」，餘幾襲吳淇之論；朱筠、張玉穀等人僅簡單點出老期將至不堪別離、日月易邁、蹉跎歲月，此俱原詩明顯可見者，對時間未有進一步闡述。吳淇在詩歌架構的闡發中，指出頓漸感受

---

35 俱收於隋樹森編：《古詩十九首集釋》，頁47、65、141、103、129。
36 同前註，頁91、121、136。

變化之雙重苦楚，誠使主人翁努力卻悲哀之情懷得到更細緻的展現。

　　吳淇對於頓、漸時間感之探討，整體而言多扣緊詩人情懷來談，這從「苦處」（四/78）、「難堪」（四/83）、「難耐」（四/83）、「悲戚」（十一/289）云云即可看出。就「關注詩歌情感」這點而言，〈涉江采芙蓉〉之歷代品評亦多聚焦於此，正可與吳評加以比對：

> 落落語致，綿綿情緒。[37]

> 然豈為「憂傷」而有兩意，亦惟「憂傷以終老」焉已耳！何等凜然！比〈唐棣〉逸詩，十倍真摯。如此言情，聖人不能刪也。[38]

> 此係作者之憐念同患，乃不寫己之憐同患，而轉寫同患之憐己者，蓋寫一面即間寫兩面……凡情所應有無不有，於此歎作者之用意真周到也。[39]

第三例考量到角度問題（己憐同患或同患憐己），而對詩情有較深入的分析；然而更常見者則如一、二例，點出詩中之情深重，卻僅止於此，至於情感究竟是如何「綿綿」、「真摯」？則未作進一步的說明。相較之下，吳淇由頓漸的時間感受出發導向詩人情思，並指出情思隨時間感受不同而有波動起伏，如此闡述誠可使讀者對詩情有更細密的體認與感動。

　　綜觀《六朝選詩定論》，如果說「漸」所帶來的是時間延續

37　明‧陸時雍選評，任文京、趙東嵐點校：《古詩鏡》，卷2，頁15。
38　朱筠語，收於隋樹森編：《古詩十九首集釋》，頁124。
39　饒學斌語，收於隋樹森編：《古詩十九首集釋》，頁167。

（長度）之折磨感，那麼「頓」則屬密度上之衝擊，原詩中詩人們喜以「忽」字帶出。猶可留意的是，在感受時間之「頓」之前，若詩人處於無感的狀態，那麼此「頓」所帶來的撼動，在前此無感的落差對比下將顯得更為強烈，吳淇「猛驚」（八/183）之評即頗能貼切展現詩人彼刻驚覺之心理感受。

其次，若由時序的角度觀察，在吳淇的品評裡，「漸」所對應者多為「過去」，而「頓」則多為「現在」，如此偏向或可與上一節之論述相互呼應：之所以會有當下之「頓」，「漸」之積累雖不易使人察覺，畢竟扮演著推進的重要角色，眼前鮮明的展現（「頓」）因有過去種種（「漸」）暗含其中而更顯豐富，吳淇品評將「漸」這個隱而未顯的面向恰切彰顯出來的同時，也讓我們見到漸/頓（過去/現在）之間密切的連繫。另一方面，當下之「頓」則有著強烈的衝擊力道，從前文的探討中固然可見吳對「漸」多所留意，然他多次由「漸」（過去）談起最終聚焦於「頓」（現在）[40]，應可再次窺得其重視現前之時間思維。要之，在今昔與頓漸的時間探討中，吳淇品評時間之縝密與系統性當可見一斑。

接著，若就詩歌的主題而言，在吳頓漸之評裡，原詩涉及之主題大抵不離人命或思念某人，很有意思的是，吳對人命之品評多落在「漸」這一端，且多展現較為淡薄之情感樣貌，像是「時之變物以漸漸而忘」、「陰陽移，却有關於人年命事」云

---

40 前文討論吳評《古詩·行行重行行》、《古詩·涉江采芙蓉》、《古詩·驅車上東門》這組詩作時，得到「『漸』這個於原詩中易受忽視的一端似得以與『頓』較為平等而論」的結論，是為了突顯吳對「漸」亦有相當之留意，而此並未影響吳淇對「頓」之看重，甚至就衝擊力道這點而言，吳已將「漸」之作用含納至「頓」當中，與此處之論不相矛盾。

云，多帶有一種年命自然如此的玄理意味。然而面對思念主題，吳淇則常兼顧頓、漸之雙重面向，並從「苦處」、「兜然驚心」、「難堪」、「難耐」、「猛驚」等述評用語中，可清晰感受到情感的濃烈性質，在頓漸的時間感受裡，吳淇似乎更著重闡發人與人之間的羈絆。

　　關於思念主題，尚可與「題材」一併思索。「諸多的詩文題材中，最能夠表現詩人的情感時間體驗的是贈別與悼亡」[41]，實因別離或某人亡逝的當下，可以做為切割過去、未來的重要時間點，前此詩人得以與贈別或悼亡的對象有較多的互動，然而一旦越過別離或送亡的時間點，詩人與別者雙方相見的機會絕少甚至為無，因前後情境大異，故贈別與悼亡題材確能激起詩人強烈的時間感受。而不論是贈別或悼亡，其情感本質俱為思念，如此思念之作在前一節「現前一刻」及此處「頓漸」的探討中佔有相當高的比重[42]。不過值得留意的是，這類相思之作書寫的起因，多帶有游子遠赴他鄉建功立業的政治背景[43]，吳淇甚至將〈庭中有奇樹〉、〈行行重行行〉、〈涉江采芙蓉〉逕解為「臣不得于君之詩」（四/77），這意味著在他看來，原屬個人思念之情誼，恐蘊含泛政治層面的色彩。不過這裡還需進一步辨析的是：若細部查看吳評之內涵，像是評《古詩十九首》，雖云「臣不得于君」，其後之闡述卻非單純為政治服務者，「最難當此現

41　詹冬華：《中國古代詩學時間研究》(北京：中國社會科學出版社，2014.12)，頁 141。

42　「現前一刻」與「頓漸」中所論及的 20 首詩中，與思念主題相關者共 13 首，比重高達 65%。

43　承前註，與思念主題相關的 13 首作品中，除了潘岳〈悼亡〉、蘇武詩，其餘 11 首俱隱含因政治因素而需分別的背景。

前之一刻」（四/80）、「時亦屢變，豈容無感」（四/86）又顯得頗
蘊人情，吳淇所重視之詩教，恐非呆板衛道，而是帶有人情化
之意味，於此或可窺見一斑。

最後，吳淇對時間頓漸感受的闡發確實獨具之眼，即便是
現當代學者的代表性論述，亦難出其右。茲以本點出現頻率最
高的《古詩十九首》為例，吉川幸次郎之說即是論述中之皎皎
者，他確實參閱過吳淇的說法，吳評《古詩十九首》涉及時間
者多達十四首，然吉川卻只提及其部分字詞解釋或訓詁[44]，全然
未言吳之時間論述；事實上，吉川著名的「意識到時間的推移
而產生的悲哀」一說，將時間分成「對不幸時間的持續」、「由
幸福轉到不幸」、「人生只是向終極的不幸」[45]等三大類，整體而
言是以時間「漸」之特質為主，而其推移之論不無吳淇「漸」
評的影子；再者，吉川較少留意到「頓」對詩人情緒的強大衝
擊，就這點而言，吳淇善用比照（頓漸、緩急）闡述時間的變
化，對於時間感受如何引發詩人悲感？此悲感又有何起伏？誠
較吉川有更全面而深刻的關照。

此外，蕭馳在探討《古詩十九首》的頓漸之感時，逕言「張
浦山已看到此處被他稱為『漸』與『頓』的辯證關係」[46]，而忽
略張庚之論幾乎皆來自吳淇的事實[47]。而蕭氏對舉「當下之感」

---

44 例如吉川認為吳淇繫「驅車上東門」為前漢之作不確；以為吳言「生年不滿
　百」中的「後世」為「子孫」在訓詁上有問題；言吳在「去者日以疎」中將
　「『思』屬死者」難成定論。詳參吉川幸次郎：〈推移的悲哀(上)〉，頁27；〈推
　移的悲哀(下)──古詩十九首的主題〉，收於《中外文學》第 6 卷第 5 期
　(1977.10)，頁 116、121、131。
45 吉川幸次郎著，鄭清茂譯：〈推移的悲哀(上)──古詩十九首的主題〉，頁25。
46 蕭馳：《玄智與詩興》(臺北：聯經，2011.8)，頁 52。
47 張庚自言「吳氏說《選詩》大有發明；然穿鑿附會……在在有之；欲求醇者，

與「漸積之思」[48]，認為這兩者並存「在〈十九首〉中是普遍的現象」[49]，誠不出吳淇的頓漸之說。吳淇評《古詩十九首》多次提及頓漸，此創獲為當代學者開啟先河卻未受到重視，甚為可惜，在藉由本文補足的同時，更欲突顯吳評之重要性及價值。

二、嘆時「遲」與悲日「速」

「遲速」的時間感受乍看之下似與「頓漸」主題相仿，俱為兩者相對，然畢竟有所不同：「頓」者所指為一突然感受的時間「點」，「漸」則是綿延的時間軸「線」；遲、速二者則同樣具有延續的特點，較近於「線」，而有一慢一快之別。再者，「漸」有易受詩人們忽視的傾向，然而他們卻多有感於「遲」的當下。

具體觀看吳淇之評：

> 人生天地間，忽如遠行客。斗酒相娛樂，聊厚不為薄。驅車策駑馬，遊戲宛與洛。……極宴娛心意，戚戚何所迫。(《古詩·青青陵上柏》)
>
> 「忽如遠行客」，喻時光之速也。見人當隨時自度，目前斗酒相娛，固是素位而行，即有時馳驅繁華之地、遊戲王侯之間，亦無入不得。是人生在世，隨地隨時皆可自度，何所迫而戚戚哉？不戚戚則不遠而復矣。不為

什僅二三」(隋樹森編：《古詩十九首集釋》，頁 90)，對《六朝選詩定論》多所貶抑，然而矛盾的是，張氏卻大幅引用吳淇之說，除了前引張評〈驅車上東門〉、〈行行重行行〉為明證外，張庚評其他《古詩十九首》之論亦多來自吳說。

48 蕭馳：《玄智與詩興》，頁 50-56。

49 同前註，頁 54。

> 戚戚所迫，則時光自覺舒長矣。（四/80-81）

該詩顯然有濃厚的及時行樂之意味，而此亦是多數詩評家留意該詩時間的主要面向[50]。吳淇闡發該作時間之角度則有所不同，時間因有不斷推移及不可逆之特徵，通常予人急迫之感，吳卻著意強調心態的調整，若能「隨時自度」，那麼面對短暫人生的解脫之道除了及時行樂，更重要的是秉持無入而不自得的心態，如此一來，原本極「速」的時光便有了「舒長」之可能。

此外，在遲速的相關評注中，吳淇對詩人用語亦有較多留意，而使時間感受之層次於表面字詞的辨析中有了更顯細膩而深刻之展現：

> 兔絲生有時，夫婦會有宜。千里遠結婚，悠悠隔山陂。思君令人老，軒車來何遲？傷彼蘭蕙花，含英揚光輝。過時而不采，將隨秋草萎。（《古詩・冉冉孤生竹》）
>
> 「傷彼」四句，從「老」字來。含英揚光，多少自負！誠欲及時見采，不甘與草木同萎。「過時」，「時」字與前「有時」「時」字相照，但前「時」字緩，此「時」字急。（四/84）
>
> 西京亂無象，豺虎方遘患。……荊蠻非我鄉，何為久滯淫。……羈旅無終極，憂思壯難任。（王粲〈七哀詩〉）
>
> 西京久亂，却曰「方」；荊州纔至，即曰「久」。「憂

---

50 例如張庚「見人當及時行樂，無為戚戚所迫」（收於隋樹森編：《古詩十九首集釋》，頁 92）、張玉穀「首四以柏石常存，反興人生如遠行之客，不可久留，即引起及時行樂意」（《古詩賞析》，卷 4，頁 85）、方東樹「言人不如柏石之壽，宜及時行樂」（《昭昧詹言》，卷 2，頁 55）……等俱是明證。

思」下「壯」字，借人生少壯老意，在「方」、「久」之
間夾出最有味。（六/137）[51]

歷代對〈冉冉孤生竹〉中的時間意象，重點多放在「及時」[52]上，
這很容易便可由詩中「過時」一語窺得。相較此簡單之表象，
吳淇卻於此基礎上特別留意同樣的用詞在內涵上是否有所不
同：他在點出兩「時」前後呼應之際，尚說明主人翁對兩個不
同時間點感受的差異，後「時」之急在前「時」之緩的烘托下，
更是顯現出無奈之焦慮感。吳淇對該詩時間面向之闡發，顯然
較他評具備深入挖掘之功。

　　同樣是留意詩中的字詞，吳淇對〈七哀詩〉的關照角度則
略有不同。這裡可以看出詩人的時間感受與現實相反，有著濃
厚的主觀意味。他在指出時間感受緩急的同時，尚特別連繫詩
人的愁思，使得憂慮在時間矛盾感受的拉鋸中有了更鮮明的彰
顯。王粲〈七哀詩〉向來以其情之哀愴感動讀者，歷來詩評家
亦將重心放在情感的抒發上，然似多直指其情，「惻愴高華」[53]、
「想見其言之切而事之悲者」[54]、「亂世之苦，言之真切……以
情至為工」[55]云云俱屬之，未若吳淇在字詞的辨析中落實展現詩

51　「豺虎方遘患」的「方」字應解為「正」，吳評不確。但正可由此解讀中窺得
　　吳有特別留意時間短長之傾向。
52　例如李因篤「超然獨立，撫壯及時之感」、張庚「此賢者不見用於世而託言女
　　子之嫁不及時也……『過時』一句，卻是一篇之主」(收於隋樹森編：《古詩十
　　九首集釋》，頁 36、97-98)、張玉穀「絲蘿則為及時作引」（《古詩賞析》，卷
　　4，頁 88) ……等評俱是。
53　明・馮復京：《說詩補遺》，收於《明詩話全編》，卷 2，頁 7201。
54　明・陸時雍選評，任文京、趙東嵐點校：《古詩鏡》，卷 6，頁 52。
55　清・陳祚明評選，李金松點校：《采菽堂古詩選》，卷 7，頁 197。陳尚言「聞
　　泣不能不顧，顧而終不還，情哀至此」似也具體言哀，然此於原詩已明顯可
　　見，近乎對詩作文意之單純串講。

人對時間的感受，此誠有助於加深讀者對該詩幽微情感轉變之理解。

另有一組對時間遲速的品評，則明顯與今昔相涉：

> 疇昔歡時遲，晚節悲年促。（張協〈雜詩〉）
>
> 「疇昔」二句，即柳柳州所云：「老來覺日月愈促」。意以疇昔歡時遲形出更悲，今昔時年，豈有遲促，只是人生有老少。其精神氣志所為。余憶幼時，每逢佳節將至，惟恨遲遲，今則反懼其至之速矣。（九/202）

> 奈何悼淑儷，儀容永潛翳。念此如昨日，誰知已卒歲。（潘岳〈悼亡〉）
>
> 「奈何」二句似是怨時光之遲，「念此」二句又似恨時之速。夫天下之難過者此時光，易過者亦此時光，故時光未過，則有未過之苦。故由冬之始至冬之終，就一時而分計之，刻刻難挨，故怨其遲。時光已過，則有已過之苦。故由期之周溯卒之始，就一歲而總計之忽忽已到，故恨其速。總之，已過未過，無非苦境。（八/184-185）

吳淇上列評述俱展現出「過去時遲而今日時速」的時間感受，細部來看，則因關涉主題相異，而使他對時間的闡述重心有所不同：因人生老少階段不同，面對張協詩吳淇著重指出疇昔對今日悲感的突顯（「更悲」），並以自身經驗說明人生不同階段對時光流逝的相異感受，而此感受又常於特定的時間點（佳節）湧現，遲速感予人之普遍體驗由此可見一斑。至於潘岳詩，吳淇要在說明無論遲速，「已過未過，無非苦境」，這又展現出對

時間另一層面的情緒感受，如果說評張協詩更重今日急促之哀感，那麼評潘岳詩所展現的，則是不論何時俱無所不在的苦怨。在吳今昔遲速的交叉說明中，除了可見時間引發的憂傷情緒，更進一步藉由時間階段的不同細膩展現情感的差異，這就將原詩哀情之起伏較好地突顯出來。

　　若與歷代品評相較，面對張協之作，詩評家們多著眼於其繪景之形似[56]，甚少留意時間的面向；潘岳則以「荏苒冬春謝」一首得較多詩評家關照，而歷朝評〈悼亡〉之「情」數量頗眾[57]，卻未見如吳評般從時間角度切入辨析，從而細膩、具體闡說情意者。吳評之妙自是不言可喻。

　　吳淇的遲速之評，另有一類則是明顯與「空間」相涉：

> 江南倦歷覽，江北曠周旋。懷新道轉迥，尋異景不
> 延。亂流趨正絕，孤嶼媚中川。（謝靈運〈登江中孤嶼〉）
> 　　於未登孤嶼之先，上著「懷新」二句者何？凡人行
> 過舊路，多不覺遠，以「懷新」故，冀得見所未見耳。

---

56 歷代品評於第三章已詳細援引，參該章註 9。

57 例如宋人楊冠卿「誦潘岳悼亡之詩，心乎不忍」（《客亭類稿・謝郭殿帥惠湖山葬地啓》，收於《宋詩話全編》，卷 6，頁 6614）、范晞文「悲有餘而意無盡」（《對牀夜語》，收於《宋詩話全編》，卷 5，頁 9311）、明人馮惟訥「今觀厥詞，婉約悲愴，雖世代悠邈，而讀之泫然」（《馮少洲集・哀逝詩五首序》，收於《明詩話全編》，頁 3814）、馮復京「內顧悼亡哀詩為妻作者，無不濃麗真切」（《說詩補遺》，收於《明詩話全編》，卷 3，頁 7208）、鍾惺「此作情居其勝，而辭不能沒，所以佳」（《古詩歸》，卷 8，頁 441）、王夫之「《河陽》、《懷縣》、《悼亡》諸作，世所推獎，乃其一情一景」（《古詩評選》，卷 4，頁 694）、清人陳祚明「造情既至，轉展愈曲愈悲」（《采菽堂古詩選》，卷 11，頁 340）、毛先舒「屬思至苦，言情至深」（《詩辯坻》，收於郭紹虞編選：《清詩話續編》，卷 2，頁 31）、沈德潛「悼亡二詩，格雖不高，其情自深也」（《古詩源》，卷 7，頁 162）……等論可參。

> 道既覺遠，則日便覺促，總是急急尋異，以見前倦於江
> 南非倦於歷覽也。（十四/366-367）

> 大江流日夜，客心悲未央。徒念關山近，終知返路
> 長……驅車鼎門外，思見昭丘陽。馳暉不可接，何況隔
> 兩鄉。（謝朓〈暫使下都夜發新林至京邑贈西府同僚〉）

> 自荊州至新林數千里俱水路，自新林至京邑止二十
> 里陸路，一向舟行，雖離荊州漸遠，然避患惟恐不速，
> 不曾覺得返路已長，故「悲未央」；至此舍舟而車，不勝
> 快然，故點出「驅車」二字。在敘事顯出關山返路之短
> 長，卻是「徒念」、「終知」之神理。（十五/407）

若閱讀詩作，可明顯見到詩人於空間中移動的痕跡，時間面向
則相對隱微。然而空間之移動必然涉及時間的流逝，吳淇所論，
正是將時間這個隱形層面揭示出來。這其中除了說明時空兩者
的關係（「道既覺遠，則日便覺促」、「避患惟恐不速，不曾覺得
返路已長」），尚點出詩人們面對時間流逝或緩或急的不同感
受，並由時間流變之闡發中帶出詩作幽微之情思（「非倦於歷
覽」、「『徒念』、『終知』之神理」），這就使詩中明白可見的空間
表現在吳評時間、情感的加層闡發中顯得更為融通而豐厚。

上列二詩於歷代詩評中俱受到較多的關照，然謝朓詩以善
於發端引人注目[58]；而大謝之作則以繪景、特別是「媚」字儷人

---

[58] 例如楊慎「六朝人稱謝朓工於發端，如『大江日夜流，客心悲未央』，雄壓千
古」(收於王昌會《詩話類編》，收於《明詩話全編》，卷 20，頁 8553)、鍾惺、
譚元春「起結俱是近體佳境」(《古詩歸》，卷 13，頁 490)、王夫之「舊稱朓
詩工於發端。如此發端語，寥天孤出，正復宛諧，豈不夐絕千古，非但危唱
雄聲已也」(《古詩評選》，卷 5，頁 767)……等評俱是。

目光[59]，統括而言，多將焦點放在詩歌的表層形構上。至於大謝詩，若聚焦於「懷新」這兩句涉及時間之語上，前於吳淇僅鍾惺稍加留意，卻只是作為舉例之摘句而簡單提到「懷新道轉迥」乃「領略逼真，當為摘句寫置舟輿間」[60]；後於吳淇似僅沈德潛對此有所品評[61]：

> 「懷新道轉迥」，謂貪尋新境，忘其道之遠也。「尋異景不延」，謂往前探奇，當前妙景，不能少遷延也。深於尋幽者知之，十字字字耐人咀味。[62]

沈氏對此二語有較多感受，其論似與吳說相近。然若逐一比對，會發現二者終究有所不同：沈氏「深於尋幽」之前所云，較接近對原詩的串講，而未展現詩評家本身的看法；吳淇則是以「不覺」、「覺」點出詩人時間意識的轉變，並藉由對時間緩促的感受深探詩人內心真正倦之所在。凡此種種，俱為沈評未留意者。要之，與歷代二謝之評相較，吳淇顯然以相異視角開啟對詩作不同的關懷。

　　本節最後可做出兩點歸納。首先，吳淇不論是對頓漸或者遲速的闡說，多可使我們明顯感受到時間推移的特性，這一點在原詩中已然存在，吳淇之論顯然有更形強化時間「變化浮動」

---

59 例如方回「『媚』字句中眼也」(《瀛奎律髓彙評・文選顏鮑謝詩評》，卷3，頁1879)、陸時雍「『孤嶼媚中川』，此山水賞心語，得趣既饒，故賦景自別」(《古詩鏡》，卷13，頁123)、延君壽「『亂流』二句，落題有景有勢」(《老生常談》，收於《清詩話續編》，頁1830)……等評俱是。
60 明・鍾惺、譚元春輯：《古詩歸》，卷11，頁473。
61 張玉穀對此亦有「景不延，謂當前異景，不及少遷延也」之夾注，然此顯然來自沈德潛，故略之。語見氏著：《古詩賞析》，卷16，頁365。
62 清・沈德潛選：《古詩源》，卷10，頁237。

而難以掌握的傾向：如果說突然感受的「頓」是「點」，那麼徐緩容易令人無感的「漸」則是「線」，吳多次指出「頓」對詩人們時間感受的衝擊，若與「漸」的時間樣貌相較，揪心的感受在時間對比張力、變化中將更形彰顯。遲速的時間感受則有一緩一急之別，吳淇於其間著意說明主客觀時間的差距，亦即本是較長的一段時間，因為主觀心態不同，而使其縮短；反之亦然，然而不論何者，此心理性的時間感受多為苦楚。總括而言，不論是頓漸或緩急，俱指向時間流逝，足見時間消逝的壓迫感無所不在；進一步而言，此流逝在詩人的感受中又是如此起伏不定，這恐怕將更形強化時間予人難以掌握之形象。

其次，在主觀時間的評述中，吳論往往帶有濃厚的抒情性質。他常細部區分相異的時間階段，或者細辨時間之相關用語，這類區辨絕非僅止於表層結構的分析，它的重要意義，在於藉此更深刻地挖掘詩作起伏、幽微之情意，從本節諸多舉證可以看出，吳淇如此評述確實較歷代詩評涉及時間或情思者更具深化之功。

猶可留意的是，吳淇對時間緩急的闡發中，像是張協〈雜詩〉、謝靈運〈登江中孤嶼〉、謝朓〈暫使下都夜發新林至京邑贈西府同僚〉等，他對歷代品評最大的突破，在於將眾人聚焦關懷的表層形構（即形似、鍊字、善於發端等），藉由對時間的闡發，將重心轉向底層之情意面。若置於六朝詩歌發展的層面而言，《詩品》評張協「巧構形似之言」[63]、謝靈運「尚巧似」[64]、

---

63 南朝梁‧鍾嶸著，王叔岷箋證：《鍾嶸詩品箋證稿》，卷上，頁185。
64 同前註，卷上，頁196。

謝朓「微傷細密」[65]，類似鍾嶸這般的詩評可謂點出六朝詩作愈發雕琢的走向，此固然不錯，卻容易因此忽視詩作之情意面，實則此乃佳作感人之核心。吳淇對歷代品評的突破，正提醒我們，面對六朝詩歌並非只是留意到這些詩作形式上的美感，而是能更進一步體認即便是在形構蓬勃發展之際，情懷仍是詩作重要而不可或缺之質素，吳淇特意提點此面向，正是他這類述評的重要貢獻。

第三節 物我交感中之時間闡發

藉由上文的探討，我們對《六朝選詩定論》中時間感受的闡發應已有相當程度的掌握。還可進一步追問的是：這些感受的來源為何？所謂「感之發因於時，而時之變徵於物」（四/86），時間其實是抽象的概念，而「物」則可作為時間之具體表徵，就人們的感受而言，往往是先接觸到外物的變化，方感時間之流逝，從而使心緒受到進一步的觸動。

節物與時間的關係遠從《詩品》「春風春鳥，秋月秋蟬，夏雲暑雨，冬月祁寒，斯四候之感諸詩者」[66]起，便受到詩人與詩評家們不間斷地留意，那麼吳評對此議題有何獨見？乃下文欲著重展現者。其次，物色與季節間本有密切關聯，吳評張載〈七哀〉「秋風吐商氣，蕭瑟掃前林。陽鳥收和響，寒蟬無餘音。白

---

65 同前註，卷中，頁 289。按照王叔岷先生的說法：「所謂『細密』，蓋由重聲律，重排偶之故」（頁 290）
66 同前註，序，頁 76。

露中夜結,木落柯條森。朱光馳北陸,浮景忽西沉」時言「首
八句是寫時,於時中寓景」(九/209),即可見季節與物色變化之
聯繫,然細部來看,吳淇對此二者之品評實各有所偏,在物色
的闡發中,物色本身是否有所變化,將使吳評展現截然不同的
面貌;而他對四季的評注,則可使我們重新省思主觀感受中「春
秋偏向推移、夏冬傾向凝固」的尋常性說法,故擬分述物色與
季節二者,以便突顯各自的特點。

一、物之變與不變

──「時變徵於物」的雙重闡述

物色用以記時的概念於吳評中時或可見,像是評謝惠連「白
露滋園菊,秋風落庭槐。蕭蕭莎雞羽,烈烈寒螿啼」為「紀時。
『園菊』、『庭槐』,無感之物;『莎雞』、『寒螿』,有知無情之物,
俱為寒氣所迫」(十四/395-396)、言沈約「『野棠』二句(筆者
案:即「野棠開未落,山櫻發欲燃」),借山中瑣物寫山兼紀時」
(十六/435)……等,俱可窺得吳特別留意繪景句中的時間因
子。而這般涉及物色與時間的述評,又以《古詩十九首》中〈庭
中有奇樹〉與〈迴車駕言邁〉之論最為詳盡,而可見「時間變
動不居所帶來之焦慮感」、「物色將時間具象化」等特點:

> 曰「庭前有奇樹」,從樹之奇特起,以便說到而葉而
> 花,為後前感時張本也。……大凡奇樹芳草,古人用以
> 紀時,兼以自比,但他皆說到憔悴處,此獨說到極榮盛
> 處。(四/85-86)

　　四顧何茫茫，東風搖百草。所遇無故物，焉得不遽老？盛衰各有時，立身苦不早。人生非金石，豈能長壽考？奄忽隨物化，榮名以為寶。(四/87-88)

　　「盛衰」句承「東風」二句來。凡物無常，盛無再盛。無兩盛，故其盛而之衰者，必有他將盛者欲成功而逼之退謝。苟無有逼之者，雖終古永無衰時。即如草論之，春風搖之而長，秋風搖之而落。後日搖之而落者，即今日搖之而長者。故盛必有衰也，要從「故」字看出不常。今日搖之而長者，非昨日搖之而落者。故盛衰有時也，要從「無」字看出不再。昨日之搖而落者，正迫於今日之搖而長者。故盛衰各有時，要從「遇」字看出不兩。

上列評論俱可見吳淇頗為留意詩作中與時間相關之遣詞用字，而這些貌似表層之剖析又一一導向對詩人時間感受之關懷：首例前文已言，主要在「其榮」與「此物」用語的辨析上；第二筆則集中探討詩人運用「故」、「無」、「遇」等字眼的用心，對「不常」、「不再」、「不兩」的解說俱導向無常，吳淇尚藉此展現時間相異的特點：使草於今日、後日搖之而「長」、「落」者俱為時；然「盛衰有時」，彼一時非此一時，「今日搖之而長者」又不能等同於「昨日搖之而落者」，如此不同角度之立論實共同呈現時間流逝與變動不居的特質；且此時間影響物色的變化又有著壓迫性（即「昨日之搖而落者，正迫於今日之搖而長者」），而予人無法稍作停留的急切感。

　　另一方面，吳淇尚指出詩之物色兼有「紀時」與「自比」

的普遍性作用：時間本乃抽象而難以捉摸者，藉由物色之運動變化，卻得以明顯窺見時間之影子；人的一生由盛而衰，景物也提供了或同步或倒反的觀象，這其中自然也蘊含了時間的因子。要之，物色可謂將時與人之盛衰變化作了具象而明晰的展現，而物、時、人三者之密切性亦可由此窺得。

像這般明言物色將時間具象化，以及其間的時間感受，尚可參看下例：

> 秋風何冽冽，白露為朝霜。柔條旦夕勁，綠葉日夜黃。……壯齒不恒居，歲暮常慨慷。（左思〈雜詩〉）
>
> 首四句記時，政為「壯齒」二句。夫條曷而為柔？葉曷而為綠？以露故。條曷而為勁？葉曷而為黃？以霜故。條之柔而勁，曷以為旦夕？葉之綠而黃，曷以為日夜？以白露為霜故。白露曷為而為霜？以風之冽冽故。霜而謂之朝者，夕降猶露，以冽冽夜風，故至朝則凝為霜矣。時光如此，壯齒那得恒居耶？（八/196）

原詩之景觀描繪已可見時節的投影，吳則是進一步點出時間的作用，在詰問的層層推衍中我們見到物色連動的樣貌，這就使原本看似各自獨立的外物有了緊密的連繫，而時間正是這一連串變化背後重要的推手。於此評中可以見到時間強大的籠罩性，它所引發的乃是外物整體性之變化，詩人被無所不在的具體時間意象所圍繞，自易引發慨歎。吳評可謂將時間如何引發物色、物色所展現的時間氛圍如何影響詩人思緒，在詩歌架構的漸次分析中作出一連串縝密的闡釋。

透過上列述評，我們可以清楚見到時間對物色的作用；反

而言之，正因有明晰可見之物色，方得具體呈現抽象時間推移
之狀態。此處還可以特別留意的是，吳淇尚於〈庭中有奇樹〉
中點出並非只有衰敗的景致才會引發詩人對時間的焦慮感，「極
榮盛處」亦然，殆因「春風搖之而長，秋風搖之而落」，在美盛
物色無法保全的反襯下，恐更形強化感時的思緒；吳淇另有「一
年好處，盡在上已時候。『開花』云云，正寫『具在斯』意。要
知四句內有惜時意，不專為下文遊樂張本」（沈約〈三月三日率
爾成篇〉十六/429）之評，點出「開花匝樹，流鶯滿枝」（十六
/429）此美盛春景更啟人惜時之意，諸論俱可見即使物色處於美
盛的狀態，卻未能消除詩人面對時間時的緊張感，吳淇指出這
點，除了突顯詩人們「先在的時間意識（生命意識）」[67]具備強
烈的主導性，也就是人們在觀看外物時已事先帶有某些預設立
場；亦可看出外物承載時間的沉重感不分物色之盛衰，乃是無
所不在的。

上列述評可以看到花從「連葉條」轉向「離條葉」，而草則
有或長或落之別，物色本身在吳淇的品評中已明顯可見因時間
推移而有所變化。另有一類述評僅是單純呈現外物，而未見外
物本身變化之樣貌，那麼吳淇又是如何藉此揭示詩人對時間的
感受？試觀下列諸例：

> 登高臨四野，北望青山阿。松柏翳岡岑，飛鳥鳴相
> 過。感慨懷辛酸，怨毒常苦多。（阮籍〈詠懷〉）

> 「松柏翳岡岑」者，萬卉零落，惟有後凋之松柏，

---

67 侯迺慧：〈〈古詩十九首〉時間悲劇主題的意識層遞與自我治療〉，《中國古典
文學研究》第 8 期(2002.12)，頁 6。

見歲之已寒也。「飛鳥鳴相過」者，羣過也，羣過而且飛
且鳴，將以求棲，見日之已暮也。歲寒日暮，那得不感
慨！（七/149-150）

凜凜歲云暮，螻蛄多鳴悲。涼風率已屬，遊子寒無
衣。（《古詩‧凜凜歲云暮》）
首四句俱敘時。「凜凜」句直敘，「螻蛄」句物，「涼
風」句景，「遊子」句事，總以序時。（四/91）

這組品評與前此〈庭中有奇樹〉、〈迴車駕言邁〉、左思〈雜詩〉
諸例最大的差別在於：述評未能看出松柏、飛鳥、螻蛄這些物
色本身之變化，然它們卻明確標誌某個時間點，而此時間多落
於一日或一年天候明顯轉換的時段（即日暮、歲寒），這麼看來，
即使物色本身沒有變化，卻因與特定時節密切連結，而使這些
物色帶有鮮明的象徵性。值得留意的是，上引阮籍之原詩實未
能窺得確切的時間點，松柏應只是單純標誌墳墓四周的環境[68]，
而群鳥紛飛也不見得是在日落時分，吳淇卻逕將此釋為歲末日
暮之際，可見該時節（段）所呈現之氛圍較能與全詩辛酸的情
懷相應；吳氏特別留意詩中的時間因子亦可由此例窺見一斑。

綜合觀察與「時變徵於物」相關之述評，可得以下幾點歸
納：首先，與時間相關之物色，多具備以「空間意象隱喻時間」
[69]的特點，這便與前述所言相互呼應，亦即透過明確可見的物色
（空間意象），將可使人們更具體、確切地掌握抽象的時間。

其次，就《六朝選詩定論》全書而言，吳淇評注之物色與

---

68 可參靳極蒼：《阮籍詠懷詩詳解》，頁 52。
69 張紅運著：《時空詩學》（銀川：寧夏人民出版社，2010.5），頁 176。

植物相關者，大多呈現植物本身隨「時」變化的樣態而較為細膩，對動物昆蟲的述評則多是藉此簡單標誌某個時間點。何以會有如此落差？或許與「感官的運用」以及「意象定型化與否」有關。整體觀之，與植物相關之評多和視覺結合，而動物之論則多與聽覺連結。就感官的特性而言，正如第四章中「聽覺闡發」的前言所述，視覺運用乃人體器官中佔首位者，且具備強烈的主動性；聽覺使用率雖僅次於視覺，兩者比重卻有極大之落差，而聽覺對自然界聲響的接收往往處於被動的樣態。在這樣的背景下回過頭來觀看吳淇之評，詩人可以主動決定視覺觀看時時間的長短，雖不盡然要持續觀望，然此特質確實有助於觀察時間消逝中植物本身的變化。至於鳥與螻蛄之鳴，聽覺僅能被動接收，其中像是飛鳥相鳴即逝，聽覺可運作的時間顯然較視覺短暫，在聽察時間倏忽即逝的狀態下，捕捉到的聽覺意象或顯得相對簡單。另一方面，就這些物色所展現的時間意象而言，像是寒蟬、螻蛄、寒螿等昆蟲俱出現於特定時節，呈現的意象單一而穩固，甚至於文學書寫中成為襲用之套語，恐怕也因此壓縮了闡釋的空間；相對而言，榮華、百草等物色出現的時間點較不特定，隨著詩作不同而有較多延伸解讀的可能，從而能展現較具個性化的一面，吳淇特別著意於此，正可見他對時間意象的觀察更欲彰顯其特殊而非普遍之面向，因而展現出突破歷代文化積累慣性之特點。要之，意象是否定型化、感官運用乃至詩評家之主觀意願，都可能對評述的詳簡造成影響。

　　論及感官運用與感物的關係，蕭馳曾經歸納《古詩十九首》至東晉的感物之作，認為感物的時間點多是夜晚，於感官上的

運用則是以聽覺、觸覺較為常見,而非以視覺為主[70]。本點所舉
吳評之詩例,幾乎多落在蕭馳所歸納的歷史階段中(即《古詩
十九首》至東晉),正可與蕭說做一比對。若就吳評觀之,會發
現該階段的感物之作,仍有不少是出現在白晝與日暮,特別是
就日暮的時間特性而言,因涉及天色的轉變,可明顯感受到時
光之流逝,恐更易引人遐思;而此為「晝」非「夜」的時間點,
對應至感官的運用上,則可見視覺仍佔相當之比重。要之,吳
淇品評之樣貌與蕭馳之說有所出入,這除了展現出屬於詩評家
獨特的感物時間觀,若能合觀二者之說,當可使我們更全面地
理解漢晉階段物色與感官間的關係。

　　復次,吳淇闡述物色中的時間因子多集中在起始句,這固
然與詩作藉物起興的書寫模式有關,然而吳氏不特別闡明詩作
中段以後物色的時間面向,應是有其用意,吳淇即言:「凡古人
作詩,開口序時述景,定無虛設,必關一篇之意」(評曹攄〈思
友人詩〉九/222)[71],所謂「一篇之意」者,乃詩人情思之所在,
而於詩作起始之際便特別點出時間的因子(「序時述景」),使讀
者在一開始便留意到時間層面,由此慮及時序對物色所起之作
用,這對接下來詩作的鋪陳以及全詩氛圍的醞釀當具備一定的
影響。由此角度復可見吳淇對詩作中的時間因素確實頗為看重。

　　最後,若以本點所舉詩作為例,歷代品評涉及物色載時者
主要集中在左思〈雜詩〉與《古詩十九首》[72],而有一定的數量,

70　蕭馳:《玄智與詩興》,頁56-64。

71　此處之「『開口』序時述景」,若對應至曹攄詩來看,所指確實為詩歌開頭的部分。

72　阮籍〈登高臨四野〉有陳沆、陳祚明做評,卻俱與時間、物色無涉。沈約詩作另有曹學佺《石倉歷代詩選》、李攀龍《六朝聲偶集》選錄,俱未做評,故不列入討論。

茲不憚繁瑣條列如下：

（1）天氣漸變而寒凝，草木亦因時而變衰矣，觀此則人之少壯者安得不速老耶！（劉履語）[73]

（2）寒氣總至，即草目為之變衰；況人生柔脆，焉能堪此？（唐汝諤語，以上評左思〈雜詩〉）[74]

（3）歲暮蟲鳴，以比世道漸衰，而小人得時。（劉履語，評〈凜凜歲云暮〉）[75]

（4）作者不獨善於言情，亦更工於賦物。（饒學斌語）[76]

（5）此懷朋友之詩，因物悟時，而感別離之久。（劉履語）[77]

（6）平時不為時物所觸，感亦無自而生；一旦見樹之當時芳茂，安得不感己之當時傴塞？（張庚語，以上評〈庭中有奇樹〉）[78]

（7）半醒不醒，螻蛄滿耳，涼風滿窗，「徙倚感傷」、「垂涕霑扉」，不知良人亦同此苦否？（朱筠語）[79]

（8）顧瞻時物之變，慨然感悟，恨立身之不早也。（劉履語）[80]

（9）少壯不努力，老大徒傷悲。與草木同朽者，可不疾

---

[73] 元‧劉履編：《風雅翼》，收於《景印文淵閣四庫全書‧集部八》，卷3，頁65。
[74] 明‧唐汝諤：《古詩解》，收於《四庫全書存目叢書》，卷18，頁587。
[75] 收於隋樹森編：《古詩十九首集釋》，頁66。
[76] 同前註，頁175。
[77] 同前註，頁63。
[78] 同前註，頁98。
[79] 同前註，頁131。
[80] 同前註，頁64。

名之不立哉？（姜任脩語）[81]

（10）春復一春，故物已盡，焉得不速老乎？（朱筠語）[82]

（11）不將秋景點綴，以致傷遲暮之情，偏就艷陽之春
寫者何？正要在「春風」上逼出「無故物」來。去年
之百草不知何去，今年東風所搖而新者，又是一番萌
蘗……則我老之速可知已。（張庚語）[83]

（12）「奄忽隨物化」……妙在緊根「搖百草」而預點透
一「物」字，則草之於物，是二是一，後之隨物化者，
用應前之「草萎」，既無嫌雜出不倫；前之「隨草萎」
者，印合後之「物化」，已不啻合同而化矣。「奄忽隨
物化」，追進「老」字後一層，「老」字乃拽得十分飽
足。（饒學斌語，以上評〈迴車駕言邁〉）[84]

儘管品評數量貌似可觀，然〈雜詩〉之評俱僅簡單連繫物色與
人命，近於原詩之串講而未有所延伸。〈凜凜歲云暮〉只劉履之
評涉及物色，卻逕將此與政治附會；第四筆資料則是著眼於詩
人賦物之工；更多的品評趨向則是如第五至十筆資料，只是簡
單點出詩人對時物之感，深刻度實大遜吳評。這麼看來，比較
值得留意者僅有最後兩筆張庚與饒學斌之論。張論較特殊處在
於「偏就艷陽之春寫者何」的提問，然他沿襲吳淇觀點處屢屢
可見，此處亦不例外[85]；倒是饒氏之說，相較於吳淇著重「草」

81 同前註，頁 112-113。

82 同前註，頁 128。

83 同前註，頁 101。

84 同前註，頁 179。

85 吳言「此詩反將一片豔陽天氣寫得衰颯如秋……四顧茫茫，正摹寫無故物光

與「今昔時」之互動，他則是藉由「草」與「物化」兩者前後相應之樣貌，推導出「老」字的「飽足」感，從而展現出他對時物另一層面的看法[86]。不過統括而言，吳淇對物色與時間的論述，確實較歷代述評成體系而深刻許多，此乃其論於詩評史上之價值。

二、推移與凝固季節的重新省思

透過季節轉變表現時間流逝，從而引發詩人種種情緒之激盪，在吳淇的品評中有頗多精彩的論述。生命與四季的關聯，可以下列論說概括：

> 少與賤合時有可待，其情歡，猶熱濕之合而春；故少與榮合則雙美，其情樂，猶熱乾之合而夏；榮與老合，時已無多，其情愴，猶熱乾之合而秋；賤與老合，則交苦，其情慘，猶寒熱之合而冬⋯⋯至今已老，賤偏來尋得得湊成一片秋冬衰颯之氣象，正與前園中暮春和氣相反顯現于外者。（張翰〈雜詩〉九/207）

景⋯⋯蓋草經春來，便是新物⋯⋯草為東風所搖，新者日新，則故者日故，時光如此，人焉得不老，老焉得不速！」(四/88)可參酌比對。

[86] 通觀饒氏評《古詩十九首》涉及時間因子者，除了前文提及之〈青青河畔草〉，另有〈孟冬寒氣至〉提到涼風「忽悟其時」(頁 194)、〈明月皎夜光〉談草、時、物化、老以及此處共四首對時光有較詳細的闡述，其餘不是簡單提到「為『老』字伏線」(〈冉冉孤生竹〉，頁 172)，就是以一二語說明時間的「遙應」、「呼應」(〈東城高且長〉，頁 182；〈凜凜歲云暮〉，頁 191)，要之，饒氏對時間層面的說明確時見新意而有值得咀嚼處，然深廣度恐仍不及吳淇之評。俱收於明劉履等著，隋樹森編：《古詩十九首集釋》。

該論指出季節與情感類比的狀態，然兩者並非簡單的類比，吳
淇尚將人生處境（榮賤）也納入考量，並考慮寒熱與乾溼的交
錯組合，這就使類比細緻化。另一方面，吳也指出時節對情感
的反襯作用，當外界風候與內在情緒處於倒反狀態時，反而更
易強化情緒之悲感。不論類比或反襯，俱可見季節與詩人情感
間確實有著密切的關聯。

　　關於中國古典詩中對四季的書寫，松浦友久有一段頗具代
表性的論述：

　　　　中國古典詩中春秋與夏冬的差異，首先應指出的是
　　　有關春秋的詩眾多，而有關夏冬的詩貧乏這一明顯事
　　　實。[87]

之所以會有如此差別，乃因季節屬性不同，「春秋是更富變化、
推移的季節，而夏冬則是更為持續、凝固的季節」[88]，而根據松
浦的推論：

　　　　春與秋作為季節是象徵著人的變化推移的感覺（時
　　　間意識）的……春秋只是短暫的難以使人滿足的時間，
　　　其過渡性質—推移變化的感覺—時間意識就更加擴大並
　　　被強調出來。[89]

以上也是學界普遍對詩歌中四季表現的認知。就吳淇詩評的數

---

[87] 松浦友久著，孫昌武、鄭天剛譯：《中國詩歌原理》(臺北：洪葉文化，1993.5)，
　　頁5。
[88] 同前註，頁12。
[89] 同前註，頁13-14。

量觀之，確實也有春秋兩季較多的傾向。可進一步思考的是：他對春秋的闡發，是否展現出突破尋常看法之處？而面對夏冬這兩個予人感受較趨平緩的季節，吳淇品評的數量雖少，卻有不少獨見，他究竟如何闡釋其中的時間感？其觀點又有何偏向？凡此種種，俱是可以加留意處。

　　首先觀與冬季相關的品評，可以看出吳淇對「風」的作用以及冬季本身之變化多所留意：

> 　　曜靈運天機，四時代遷逝。淒淒朝露凝，烈烈夕風屬。奈何悼淑儷，儀容永潛翳。念此如昨日，誰知已卒歲。……落葉委埏側，枯荄帶墳隅。（潘岳〈悼亡〉）
>
> 　　此首「曜靈」云云，跟上文「歲寒」抓寫冬字，完却紀時之局。……「曜靈」二句，自是單冒一章，觀其曰「曜靈」、曰「天機」，乃指一歲之時光，謂自之子之亡，至此已將一期也。「淒淒」句初冬之際，「烈烈」句隆冬之時……試觀「望墳」之下着落葉枯荄，乃是季冬物色。足徵之子亡于春月，適值安仁告假歸里，至此季冬一歲雖卒，而之子之期年未周，遽有朝命促之就道……冬用北方正風者，所以截斷來歲之春，以見不終期年之服者，乃迫于朝政朝命非己之得已……冬風而謂之「烈烈」，取《豳風》「二之日栗烈」。夕者，風發之候也，戌為熒惑殿太陽入此故發風。又夕者，就衾之時也，應前「衾單」之意。涼且不堪，而況于屬乎？（八/184-187）

上例可明確見到物色（落葉枯荄、風）於季節中的標示作用，其中特別值得留意的是「風」，吳淇評潘岳詩時藉由與前首「衾

單」之「涼」（秋）相較，從而突顯冬季風候之「厲」。在前一
點「時變徵於物」所舉例證中亦常見到「風」者，然詩作多將
焦點擺在秋風之「起」；此處吳評則是透過對風寒加劇之說明彰
顯秋冬時節的變換。然而無論是從無到有，抑或是程度的增強，
俱顯示「風」具備展現時間變換（夏到秋、秋至冬）的標誌性
質；於此同時，吳論尚著意突顯詩人們對時節感受的差異性
（「驚」秋或者是「且不堪」與「況」的強度之別），從而恰切
彰顯詩中情感之變動。

　　如果說「風」具現的是相異季節的變換，吳淇還留意到時
節本身的變化性，藉此展現時間不停流逝的性質以及詩情之起
伏。具體而言，潘岳〈悼亡〉原詩中冬天本身前後次序之別並
不鮮明，吳卻特別點出初冬、隆冬與季冬之異，這就將一季中
時間流逝的樣貌較明確地彰顯出來。這意味著貌似相對恆定的
冬天，時間卻「曾不少停一瞬」（十四/358），足見時間消逝的緊
張感無所不在，吳評可謂突破了一般對冬天「凝固」的認知。
另一方面，吳淇之所以區分冬季中的前後時段，並非只是單純
就形式層面劃分詩作中的時間進程，而是有著細膩呈現詩人情
感變化的用意，亦即藉冬寒中不同之時間階段，帶出不捨亡妻
離滿週歲那起伏不堪的心緒。

　　復次，吳淇對季節的闡發亦與全詩架構之推進有密切連
結，他提及本詩與前一首「抓寫冬字，完却紀時之局」，指出二
詩間前後呼應的樣貌，這除了再次強調對冬季的留意，還特別
點明冬季雖是一歲之末，但潘妻之亡卻是「期年未周」，並以冬
「截斷來歲之春」，在說明全詩層次以及詩人書寫冬季的用意
中，充分展現潘岳於歲末寒冬這個時間點的孤苦心境，使得詩

作中時節與情緒感受間有更深刻的連繫。像這般指出季節於詩中所扮演的關鍵性角色，另有評大謝〈七里瀨〉「於林，着『沃若』，言歲之暮也，乃承上『逝湍』以起下文『悼遷斥』意」（十四/354）、論潘岳〈悼亡〉「緣隙之風曰『春』，伏下『秋冬』之案」（八/182）……等論可參，而可見吳對季節於詩中之作用確有一番留意。

如上列評論指出某個季節本身的變化，尚可觀謝靈運〈登池上樓〉之評：

> 衾枕昧節候，褰開暫窺臨。傾耳聆波瀾，舉目眺嶇嶔。初景革緒風，新陽改故陰。池塘生春草，園柳變鳴禽。祁祁傷豳歌，淒淒感楚吟。索居易永久，離羣難處心。

> 「祁祁」二句，是至此始不昧，政以形從前之昧，從前昧有昧之苦，今日不昧有不昧之苦。以兩者而較，「索居易永久」，則昧者猶可言也。「離羣難處心」，則不昧時更不可言也[90]。……細玩「池塘生春草」二句，的是仲春景。「初景」二句，卻是初春景，妙在不昧時猶帶昧意。蓋康樂于去年七月十六日自京起身，比其到郡，當在秋冬之際，種種憤懣無從告訴，只是悠悠忽忽展轉衾枕之中，其與節候只知有「緒風」故陰耳。及當「窺臨」之時，忽見「春草」云云，始知緒風為初景所革，故陰為新陽所改矣。不然，池塘之草胡為而生，柳遇之禽胡為而鳴哉？以久昧節候之人，當此那得不傷祁祁之豳歌而

---

90 「索居」二語一般未特別區分層次，吳說或可自成一家。

驚時序之屢遷，感淒淒之楚吟而痛羈旅之無極耶？（十四
/356-357）

一般閱讀此詩，多將重點擺在「池塘生春草」此二佳句[91]，並逕言「初景」以下為新春之景致[92]，至於此春本身是否還有所變化？便付之闕如。吳淇之評有意思之處在於：他還特別留意到春色中時間的推移，「初春」很快便往「仲春」發展，像這般時間的消逝正是引發詩人對時序「屢遷」之「驚」感的重要緣由，並較好地展現出同一季節中時光變化的實情。普遍所認為春天是更富變化、推移的季節，在吳淇的品評中確實得到頗為細膩之闡發。

該詩的另一個重點在於冬轉春的季節變換，吳淇對此闡發之重心，並非簡單述說外界景致的「革」、「改」，而是能配合全詩情調，細細區辨詩人情懷的各種痛楚，即昧與不昧各有其苦，特別是認為初春「妙在不昧時猶帶昧意」，季節轉換的模糊地帶同時也是情緒的含糊過渡，詩人情懷的細微轉變誠於時節轉換的對應中有了更明確的突顯。

面對松浦友久所歸納、人們時間感受最強烈的春秋二季，

---

91 例如日‧遍照金剛撰，盧盛江校考：《文鏡祕府論彙校彙考》(北京：中華書局，2006.4)「言物及意，皆不相倚傍」(南卷，頁 1340)、葉夢得「此語之工，正在無所用意，猝然與景相遇」(逯銘昕校注：《石林詩話校注》(北京：人民文學出版社，2011.9)，卷中，頁 137)、謝榛「造語天然，清景可畫，有聲有色」(《四溟詩話》，卷 2，頁 46)、陸時雍「非力非意，自然神韻」(《古詩鏡》，卷 13，頁 122)、王夫之「心目中與相融浹，一出語時，即得珠圓玉潤」(《薑齋詩話》，卷 2，頁 146)……等論可參。

92 例如顧紹柏即言此為「初春」(《謝靈運集校注》，頁 95)；孫明云此為「新春」之後，以下的解說便僅言春色(收於吳小如等編著：《漢魏六朝詩鑒賞辭典》，頁 638-639)，俱未針對春季本身再做出不同時間階段的細分。

吳淇似有更留意秋季的傾向，試觀下列二例：

> 清商應秋至，溽暑隨節闌。凜凜涼風升，始覺夏衾單。豈曰無重纊，誰與同歲寒？歲寒無與同，朗月何朧朧。（潘岳〈悼亡〉）

此首寫其自夏及秋半年之情也。若在常手，定將夏秋與前首之春、後之冬排四比。此詩於夏則追補，於秋則預擬，都無一筆實寫也……「凜凜」二句跟「溽暑」句，在夏日不覺衾單者非因溽暑，只是痛極無痛，方且不覺時之夏也，又焉知衾之單也。在此時之覺亦非痛定，止是借此涼風一升，逼出衾單之覺，以顯出前此之不覺耳。此詩三時皆具，而獨缺一夏，故借此追而補之，纔五字耳，居然便有一章之勢……「豈曰」「誰與」，俱慮後之詞，全從上「覺」字來。若「單」字止對「重」字，解作單薄之義殊為少味；不若照下文「同」字解作單雙之義，謂此衾原是兩人相同，其單于春、單于夏，俱昏昏罔覺也。因此涼風一升，始覺得衾中單單只剩得一個人在耳。任從加纊至千層之厚，畢竟不成雙也。自此一覺，因而猛驚此天氣漸寒矣，後來夜更長矣，反不如前夏昏昏沉沉、泯然罔覺之為愈耳。夫秋冬皆稱歲寒，此寫秋景若涉入于冬者，慮後舉遠之意，故下句遂接「歲寒」云云。（八/182-183）

> 有弇興春節，愁霖貫秋序。燮燮涼葉奪，戾戾颮風舉。（江淹《雜詩·張黃門協》）

「有弇」二句，用一「貫」字，是三時皆雨矣。言

> 春秋而不言夏者，仿歷時總書之文，以見當時無復有閱
> 雨也者。然三時連雨，雨尚未止，而言秋者指作詩之時
> 言也。夫春雨未苦，夏雨苦猶未甚，至秋則一歲之計無
> 復望，苦之極矣。「爍爍」二句緊承「秋」來，有驚之之
> 意。蓋一夏俱在雨中過，若不覺其炎蒸者，至此涼葉之
> 奪爍爍，然夏令其退乎？颮風之舉戾戾，然秋氣其近乎？
>
> （十七/466-467）

首先就全詩架構觀之，從「於夏則追補，於秋則預擬」、秋景涉
冬是為了接續歲寒、何以「言春秋而不言夏」云云，即可見吳
淇對詩中季節的關連與安排有相當之留意，而這些皆非只是詩
歌寫作時間環境的背景性說明，一如前述，季節的各種安排都
將影響詩情之鋪展，在時節的層層推衍中，俱再次可見詩人情
思種種細微的轉變。

其次，根據學者的統計，《文選》選錄之詩歌涉及四季者以
秋天比重最高[93]，正與吳對季節的評述以秋天最夥相應。那麼詩
人與吳淇何以特別偏愛秋天？除了宋玉所開啟的悲秋傳統有著
強大的影響力，當下身體、心理對秋天之感受亦得納入考量。
就前者而言，代表秋天的物色往往扮演觸動身體感受之關鍵性
角色，此物色有鮮明的特定性，不論是「涼風」、「颮風」或「涼
葉」，俱指向膚覺所帶來的身體感受；面對彌天蓋地而來的涼
風，正所謂「秋氣無處不遊到」（七/151），整體外界環境無不瀰
漫著寒涼的氛圍。而考量到皮膚為身體最大感官的實情，在接

---

93 陶慶梅：〈傷逝：《文選》詩歌的時間模式〉，《江海學刊》(1996)第 5 期，頁
　　150-151。

觸到這般包覆全身之氣場時，所引發的身體震顫應是相對強烈的，此乃何以秋天較易引發詩人感觸的重要原因之一。

就心理層面而言，秋季的特殊性正在使人「驚」、「覺」。何以易使人驚覺？關鍵應在於它是風候由盛轉衰之起始。吳淇對秋天時間點的突顯，往往透過與夏天的對比而來，夏、秋兩季有較大的落差，而此轉變又是走向衰敗，自易引發較多之慨歎。細觀詩評，吳論潘岳詩可謂將原詩中「始覺」云云加以強化：秋季之「覺」具備承上啟下之作用，一方面與「前此之不覺」相對，另一方面又開啟下文「慮後之詞」，正因前此不覺而入秋忽覺，才會有「猛驚」之情緒，並由此引發一連串的思緒。此評另有一值得留意處：吳淇解釋夏日何以不覺「非因源暑」，而是因「痛極無痛」，「不覺」與氣候無關，但隨即又言秋之覺來自「涼風一升」，似與前此無涉風候之立論矛盾，實則此評正可突顯秋天予人之震撼性，正因整體環境表現萬物凋零的樣貌，明顯展現衰敗徵兆，因而人們普遍對此之敏感度會較夏天明顯。夏之「痛極無痛」、「不覺」並非全然與風候無關，而是風候之刺激度不足，「不覺」事實上與風候感薄弱有關，而這也反襯出秋天氣候轉變幅度之大，從而展現對人情懷影響之鉅。至於江淹之評，原詩表面上不過是對於外在景觀之描繪，吳淇卻特別點出由夏之「不覺」到秋「驚之」此感受的轉變，這就將屬於詩人的情思恰切地融入景語中，同時彰顯「秋」予人之時節衝擊感。

同樣地，本點關於季節品評的探討，若與前於吳淇或時代相近的詩評家相較，將更能彰顯吳評之特殊處。首先是吳不斷由時節角度加以關懷的《悼亡》組詩，歷代品評大體不離對其

情之褒揚[94]，然諸評多僅止於簡單點出詩情，具體而言此情是如何悲愴？是否有細微的轉變？便付之闕如。相對而言，吳淇能藉由對季節轉變的細膩分析，烘托悲悽情感之起伏轉折，實乃其突出之處。

　　至於本點涉及之其他詩作，與時節相關的歷朝品評主要集中在大謝〈登池上樓〉，然數量並不甚多：

> 坐此登望之頃，不覺愴懷時序……「池塘」二語，彼自感時序耳，乃詠情，非詠境也。[95]

> 臥病之餘，不覺節候之易，乃今暫得臨眺，因覯春物更新，而念離索既久，曷勝感傷。[96]

「感時序」、「覯春物更新」云云僅是簡單點出時間的流逝，其後「詠情」、「曷勝感傷」雖可見時節與情感的連繫，然不若吳評細細揣摩節序對情懷之影響，深刻度上恐仍以吳評略勝一籌。

　　秋天自宋玉所開啟的悲秋傳統以來，確實予人時節由盛轉衰之無窮哀感，吳淇於此基礎上還特別強調「驚秋之意」（張載〈七哀〉九/209）、詩人之「覺」，整體而言傾向由物候的親身體驗加以闡發，而非只是單純襲用「秋使人悲」之情感慣性，如此一來便更能結合詩人之個別情懷，進一步探究詩人何以悲秋的心理層面，而具備強化詩人對秋季親身感受之效用。

　　其次，根據學者的歸結：「悲秋主題詩歌的表現，大致有三點：第一，逝者如斯的時間感懷；第二，老之將至的生命感傷；

---

94 詳參本章註 57。
95 清・陳祚明評選，李金松點校：《采菽堂古詩選》，卷 17，頁 527-528。
96 明・唐汝諤：《古詩解》，卷 20，頁 618。

第三，家國日衰的政治情懷。」[97]若追溯悲秋傳統之源頭，宋玉「坎廩兮貧士失職而志不平」、「時亹亹而過中兮，蹇淹留而無成」[98]云云皆可見未及建功立業之慨，然而若就《六朝選詩定論》全書加以歸納，會發現吳淇的時間闡發直接與政治情懷相關者顯然較少，而以述說個人內在情思者居多，這就展現吳淇品評的主觀意志，亦即其對季節的時間闡發有偏重私領域言情之趨勢，這就再次暗示著儘管吳淇尊經且重詩教，卻未忽視詩歌緣情的一面，其繼承儒教並非盡是附會政治而顯拘泥者。

　　此外，松浦友久提出「夏冬則是更為持續、凝固的季節」[99]，儼然已經成為普遍對時節理解的共識，然在吳淇的品評裡，此二季節誠展現出更為立體鮮明的個性：夏季雖大體不出松浦之論，吳淇卻常於原詩未提及夏季或者只是簡單帶過的狀態下，突顯其作用性（例如評潘岳詩言該詩追補夏天而有「有一章之勢」（八/183）），正因為有夏季的對比烘托，方始秋天的特點更顯鮮明。再者，吳淇特別留意冬季本身時間推移的樣貌，這就標誌著時間的流逝無所不在，即便是感受上較易讓人忽略時間推移的季節，時光終究不曾停息。復次，吳淇尚費心指出夏、冬二季予人「不覺」的感受，並提及此不昧之苦楚，而表現出情感幽微之面向，相較於松浦之說，吳淇之闡發誠使此二季之時間性質帶有較濃厚的情緒色彩；他對夏冬不同層面的觀察，也確實拓展了讀者觀看季節的視野。

97　陳向春：《中國古典詩歌主題研究》(北京：高等教育出版社，2008.6)，頁 35。
98　洪興祖撰：《楚辭補注‧九辯》(臺北：藝文印書館，1999.9)，卷 8，頁 301、302。
99　松浦友久：《中國詩歌原理》，頁 12。

　　最後，吳淇對於季節的闡發，還展現出對時節交替的多方留意，不論是身體感受落差較大的季節（冬至春、夏到秋），或者是季節屬性相對較近者（秋到冬），吳淇俱多次提及季節間的過渡與關連，特別是季節屬性相近者，一般而言多有著容易被忽視的情形，吳卻細細揣摩其間的異同，這意味著他對時間的變動流逝有著較高的敏銳度，而對詩人情思之細微體察，正是蘊含在這些對季節的體認中。[100]

第四節　小　結

　　透過上列對吳評的種種觀察，已可看出他對詩歌中的時間確實有頗多的留意，另有「『期』是遙指百年，『數』是逐年細數」（陸機〈長歌行〉十/264），細辨與時間相關的用字；「自『雲漢』句至『昔離』句，是從今夜逆寫到去年此夜；『今聚』句至『遙心』句，是從今夜預寫到明年此夜。獨將現今一夜丟在中間不寫」（謝惠連〈七月七日夜詠牛女〉十四/393），呈現出對詩作時間安排的留意；「原詩『荏苒冬春謝，寒暑忽流易』，是說生前之日月易邁，以傷其人之亡。此詩首『青春』二句，是周期後之日月，以寫其悽愴無終畢之意」（江淹《雜詩‧潘黃門岳》

---

100 前述關於「不覺」之時間闡發，吳淇是站在詩人的立場而言；此與他本身對時間變動保有較高的敏銳度不相衝突(站在詩評家本身的立場)，兩者分屬不同的層面。此外，二、三兩節論及時間的推移，似與第一節「欲化現前一刻為永恆」之論有所矛盾。實則吳留心角度不同，或者聚焦於當下，或者是站在更廣袤的高度，考慮四季之流轉，只能說是多方呈現時間予以詩人的諸多感受，而非不可並存。

十七/464），則是透過不同時間點的比對，帶出感傷情懷的差異性。類似像這般敏銳觀察時間、卻無法歸入上文作系統討論之述評，於《六朝選詩定論》中所在多有，足見吳淇對時間關照之廣泛與多元。

總體而言，吳淇對於《選》詩中的時間闡發，首先表現出對現前一刻的留意，「現在」乃意識的中心，所有知覺感受於此刻有最鮮明、強烈的觸動。面對無法逆流的時間，試圖於塵剎上立世界，乃是使生命獲得永恆的一種方式。另一方面，吳還特別點出「過往」的記憶常能於「現在」重現，然此重現卻不見得能如暫獲永恆般予人正向之感受，正因往昔終究已逝，在承載過往的同時，當下之情緒感受有時反而是相對消極的。但不論如何，「過去」實具備強化當下知覺情緒的關鍵性作用。

關於時間推移予人之主觀感受，吳淇則有特別留意頓漸、遲速的傾向。他除了著意展現「頓」予人之震撼感，對於積累之「漸」如何發於一「頓」而使人察「覺」？則點出外界物色之轉「變」往往扮演著關鍵性的角色。另一方面，吳亦特別提點「漸」也許易使人忽視，實則「漸」所展現的是另一番延續折磨之苦楚，情感上之難堪並不亞於衝擊強度較高之「頓」。若與「現前一刻」之議題合併觀之，吳淇的時間闡發乍看之下似蘊含泛政治層面的色彩，但若細細咀嚼，則可見其富含人情的一面，吳所重視之詩教誠非死板衛道者，於此可見一斑。

至於遲速所指，在於主觀心態不同，而使詩人對時間之感受有或緩或急的差異。然而不論遲或速，此心理性的時間感受多為苦楚。吳淇最大的突破，便是將歷朝詩評家聚焦於表層形構（即形似、鍊字、善於發端等）之評註，藉由對時間遲速的

闡發，將重心轉向底層之情意面，促使讀者在欣賞詩歌形構美感之際，能不忘情思方為詩作感人之根本；此外，吳尚細部區分不同的時間階段，或者詳辨時間之相關用語，凡此種種，俱非停留於表層形構之解說，而是能密切連結詩作之情意，有深刻挖掘詩作幽微情思之功。統而言之，不論頓漸或緩急，俱為時間流逝之表現，吳評尚進一步點出主觀的時間流逝感有著「起伏不定」的特點，藉此強化時間予人難以掌握之壓迫感。

在「物我交感中之時間闡發」裡，所謂「時變徵於物」，乃是透過具象之物色呈現抽象之時間，吳淇或者指出外物本身之變化，或者點明於詩中未有變化之物及其所標誌的特定時節，物色本身有所變化者多集中於植物，而常與視覺連繫，較能展現吳對定型化意象之突破；物色本身未有變化者則以動物昆蟲較為常見，而多搭配聽覺，吳於論述上相對簡單。

至於四季的闡述，吳特別強調秋使人「驚」、「覺」之親身體驗，這就在悲秋的慣性書寫傳統上強化詩人對秋之個別情感。而較易讓人有凝滯感受的夏、冬兩季，吳論則揭示其較具情緒色彩的一面，對夏季偏重說明其烘托秋天之作用性，於冬季則特別留意它內部時間推移的樣貌，這除了細膩呈現詩人情感與時節對應之起伏變化，還提醒我們，即使是較易使人忽略時間推移的季節，時光終究不斷流逝，時間的壓迫感由此復可見一斑。

整體而言，吳淇對時間用語之細膩區辨，對全詩時節安排之費心闡發，多非僅止於表層結構的說明，於此同時，除了展現詩作中時間的各種樣貌，更連帶呈現詩人幽微情思之起伏，充分結合形式與內涵之闡述模式乃吳淇評註之重要特點；而透

過這一系列的述評，我們確實見到「情感本體世界觀」、「感情……是瀰漫於世界的唯一令人關心的『真實』」[101]，吳淇之時間闡發誠具備濃烈的情感性質。

像這般情感化的時間闡發猶可留意兩個面向，首先，若由心理學的角度觀之：

> ……不同年齡組的被試對「悲傷情緒時間」的評估出現高估，而對「歡樂情緒時間」和「智力活動時間」的評估出現低估。[102]

可見不管是哪個年齡層，都有放大悲傷情緒時間的傾向，如此心理狀況正可強化說明何以吳淇對時間的評述以悲慨者居多。[103]

其次，吳淇闡發時間議題時，除了表現出對公領域詩教之留意，對於個人內在之情思亦有相當之費心。僅以本文主要探討的 38 首詩作加以概括，其中被《昭明文選》歸入「雜詩」類者就多達 18 首，而根據學者的探討，「雜詩」之作若重新歸類，以「詠懷」最多，相較於禮情、公情，其情幾乎皆為「私情」[104]。回到吳評觀之，吳淇對雜詩之作的時間多所探討，正可看出他未曾忽略私情範疇之時間，這就證明在他眼中，時間對詩人的重大意義並非只侷限於公眾的政治範疇，私人情感仍佔了相當之比重。而這也反映出儘管吳淇本身有鮮明的「尊經」（一/1）、

---

101 呂正惠：〈中國文學形式與抒情傳統〉，《抒情傳統與政治現實》(臺北：大安出版社，1989.9)，頁 177。

102 彭聃齡主編：《普通心理學》(北京：北京師範大學出版社，2014.9)，頁 186。

103 此處所指乃是考慮原詩詩情之侷限外，屬於詩評家本身的偏向。

104 游志誠：《昭明文選學術論考》(臺北：學生書局，1996.3)，頁 203。

「主漢道」（一/1）之意識，卻不意味著他對傳統儒教之一概繼承，以專門闡述詩歌公領域言志諷諭為主，而是有所新變，能夠以較近實情的視角闡發詩人之「至情」（一/3）。

（原文 2017.5 發表於《東吳中文學報》（THCI 核心期刊）第 33 期，2017.12 復增補修改如上。）

第七章　定點與移動

── 吳淇之空間闡發

　　空間的基本特徵包括以長寬高構成、具備廣延性及分割性[1]。而文學空間殆可區分為「形體空間」與「層次空間」，前者主要涉及物體的形狀與大小，較接近「意象」的概念，後者則可「分為『遠與近』、『內與外』、『左與右』、『前與後』、『高與低』、『大與小』、『立體空間』、『視角變換』、『自然與人文』等」[2]。雖統稱為空間，然而兩者涵蓋範圍差異頗巨，而本文欲探討的對象，主要集中在層次空間。

　　就人們的空間能力而言，主要包括空間視覺化、空間定向與空間關係[3]等三個維度，其中又以空間關係最為複雜，涵蓋空間分布、地圖、路徑、距離等。歸納《六朝選詩定論》中的空間評注，也以空間關係的述評數量最夥，細部觀之，尚可區分為定點與移動空間（步移景遷）兩部分，二者之內涵、性質各有偏向，故擬分列探討。至於空間定向的表現，在吳淇的闡述中常可見到由視覺眺望帶出方位走向，視覺的部分在本文第三

1　張紅運著：《時空詩學》，頁 79-82。
2　仇小屏：《古典詩詞時空設計美學》（臺北：文津出版社，2002.11），頁 53-54。
3　美・戈列奇、澳・斯廷森：《空間行為的地理學》，頁 135。

章中已有詳細說明，因此本章擬就吳淇品評方位時所呈現的意義加以闡析。最後時空互涉的論題，吳淇述評數量雖有限卻具備新意，將於本章末做一觀察。

此外，「心理上的空間意識的構成，是靠著感官經驗的媒介。我們從視覺、觸覺、動覺、體覺，都可以獲得空間意識。」[4]可見空間意識的形成脫離不了感官經驗的輔助，其中又以視覺與空間的關聯最為密切，此亦何以本章欲單獨論述視覺與空間之背景。再者，上列這段引文還暗示著所謂的空間，儘管同「時間」議題一般可作出客觀、物理性質的測量，然而一旦書寫入詩，絕大多數便帶有主觀色彩，時常可見詩人之情緒思維。這部分乃吳淇述評的重心，因此下文之開展，亦將以此為探討之核心。

就具體的品評而言，吳淇對空間的闡發與空間基本特徵相關者隨處可見，例如「『隨長風』，雖有東西之離，未嘗分於上下也」（曹植〈雜詩〉五/114）、「帷窄狹，恐瑟聲不暢，故取于『遙帷』也」（江淹《擬作・王徵君微》十七/477）、「『高臺』言高，『華軒』言敞，取其聲易遠聞，故於此處弄絃以抒其思」（王微〈雜詩〉十三/332）、「晨尋夕在，寫登處已明寫出最高。『夕息在山樓』五字，是一篇之要領。蓋用此句遞過最高，將寫最深也」（謝靈運〈登石門最高頂〉十四/367）……等評，即可窺得吳對三維空間、廣延性及某個有限空間（分割性）之留意。在這些述評中，除了較單純地展現空間之物理性質，更有意思之處，應在於揭示詩人空間安排之用心，進一步由物理空間推

---

4 宗白華：《美學散步》，頁137。

衍至「人」這一端，展現人於其中活動的情形。上引江、王、謝之評已隱約可見此傾向，另有吳論鮑照〈行藥至東城橋〉則更顯清晰：

> 蔓草緣高隅，脩楊夾廣津。迅風首且發，平路塞飛塵。
>
> 「蔓草」四句，不是寫景，正為寫人張本。除險如高隅，人行不到，故生蔓草，若修楊所夾，其間正是人所行之通津。「塞路飛塵」，正是擾擾營營之人蹴起來的。
> （336-337）

一般觀此四句詩句，常以單純景語視之，且多忽略此之作用[5]。吳淇卻特別指出此非簡單的敘景，從表面景觀之樣貌正可推測於此空間中活動人們之疏密及樣態，而這也使景致與前後詩句中提及之關吏、遊宦子、市井人得以融洽地連成一片。像這般揭示空間承載人之性質，所呈現的述評思維在於：空間儘管可作出客觀、物理性質的測量，卻非簡單的「容器」，「我們的行為和思想塑造著我們周遭的空間」[6]，像這般明顯涉及人類行為、情思，而帶有主觀色彩之空間，更精確的稱呼應為「場所」，「場所暗含的意思包括位置以及社會、文化、自然的綜合整體。在

---

5 例如劉履「至城東門，方且延覽景物」、方回「『蔓草』以下，敘景述事」（《文選顏鮑謝詩評》卷 1)……等評可參。甚至連當代學者亦逕視此為單純寫景句(王令樾：《文選詩部探析》，頁 163)。

6 包亞明：〈空間、消費與城市文化〉，收於陳曉蘭編：《詩與思》(上海：學林出版社，2007.1)，頁 25。

人和場所之間會產生很強的心理和情感聯繫」[7]。吳淇對於詩歌中空間之闡發，時常可見對此精神層面之留意。因此本章的論述脈絡，乍看之下似乎不過是對表面空間屬性之分類，實則空間屬於常態（日常居所或郡署、王居）或非常態（遊子行經郊野或於野外中對方位的瑕想），對於詩人們的情感偏向誠有著深沉之影響。由此可進一步思考的是：我們尋常所認為「家」乃庇護、使人心安之處所，在吳淇的闡發中，是否表現出某些異於普遍認知的關懷？而仕宦從政乃傳統文人之理想，那麼在吳淇的述評裡，處於郡署的詩人們，是否真能於此安身立命？至於在非常態生活的郊野場所中，吳淇又試圖表現那些受空間影響的情感偏向？凡此種種，俱有深探的價值，茲詳析如下。

第一節　日常居所

── 私密與拘束性

就定點空間而言，「中國人的宇宙概念本與廬舍有關……古

---

7 艾特肯(Aitken)之說，轉引自美・戈列奇、澳・斯廷森：《空間行為的地理學》，頁 338。此源自人文地理學者段義孚「人與地方的情感聯繫」之精神，而對「場所」提出精簡明確之定義。本文旨在探討吳評呈現的文化社會空間，何以不逕將題目訂為「場所闡發」而是「空間闡發」？乃因吳論有不少內涵終究是以物理空間為基點，「場所」概念可視為是「空間」的延伸，故篇章名為「空間」，乃欲兼顧物理與文化、社會、情思等多個層面。至於內文語彙的使用上，欲展現單純物理性者，將稱之為「空間」；而帶有情思、社會文化意涵者，則稱之為「場所」，或使用「空間載情」、「空間感受」加以表述。

代農人的農舍就是他的世界。他們從屋宇得到空間概念。」[8]廬舍屋宇即是日常生活的家園，之所以由此得到空間概念，與人們於其間長久活動脫離不了關係，它自然是生活中重要而獨特的場所，屬於私人領域；另一方面，仕宦從政既然是多數傳統讀書人之抱負，詩人們在官署、王城中實踐對社會群體的使命，而使此處亦成為活動時間頗長之場所。那麼吳淇對於這兩個公私場所之闡述各有何偏向？此「異」中是否尚有共通之處？此乃饒富興味而可茲鑽研處。

本節先專就日常居所來談。日常居所如果再作細分，主要包括故鄉及罷朝休憩處，而在吳淇的述評中，則有將焦點集中於前者的趨勢。比之公共空間濃厚的公務性質，私人居所因能有個人之布置、擺設，確實較能展現一己之特點：

> 高樓一何峻，迢迢峻而安。綺窗出塵冥，飛陛躡雲端。佳人撫琴瑟，纖手清且閑。（陸機〈擬西北有高樓〉）

> 劈首寫四句高樓，然却字字是下文張本。「一何峻」，寫樓之高。「迢迢」又加一遠。「峻而安」，以便安插「佳人」在上。「出塵」「躡雲」，承上「迢迢」。曰「綺窗」、曰「飛陛」，正映下可望而不可親也。此雖空空寫樓，便已令讀者覺得樓上有一人、樓下有一人。然樓下人於樓上人，亦只是遙聞聲而相思。……樓下之人倘然闖來，故只單和其歌耳。始也，顧之不得而望，既也望之不得而思，以明終不可得而親。皆此樓之故，即士人禮義之

8　宗白華：《美學散步》，頁 106。

防也。（十/251-252）⁹

此處先專就刪節號之前的這段引文論之。吳淇評述顯然將焦點
放在「高樓」這個空間如何為「下文張本」上。若觀看原詩，
前四句專就高樓來談而未見佳人的影子，吳評則明顯有強化此
場所中「人之氣息」的意味：「此雖空空寫樓」，然吳對樓「高」、
「遠」闡發的同時，尚將佳人穿插其中，藉由樓之「高」、「遠」
適切映襯出佳人對樓下人而言「可望而不可親」、只能「遙聞聲
而相思」的形象，真所謂「特殊的空間確實可以很好地表徵出
人物的性格特徵」¹⁰。

　　如果說上列述評只是概括地呈現詩中主人翁之形象，那麼
下例則是更為細緻地展現出居所中個人之獨特烙印：

> 　　皎皎窗中月，照我室南端。……豈曰無重纊，誰與
> 同歲寒？歲寒無與同，朗月何朧朧。展轉盼枕席，長簟
> 竟牀空。牀空委清塵，室虛來悲風。（潘岳〈悼亡詩〉）
>
> 　　「室」字應上「入室所歷」來，「之子」者，室之主，
> 終日不離室中者也。故此詩入室以後，「重纊」以前，句
> 句都在室內寫照。「南端」者，乃室內之南端……室之南
> 端，近窗者也，故月從窗入照即及之，但平日室中有人，
> 故止見照人，而南端則忽焉……及之子云亡，己牀簟仍
> 在南端，而之子之枕席又為別設……「牀空」二句，其
> 義互錯。牀上之塵，乃平日悲風所吹積，而目前空虛所

---

9 該作之佳人或非實寫而有所寓託。然而專就「空間與佳人之相映性」而言，與
　詩旨之寓託並不相妨。
10 龍迪勇：《空間敘事學》，頁295。

來之風又將牀上之塵吹起，昏昏慘慘、陰陰黯黯，之子
靈爽，將欲出現，有「是耶非耶」之意。(八/182-184)

在這段述評中，吳淇特別著墨於「室內」、「南端」及「牀簣」
這三個有部分疊合之空間，前二者在原詩中僅以「室南端」三
字簡單帶過，似為地點的交代而乏深意，然而吳淇卻著意指出
「句句都在室內寫照」，這就將此場所突顯出來，實因此乃妻子
活動的主要場所，其中南端更是詩人與妻尋常活動之處，尋常
到平日連「南端則忽焉」，卻在妻亡後，方感受到此處之可貴。
吳評使得室內、特別是「南」端這個空間方位不單只是客觀物
理環境的背景交代，而是成為富含情感意識的場所。

　　進一步聚焦來看，南端之「床」於原詩中的焦點僅在於床
上積塵，而吳說則是將原本迴還於較大空間（全室）的悲風鎖
定於較小範圍（床）中，合理推測悲風對積塵的「吹積」與「吹
起」，相較於原詩只偏「吹積」的描繪（「委清塵」），在吳評「吹
起」的增補說明中，「床」所據空間於灰塵積聚又散落的反覆循
環裡，誠更顯詩人曠日彌久而捨不得處理亡妻牀簣之情態。尤
其值得留意的是，「床」乃夫妻生活一個極為私密而重要的場
所，吳對此有較多說明，應有烘托潘岳夫婦深情之用意。另一
方面，如果說吳淇此評之「南端」對詩人而言有個別而特殊的
意義（並非眾人俱對「南端」有感），那麼他對「床」的闡發，
則提供從「詩人獨有之感」推衍至「普遍夫婦之情」的可能，
也就是在「南端」的述評中見到潘岳夫婦獨特印記的同時，亦
使讀者聯想到古今夫婦對「床」同情共感的可能性。

　　吳淇這段對空間由大至小的闡發除了層次分明外，其評顯

然強化了原詩之空間，亦即突顯室內空間承載亡妻形影之特點，即使已不能再見此人，但該場所無不見妻之氣息，居所的私人印記於此誠明白可見。

上列吳淇對居所的評述，主要是專就室內場所而言；另有一類則是藉由室內、戶外之比對，帶出起居處中之情思：

> 房櫳無行跡，庭草萋以綠。青苔依空牆，蜘蛛網四屋。感物多所懷，沉憂結心曲。（張協〈雜詩〉）

> 後半寫景，以「沉憂」句結。總從詩「婦歎于室」四字演出。……房櫳正是出室入室所必由處，「庭草萋以綠」正寫「無行跡」，於室內外之間鎖一句。以下又分寫：室以外，惟牆之青苔；室以內，惟屋角之蛛網而已。……凡人所思，未有不低頭。低頭則目之所觸，正在昔日所行之地上。房櫳既無行跡，意者其在室之外乎？于是又稍稍擡頭一看，前庭又無行跡，惟草之萋綠而已。于是又稍稍擡頭平看，惟見空牆而已。于是不覺回首向內，仰屋而歎，惟見蛛網而已。如此寫來，真抉情之三昧。（九/200）

> 秋月映簾櫳，懸光入丹墀。佳人撫鳴琴，清夜守空帷。蘭徑少行跡，玉臺生網絲。庭樹發紅彩，閨草含碧滋。（江淹《雜詩·張司空華》）

> 原詩欲寫室內蕭索，故借風開帷簾，放月光入室。此詩全在室外寫。故以簾櫳隔斷，置月光在丹墀。惟景俱在室外，益顯室內之空。室內既空，又是夜間，何由知有獨守之佳人？故添借鳴琴，以醒出徑臺庭閨。從「丹

墀」字生「少行跡」云云，借月光醒出從映簾櫳望見也。
臺即階闥，內寢之門，非生草之地。曰「闈草」，以少行
跡之久，草且侵闈矣。（十七/463）

上列述評有兩處值得留意，首先是空間的分割性。室內戶外因
建築阻隔之故，而可切割出相異的空間，吳淇似乎特別留意室
內外交接處，像是房櫳、簾櫳、窗牖等，這些地方有著阻隔或
跨界延展的功用，「房櫳正是出室入室所必由處」、「借風開帷
簾，放月光入室」、「以簾櫳隔斷」云云，另有「『皎皎當窗牖』
一句，關通其脈」（《古詩十九首‧青青河畔草》四/79-80）之評，
正可共同窺見門窗阻斷空間與否的雙重性。那麼吳淇特別拈出
這些交接處的目的何在？應在於強化室內、外兩場所間對比或
互襯的性質，具體而言，「室以外，惟牆之青苔；室以內，惟屋
角之蛛網」，兩場所俱顯蕭瑟；「景俱在室外，益顯室內之空」
則是借戶外對比室內之蕭條，可見空間雖可經由切割展現一定
的獨立性，然彼此卻又有著微妙的聯繫。

　　如果整體觀察《六朝選詩定論》中這類室內外對比的品評，
會發現吳淇有借戶外突顯室內寂寥的傾向[11]，在前者的對照中，
反差的效用確實能使室內場所的情狀更形鮮明；而吳這類室內
空寂之論，意味著日常居所並非理所當然可以安心休憩之處，
在無法離開只能獨守的情況下，它反而成為拘囿身心之場所，

11　藉由室外之景烘托室內之寂，於《六朝選詩定論》中頗為常見，另有「于野
　　外寫所聞，正于室內無所見……寫室中意景蕭索，是無著的，卻以『將何見』
　　逗之欲有」（阮籍〈詠懷〉七/147）、「一夜空房之中，冷冷清清、慘慘澹澹，
　　無聊極矣……忽見『蘭蕙』云云，陸陸離離似與空房景物迥異。乃以佳人不
　　在，采取莫貽，則彼之陸陸離離者，仍看成冷冷清清、慘慘澹澹」（張華〈情
　　詩〉八/174）……等評可參。

從而展現困迫孤寂的空間感受。

其次，吳淇還特別留意到空間景觀中反映的人跡。如果比對原詩，會發現像是「庭草萋以綠」、「閨草含碧滋」等描繪，俱可視為景語，然而吳淇卻言「『庭草萋以綠』正寫『無行跡』」、「少行跡之久，草且侵閨」，顯然有刻意突顯自然景觀中人跡的意味。至於張協詩作，在第三章視覺「俯視仰觀」的探討中已經提及，吳評著意點出主人翁目光（低頭、抬頭、平看）於房櫳、室外到屋內等場所地點間流轉時那四處搜尋的樣貌，可謂藉由對視覺的說明烘托詩中之場所，而使讀者明顯見到有一人徘徊於庭草、青苔等外景中。換言之，吳淇對環境的闡發，並非將此視為單純的物色鋪陳，而是欲借自然景致帶出詩人「仰屋而歎」、獨守佳人之寂涼，這些景觀之樣貌正好與前一段室內外場所之論相互呼應，貌似客觀的物理空間實則具備濃厚孤寂之情感色彩。

另一方面，日常居所因為是人為建構的場域，故有屏蔽、保護的作用，進一步而言甚至具備規範性，試觀下列論述：

> 庭中有奇樹，綠葉發華滋。攀條折其榮，將以遺所思。馨香盈懷袖，路遠莫致之。此物何足貴，但感別經時。（《古詩十九首》）
>
> 奇樹之有而曰庭前，其義有四：曰「庭」者，見植身之正，與閑花野草異矣。曰庭前者，見此樹之奇，本自天生，既有此內美，而近在庭前，易為剪培，又重之以修能也。曰庭前有者，見此身守定中閨，曾不踰戶外一步，伏下「路遠」之意。（四/85）

吳淇費了不小篇幅說明「庭」這個場所之特殊性，一來與「野」之無所拘限相異，二來樹之所在位置「近在庭前」[12]，兼有天生與剪培的雙重性質，這就將空間人為復帶自然之面向展現出來。值得留意的是，吳雖表明「庭」介於郊野與室內的過渡性，但他顯然更側重「庭」偏於室內的規範性，此由「植身之正」、「易為剪培」、「守定中闈」可以窺得。像這般的評注思維，正可與本節第一筆引文，也就是吳評陸機〈擬西北有高樓〉合觀，從「樓下之人……只單和其歌」云云已可看出空間的阻隔性質，而吳淇將「不可得而親」歸之於「樓」這個場所所蘊含的「禮義之防」，便與此處之評相仿，同樣展現出室內場所之規限性。吳淇這類品評是否合宜自有商榷空間，畢竟「修能」、「禮義之防」云云或有政教附會之虞。然其側重表現室內場所正、內美、修能等特點暨功能，明顯可見儒家詩教之思維，此可視為是吳「尊經」（一/1）、重雅正思想之具體表現。

　　一般閱讀該詩，多將重心擺在榮華及最後的慨歎情思，即便聚焦於首句，亦以「奇」樹之「奇」較得矚目[13]，歷代品評幾乎未見對「庭」之地點有所關照[14]。吳對此場所有較多留意，且扣合其尊經思想，正可窺見詩評家本身重視空間、力主「漢道」（一/1）之獨立意識。

---

12 原詩云樹位於「庭中」，與吳淇「庭前」之解有所落差。然由吳「庭前」之論，正可看出其意欲突顯樹近於庭所兼有自然與人為之雙重特質，他對特定場所的費心闡發於此可見一斑。

13 例如張庚云「『樹』曰『奇』，則非凡卉也」、饒學斌「開口曰『奇樹』，其岸然自異，正以黯然自傷也。夫負奇於眾，才奇而數亦奇」……等評可參。俱收於明・劉履等著，隋樹森編：《古詩十九首集釋》，頁98、174-175。

14 雖有張庚云「曰『庭中有』則非野植矣」，然其論本之吳淇者甚多；且該評甚短，與「庭」相關者僅此一語。同前註，頁98。

綜上所述,可得以下兩點歸結。首先,與日常居所相關的品評裡,可以見到吳淇一方面突顯生活處所中私人獨有之印記;另一方面,也呈現屏蔽空間的局限或規範性。值得留意的是,《六朝選詩定論》的整體品評趨向,類似品評潘岳〈悼亡〉這般展現居所私密性之論述相對較少,吳淇顯然耗費更多心思於困囿性上。就尋常認知而言,家園乃是「周而復始、循環往復的日常生活在其中展開的『親和性』的、寧謐的、波瀾不驚的空間」[15],然而在《六朝選詩定論》中,面對家園這個場所,是否多視此為安身歸依之處?則隨主人翁身分立場不同而有相當之落差。若為游子,家園自然成為懷念欲歸之居所,不過吳淇對此之相關品評數量較少,且其評註較接近表面文意之串講,而難窺得吳之獨到觀點[16]。如果是從居守者的角度而言,吳淇則多留意到獨守者思念遠人的一面,他們在吳評中常展現「坐困愁室」的樣貌,所謂家的安穩性並未被突顯出來,它反而成為困囿身心、為了游子無所遁逃的拘束場所,吳評對此地點之闡發誠更形強化詩中困頓的悲怨情思。

那麼吳淇這般表現場所規範或困囿的品評趨向,所呈現的意義為何?或可由下列論述得到啟發:

> 家庭就是訓練適於公共生活之倫理與行為的所在……「家」的住宅的私人性被剝奪而成為倫理化、秩

---

15 姜宇輝:《畫與真》(上海:上海人民出版社,2013.1),頁289。

16 例如潘岳〈在懷縣作〉「自我違京輦,四載迄于斯。器非廊廟姿,屢出固其宜。徒懷越鳥志,眷戀想南枝」,吳注「自我離京『四載於斯』云云,固已無復望矣,只有家可懷」(八/189),較近文意之串講。再如言王粲〈從軍詩〉「軍士歸家之樂如此,再照前離家出門之苦如彼」(六/135),則近全詩要旨概述而少延伸發揮。

序化甚至公共化的空間。[17]

此處「訓練」云云若對應至吳之評注，可以見到像是〈庭中有
奇樹〉、〈擬西北有高樓〉「規範」之評正與上論相應，表現出符
於公共秩序的一面；而另一個值得留意處則在於「家」倫理化、
公共化的空間性質。若觀察《六朝選詩定論》中與日常居所相
關之論，會發現與「相思」主題相涉者占極大之比重，或有學
者認為「相思」傾向心理生理欲望、自我意識的面向[18]，然而饒
富意味的是，如此貌似偏向私人情誼的相思卻多來自游子之不
歸，而游子又何以不歸？則有相當之比例是來自對功名的求
取、為建設帝業的遠方行役，在這樣的狀況下，「獨守」不得不
成為仕宦文化傳統下的產物，屬於君國政治統一體的一部分，
而不單純只是個人私情之展現[19]。要之，在泛政治的影響下，不
論是居所的規範性或者獨守之坐困愁室，在吳淇的品評中，日
常處所確實較大程度地展現拘束性質，而使原屬於私人之居所
染上較多公共倫理、文化制約的色彩。[20]

---

17 龍迪勇：《空間敘事學》，頁305。
18 可參王立：《中國古代文學十大主題》，頁250。
19 前述潘岳〈悼亡〉詩評亦可屬「獨守」之例，從吳評多次闡發亡妻所在之室
內空間，到「只于期年將周之先借朝命一逼，遂趁此東皐望墳之駕送入洛陽
道上」(八/185)，即可透過場所的轉換，窺得潘岳為了從朝政而需在未屆期便
草草改服，個人私情確實不得不受政治之干涉。唯此「獨守」非站在女性的
角度，而獨守者潘岳最後亦離室而去，此乃與「佳人獨守而游子未歸」等詩
篇相異之處。
20 在前一章時間主題關於「現前一刻」、「頓漸」的探討中，亦曾論及「思念」
之書寫。然彼處政治與私情之交雜中，慮及時間點的問題，多集中在別離之
際情感的描寫，故私情佔有一定之比重；此處則因室內空間之規限性，而有
更傾公共倫理的表現。可見吳淇闡發時間、空間雖俱涉及相思，解讀偏向仍
略有差異。

其次，就情、景（空間）的表現而言，吳評多有將原詩偏景語者添入人跡之趨勢。景（空間）之一端如「青苔依空牆，蜘蛛網四屋」、「蘭徑少行跡，玉臺生網絲」……等，本有荒涼甚至荒野化的表現，一般於詩歌中多視此為環境鋪陳之用。然而在吳淇的品評裡，則明顯有將行跡融入空間的意圖，這就使景不再是單純之景，而是富含詩人的情意知覺。此外值得留意的是，主人翁於此場所中多有徘徊、搜尋的舉止，而可與第五章第一節之一「徘徊之慨」的部分內容（〈傷歌行〉、張華〈情詩〉之評）合觀，在有限場所中周旋、打轉，這般無法掙脫之姿正復與前述「坐困愁室」或受規範之限囿相互呼應；特別是佳人寂寞之形影置身於荒蕪的空間中，寂上加寂更是情景交融之充分體現。

第二節　郡署與王居

── 依違於仕宦之漂泊性

中國傳統文人讀書既然多以仕宦為業，郡署、王居成為居家以外耗時最長之場所乃理之必然。那麼在此政治權威的場所中，文人們展現出什麼樣的仕宦情懷？是否得以穩當地安身立命，而使內心不顯漂泊之樣貌？此乃這類品評可茲留意處。

在這類述評裡，空間本身多帶有象徵身分地位的意味，例如：

皓天舒白日，靈景耀神州。列宅紫宮裏，飛宇若雲

浮。(左思〈詠史〉)

　　上章是以王侯居之赫赫，形出楊子宅之寂寂。此章更用天子宮闕，形達士之胸懷。劈首「皓天舒白日」，正為寫街衢館廬之盛，且于宮闕上增出大氣象。前截開京城內對八區，此云「靈景耀神州」，更把宮闕之壯麗，與八區之廣大打合一片。(八/193)

原詩中已有藉由對王侯居之描繪帶出富豪權貴之意，而吳淇釋列宅、紫宮以「大氣象」、「與八區之廣大打合一片」，則有強化王侯居所壯闊之意，天子宮闕越是華貴，越能反襯被褐之士的豁達。該評還可附帶留意的，是開頭提及之「上章」，吳云「此一首注意全在『言論準宣尼』一句，文法却是從『長揖歸田廬』『廬』字來。異日功成而歸之田廬，即我今日窮愁著書之廬」(左思〈詠史〉八/192)，同樣可見空間的象徵性，就物理性質而言未曾改變之「廬」，却因主人翁身分不同，而使處所散發相異之氣息。可見建築本身之樣貌具備或烘托(窮愁之廬、顯赫宮闕)或反襯(功成歸廬)詩人地位的功用，在王侯居與田廬的相互映襯下，誠更形彰顯詩人之地位與氣節。

　　此外，吳淇對於郡署、王居的布局亦有不少關注：

　　傾耳聆波瀾，舉目眺嶇嶔。(謝靈運〈登池上樓〉)

　　池即詩中池草園柳之池，樓在池上，池在園中，園在署側，故詩中曰：「傾耳聆」、「舉目眺」，將波瀾嶇嶔寫得稍遠者，以明此樓本在郡署，與城上郊外之樓不同也。夫康樂……到郡已數月矣，至今方登池樓，一聆一眺，正不知其數月中何以堪，今日亦何以堪也？(〈登池

上樓〉釋題.十四/356）

秋風吹廣陌，蕭瑟入南闈。愁人掩軒臥，高窗時動
扉。虛館清陰滿，神宇曖微微。網蟲垂戶織，夕鳥傍欄
飛。纓佩空為忝，江湖事多違。山中有桂樹，歲暮可言
歸。（沈約〈學省愁臥〉）

　　學省者，固休文大不得意之地，故此詩特借「學省」
為愁場。而以「風」為織愁之抒。故詩中曰「南闈」、曰
「高窗」、曰「扉」、曰「虛館」、曰「神宇」、曰「戶」、
曰「簷」，分明寫出一極空闊荒涼閒署，裡面單單只「臥」
著一個人，且是個「愁人」。人之「愁」，只在心內，如
何寫得出？於是借「風」為由。「廣陌」是鬧處，「學省」
是冷處。「風吹廣陌」，固其宜也。冷署之中，何為乎來
哉？掩軒而臥，避之不為不深。高窗動扉，自來逼人……
人之所以膺此愁者，只是「纓佩」為累，江湖之上，決
不如此。故以「山中」反照「學省」，曰「有桂樹」，當
無此惡風矣。此所以悵然思歸歟？（十六/431-432）

　　命駕登北山，延佇望城郭。廛里一何盛，街巷紛漠
漠。甲第崇高闈，洞房結阿閣。曲池何湛湛，清川帶華
薄。邃宇列綺牕，蘭室接羅幕。……善哉膏粱士，營生
奧且博。（陸機〈君子有所思行〉）

　　城郭中有廛里，廛里中有街巷，街巷中有甲第高闈，
甲第高闈內有洞房阿閣，洞房阿閣傍有清川曲池，又有
邃宇蘭室，邃宇蘭室中又有綺窗羅幕，綺窗羅幕中有淑
貌哀音兼備之美人……然彼（案：指膏粱士）既奧且博矣，

誰得而見之……晉家南渡，王導初營建業，所制術街紆
曲，人有以為拙者。王東亭曰：「此丞相所以為巧。江左
地促不如中州，若使阡陌條暢，則一覽而盡，紆餘委曲，
若不可測。」[21]觀此詩，建業術阡，因乎地勢，想自孫氏
已然，王導亦非無所承。其寫不可測處，直以「紛漠漠」
三字盡之，可謂妙手。[22]（十/258-259）

吳淇這些品評俱展現出對空間位置的分配、布置有相當之留
心：評沈約「詩中曰『南闈』……極空闊荒涼閒署」一段，集
中列舉詩中涉及之空間，有突顯詩人所在位置高廣而空曠的作
用；評大謝詩「樓在池上……園在署側」、陸詩「城郭中有廛
里……兼備之美人」等，則明確標示詩中每個地點的配置與關
連，特別是吳評陸詩，城郭、廛里、街巷……等前者涵蓋後者，
範圍由大逐漸縮小，層次之遞進誠較原詩鮮明，而這些描繪俱
有為其後品評埋下伏筆之意。

　　如果說吳淇上述關於地點之說明尚屬表面，那麼更重要
的，應在於從物理空間延伸而來心理層面的探討。第三筆品評
中，吳淇結合《世說新語》的資料，展現都城整體「所制術街
紆曲」，而此地理上街巷之無法一覽而盡，或有隱含王公貴族於
精神思維深不可測之意味，吳對「街巷紛漠漠」的空間闡發與

---

21 此處之上下引號乃筆者自添。王東亭語出自余嘉錫撰：《世說新語箋疏・言語
第二》(臺北：華正書局，2002.8)第 102 則，頁 156。
22 陸機該詩首二句若根據《文選》五臣劉良所述，當是「登北邙望晉都」(梁・
蕭統選編，唐・李善等註：《增補六臣註文選》，卷 28，頁 519)，「北山」為洛
陽城北之北邙山，因此所望之「城郭」當為洛陽。然吳淇卻視此為建業，於
首都的考證上有誤。儘管如此，吳淇這一大段關於城郭空間配置的說明，確
可窺見其對地理環境有相當之留意，「考證之誤」無礙吳對空間的重視。

膏粱士「營生奧且博」之深奧難測隱約有著呼應的關係。至於
一、二筆評論，吳淇空間對比區辨的闡說或有烘托詩人情感的
效用。例如言「此樓本在郡署，與城上郊外之樓不同」，這裡特
別闡明此樓與郊外之樓不同，表示兩者有混淆的可能，郡署之
樓可見大謝仍任官職，然此卻狀似郊外之樓，應帶有雖任官職
卻被投閒置散的意味，像這般特別區辨場所的述評，或為其後
大謝「何以堪」之心緒做出較好的醞釀。至於沈約詩首句乍看
不過是簡單的景語，然其中之「廣陌」卻被吳特別拈出與「學
省」比對，愁人「悵然思歸」之心緒在「冷處」、「鬧處」的比
照下誠更顯寂涼[23]。

　　相較於原詩，詩評對場所的層層推衍使得原詩之定點描繪
貌似有了空間的流轉；而吳評中拈出郊外之樓、廣陌與池上樓、
學省相互比照，則又展現出未能實際窺見郊外之樓、廣陌，卻
在對此場所想像的同時，回過頭來加深眼前場所予人之感受。
換言之，吳的這些品評俱能引起讀者對詩中環境有更多的留
意，詩歌涉及之空間並非只是無關緊要的背景交代，在吳淇對
場所漸次鋪陳的同時，也反饋至情思上，意即在他對場所解讀
之際，也同步而細密地展現出詩歌情意多重、逐步醞釀之進程
與樣貌；與此同時，也讓我們見到詩評家對場所有著強烈而敏
銳的意識。

　　吳評沈約詩另外值得留意的是，評述末言「以『山中』反

---

23 此處乃根據吳淇之論所作之闡析。若回歸文意層面的理解，沈約該詩末語「歲
暮可言歸」之「歸」者當為「歸隱」，而非「歸鄉」，因該詩句暗用淮南小山
〈招隱士〉「桂樹叢生兮山之幽，偃蹇連蜷兮枝相繚」之意，是以山中桂樹當
為隱居之典，吳淇對文意的理解確實有誤。儘管如此，卻無礙於吳淇對廣陌、
學省等場所確實有特別留意之事實。

照『學省』」，如此以江湖比照朝闕乃詩中明白可見者，吳評似無特殊之處。然其另有「……但此山林，乃聖上所謂山林。自臣視之，仍是『朝闕』。臣自有臣之山林，那得不感物興懷也」（范曄〈樂遊應詔詩〉/333）之評，便較范曄原詩「感事懷長林」云云更顯層次，亦即山林、朝闕這些場所對應的內涵並非只是前者為隱、後者為仕之固定模式，隨著詩人主觀感情的不同，「山林」因納入王土的範圍內，也有可能從自由轉變成束縛的場所。吳淇之品評一方面考慮到空間普遍之象徵意涵，另一方面，尚強化突顯詩人以個別自我為中心所觸發的空間感受，而使場所不落入單一而既定的象徵模式中，此其評饒富玩味處。

　　至於沈約詩評中提到「風」之效用，亦是論及空間主題時可茲留意處[24]。吳淇評曹植〈雜詩〉時云「『隨長風』，雖有東西之離，未嘗分於上下也。『迴飆舉』則又分上下之離矣」（五/115），可明確看出風向所展現出來的空間感。然而像這類單純觀察風之物理性質的闡述於吳評中並不常見，更多的是考慮到風、空間與人互動之樣貌。配合前引潘岳〈悼亡詩〉、江淹《雜詩·張司空華》之評，吳著意展現風於空間中吹動迴環時所形成之氛圍，而風予人陰涼的觸覺感環繞全身時，則易使人因環境氣氛的包覆，從而引發情緒之波動。吳云悲風吹積、吹起「昏昏慘慘、陰陰黯黯」；風開帷簾而顯「室內蕭索」；「以『風』為織愁之抒」這一系列對風之描繪，誠可見吳淇有意彰顯原詩中不那

---

24 關於風的作用、與氛圍的關係等，在第四章聽覺探討的第三節之一「環境氛圍中的聽覺感受」中已費了不少篇幅說明。彼處之重點在於指出風對聽覺傳導的作用；此處則將重心擺在吳淇與風相關的述評，在空間上是否有特別的限定。

麼顯著之「風」。那麼吳著意闡發風的存在究竟有何意圖？此當
由他所關注風之面向談起。通觀《六朝選詩定論》，會發現吳多
所留意者，並非遼闊曠野中可以高揚之風，反而多聚焦在有限
場所中（室內）迴環的風，迴環所呈現的，乃是打轉不散之樣
貌，風這般盤桓周旋之姿，正與詩人無法舒展之心緒相互呼應，
對照至室內空間，當有更形強化日常居所、郡署這些場所予人
糾結感受之效用，這除了再次呼應前一節所指場所之拘束性；
身處傳統文人戮力追求之宦場卻不得舒朗之心境，亦可由此窺
見。

　　此外，傳統讀書人對於「京城」這個場所有著特殊的情誼，
寫作時聯想到往古之地點時，仍多聚焦於京都，這一點在吳淇
的闡發中有頗為明確之展現：

> 甘泉警烽候，上谷抵樓蘭。此江稱谿險，茲山復鬱
> 盤。（徐悱〈古意酬到長史溉登琅邪城〉）
>
> 　　題中有「古意」二字，故篇中不用本地名而多借西
> 京古地名為比。甘泉比建業，上谷比琅邪，樓蘭比魏[25]。
> 夫烽火警乎甘泉，於甘泉備之則晚，須於上谷備之，此
> 極形容琅邪之險，為朝廷之要地也。然却先寫一句長江，
> 何也？江左六朝，歷都建業，實賴長江之險以限南北，
> 故「此江稱谿險」五字點醒，極有力量。「茲山」句又用
> 一「復」字，可見此江為建業要害，而茲山又此江要害。
> （十六/449）

25　「魏」指「北魏」。按照陳慶元的說法，樓蘭可代指匈奴。語見吳小如、王運
　　熙等撰寫：《漢魏六朝詩鑒賞辭典》，頁1109。

以荊山命題何居？蓋江出自建業，繞桐柏，出魯陽，
行許多路，至此望見荊山，以為荊州近矣，去建業益遠。
時值深秋，去建業時又久，不覺零淚霑衣而作此詩也。
其曰「望荊山」者，蓋以作詩之地標題也。其地云何？
昔陸平原赴洛，自述其作詩之地曰「倚嵩巖」；顏特進使
洛，自述其作詩之地曰「登梁城」，今余作詩之地，其距
荊也，與二公之距洛不甚大遠近，故曰「望荊山」。(江淹
〈望荊山〉釋題.十七/451)[26]

從上列述評可以看出，吳淇對地理空間的熟稔自不待言，於此
物理環境的基礎上，有兩點值得留意：首先，徐、江原詩並未
著意突顯「建業」，特別是江淹之作，是以「荊山」為中心展開
鋪陳，並由此顯現羈旅之情，吳淇卻將重心轉向都城，京都乃
朝廷所在，為多數傳統知識份子嚮往之權力核心，因此不論是
提及古或今之都城，皆有濃厚的象徵性，吳淇對此刻意提點，
當有藉由場所認同，展現傳統文人對君國擁護的意味；且一般
釋江淹詩幾乎未見對建業有所留意[27]，這麼看來，他的闡釋偏向
是很明顯的。

其次，古今地點之疊合亦是這組述評值得關切處[28]。吳淇指

---

26 該注貌亦有移動、論及郊野的意味，然吳評著重點在建業、荊山等定點，有
　相當程度是集中於京都來談，且對移動所見之空間闡發較少，權衡之下，仍
　歸屬於定點空間中加以析論。
27 參陶文鵬之說，收於吳小如、王運熙等撰寫：《漢魏六朝詩鑒賞辭典》，頁
　931-933、俞紹初、張亞新校注：《江淹集校注》(河南：中州古籍出版社，1994)，
　頁8。
28 就江淹的〈望荊山〉而言，在第三章視覺的探討中，亦曾提及該詩時間差中
　空間疊合的表現，然彼處主要著眼於「望」與「距離」的聯想；此處連同徐
　悱〈古意酬到長史溉登琅邪城〉，則將重心擺在該空間的政治文化面。

出當下所處空間因為時間差，而使過去其他地點或地名堆疊於此，然此並非單純的空間類比，而是「透過對於既往的事例的借用與解釋來證顯當下的經驗」，並且「反映古典文士階層潛在的一種集體心理機制」[29]。在古今空間的交錯聯想中，將使眼前之地域承載更為豐富的文化意蘊，或者可見歷代鞏固君國疆域之費心（徐悱詩評表現出從古西京要地之「普遍」性，轉向南朝建業因長江而得險要之「特殊」性的古今映襯），或者可見往歲文人在政治體系下如何前仆後繼地踽踽獨行，這些交互堆疊的場所將更為具體地展現出眼前地點於歷史文化層面之深厚度。

值得留意的是，這裡所謂的「文化」主要集中在政治層面，都城一般而言具備政治、商業、大眾化色彩，而上列舉證無論詩歌本身或評註，在選擇性地復原歷史記憶之際，都有聚焦政治的傾向。其中尚可細緻區分處在於：就詩作而言，徐悱詩著意於瑯琊城的要塞地位，江淹詩則展現政治漂泊的面向；而在詩評中，吳淇一方面如上所述突顯對京都的嚮往，另一方面，評〈望荊山〉時明顯溢出於原詩的距離比附（即陸機、顏延之一段），則可見洛、荊的政治性，換言之，原詩已展現政治意味（要塞、羈旅），述評復表現出異於原作的其他政治層面（重視建業、漂泊中的「距離感」），在吳淇相異關照面向的堆疊下，誠回過頭來更形加深詩作的政治色彩。

吳淇對於首都地點的留意所在多有，或者指出如何借古地

---

[29] 蔡英俊：《中國古典詩論中「語言」與「意義」的論題》，頁287。蔡氏原是針對典故的使用而言，此處雖稱不上是用典，但對古今地點之聯想，精神層面上卻與用典有異曲同工之妙，故借蔡說以證成地點聯想的效用。

寓意[30]，或者說明古人正、借用地名之用心[31]，或者推測詩人書寫地點之深意[32]，要之，關於都城這個地點的闡述，在《六朝選詩定論》中與古地名相關者佔了一定的比重，上列吳評徐悱、江淹詩亦是如此。吳淇之所以會對首都有較多留意，或許受到《昭明文選》以「賦」為先、而賦體又以「京都」類為首之潛在影響；而另外更啟人懸思處在於：何以吳淇會特別留意古地名？除了古地名具備反映暨重現遠古歷史的作用，並可藉此作為傳承地域文化的載體，如果回歸《六朝選詩定論》之編撰緣起，吳淇尊經承古的思想應對此產生相當之影響。正如本文第二章所做的梳理，吳淇自言《文選》乃繼孔子「刪定之義而起者」（一/1），因此「余之專論詩者，蓋尊經也」（一/1）。而《六朝選詩定論》中提及古地名者，或如評阮籍〈詠懷〉與孟子相涉，論沈約〈鍾山詩應西陽王教〉與《尚書‧禹貢》有關[33]，俱可見儒家經書的影子；即便未論及經典者，吳屢言古道、古來、古聖，亦可見他對往古之重視，更何況他還明言「『志』古之志，

---

30 像是吳評「徘徊蓬池上，還顧望大梁」時言「大梁者，孟子初謁諸侯之地。徘徊蓬池，是又變孟子去齊三宿出晝，是何『濡滯』二字而為『徘徊』二字。『綠水』四句，是蓬池到大梁一路荒慘之景，覺百里之間，便有遼然萬里之勢」(阮籍〈詠懷〉七/152-153)，即指出阮籍如何用孟子典復有新變。

31 例如吳評沈約〈鍾山詩應西陽王教〉「詩題曰『鍾山』，山本建業，其云淮海，取《禹貢》『淮海惟揚州』，乃是正用。終南少室，似是借用。玩其文意，本是借客形主之法，仍是正用。若下文之儲胥觀、昆明池，方是借用。何也？既云山中即事之美，不應登山無所見。所見之名或不雅馴，故詩人不用，寧借用他處相類之山。」(十六/428-429)可參。

32 吳評「洛陽繁華子，長安輕薄兒」為「舊注以一句洛陽、一句長安，太為方拙，不知休文正有深意。江左六代雖俱都建業，劉宋以丹陽起家，遂以丹陽為京邑，齊梁因而不改，其繁華之盛於建業埒，故交寫之，讀者亦不必盡泥」(沈約〈三月三日率爾成篇〉十六/429-430)即可為證。

33 評論原文詳見本章註 30、31。

而『意』古人之意,故『選詩』中每每以『古意』命題」(一/34),表面看似客觀歸結《選》詩之偏向,然則其言「『選詩』之體,六義全完,直紹《風》《雅》之統系」(一/2),即可見他意欲將《選》詩扣合古意、尊經的主觀意識。要之,古地名乃具體呈現古意樣貌的載體之一,或有引發遠古遐想而更近於六經典範的可能,復搭配首都作為政治權力核心的性質,吳淇對首都古地名會有較多的留意,應隱含著上承儒教、而此儒教又是以政治為主要考量之思維。

綜上所述,在「郡署與王居」的探討中,我們可以看到吳淇貼切展現詩人於仕宦場所中情感細微的起伏變化,其中他對郡署與王居的留意則各有所偏。吳一方面強調詩人對首都場所之依戀,這類詩作的主人翁所處位置離京都多有一定的距離,京城對他們而言,似乎於距離的間隔中成為政治抱負的表徵,或因無法貼近京都,而於想像中增添了美好,故於詩作中展現出積極理想的一面。然而另一方面,吳淇又多於郡署的場所中呈現詩人慨嘆甚至欲求歸隱的情懷,郡署既然是為官處所,乍看之下似乎比前一類別,也就是依戀首都者更接近權力的中心,然而身處郡署的詩人們卻多對己身之官職感到不滿,靠近政治核心卻無法一展長才,在此場所中反而更顯拘囿的矛盾感,郡署儼然成為政治理想落空之象徵。若扣回吳淇的文學主張,「古今詩人只有一志,所志維何?曰君喜臣起,成功一時,流名萬世而已」(一/15),可見君臣相應乃其理想之志,實際上卻無法盡如人意。吳淇這類空間品評可謂如實地反映傳統文人的君臣倫理觀,也就是承續屈原以來香草美人的傳統,在表現忠君愛國之際,復展現士不遇的悲慨,詩人們出處的糾結於郡

署與王居等場所的烘托中有了更為生動而貼切的呈現。

其次，如果對照《昭明文選》的分類，會發現吳評和「郡署與王居」相關的詩作，以「遊覽」和「行旅」類所佔比重最夥，這暗示著在郡署等場所的詩人們「身」行漂泊的可能[34]，更重要的是，如此在分類上的偏向恐怕還蘊含著依違於仕宦間的飄泊意味，在精神上未能因對仕宦「心」有所嚮而得到安身立命之歸屬，反而有相當的不穩定感。此外，一般而言，「遊覽」類之內涵多為遊賞山水，而「行旅」則多與羈旅相關，然而饒富玩味的是，在吳評中則有「遊覽」類「行旅化」的趨勢，意即面對與遊覽相關的詩作，吳仍側重關心詩人仕宦之情懷。這固然與《文選》本身對此二類的區分有所混淆脫離不了關係[35]，然而不容否認的是，吳淇少留意遊覽類中山水空間的賞玩性質，而多關懷詩人於郡署王居的糾結宦情，正可見他對空間的闡發確實有較濃厚的政治偏向。

通觀吳淇與日常居所、郡署王居等定點空間相關之品評，若與歷代詩評相較，將能更明確看出吳評之特殊處。茲以一、二節所舉詩例綜合說明，首先，會發現歷來品評幾乎很少見到與空間主題相關之內涵；其次，謝靈運〈登池上樓〉、左思〈詠史〉分別以「池塘生春草，園柳變鳴禽」[36]、「振衣千仞岡，濯

---

34 在郡署中的詩人們，確實有可能因為職務而需變動工作地點(身因此而漂泊)，然此無礙於他們在郡署的當下，對這個定點有感而發的書寫。「身行漂泊」與「定點」兩者發生的時間點不同，並不相矛盾。

35 可參王文進：《南朝山水與長城想像》(臺北：里仁書局，2008.6)，頁 22-33。

36 例如「此語之工，正在無所用意，猝然與景相遇」(宋·葉夢得撰，逯銘昕校注：《石林詩話校注》，卷中，頁 137)、「造語天然，清景可畫，有聲有色，乃是六朝家數」(明·謝榛著，宛平校點：《四溟詩話》，卷 2，頁 46)、「詩句之妙，政在無意中得之。『池塘生春草』語亦平淡」(明·謝肇淛：《文海披波》，收於《明詩話全編》，卷 6，頁 6770)、「自然神韻」(明·陸時雍選評，任文京、趙東嵐點校：《古詩鏡》，卷 13，頁 122)……等評可參。

足萬里流」[37]為歷來歌頌之名句，歷代品評多關心有意無意、清景、大氣象等面向，吳淇則於此關注點外另闢蹊徑，展現出對空間分配、比對以及象徵性的留意，其獨到眼光可見一斑。復次，詩歌情思乃歷代詩評家持續不斷關注之焦點，一、二節列舉詩作之歷朝品評亦可見此傾向，茲摘舉較具代表性者如下：

> 景即是情。「房櫳」四句，悲涼蕭瑟。[38]
> 張協《雜詩》，工為擬議，然無遠體遠情。[39]（以上評張協〈雜詩〉）
> 沈約情多，未勝江淹才盡。[40]（評沈約〈直學省愁臥〉）

歷朝對潘岳〈悼亡詩〉之評，於第六章時間的探討中，明顯可見有極多品評將焦點放在情感上[41]，若與上列諸評合觀，不論褒貶，俱可見「情」受關注之樣貌。然而如同前文在探討歷代詩評時已多次指出，所謂真情、情深、遠情、情多……云云，具體而言，究竟為何？此乃上列諸評（含潘岳詩評）未進一步指明者。相對而言，吳淇透過對空間的種種分析，或者藉由相異場所之比照，或者點明景中之人跡，指出該空間具備醞釀或烘

---

37 例如「飄飄有世表意」(宋・宋祁：《宋景文公筆記》，收於《宋詩話全編》，卷上，頁 139)、「大氣象」(明・王世貞：《弇州山人四部稿・趙子昂雜帖》，收於《明詩話全編》，卷 136，頁 4446)、「以氣勝者也」(明・胡應麟：《詩藪・外編》，收於《明詩話全編》，卷 2，頁 5557)、「直有纖芥宇宙，泥塗軒冕之意」(明・馮復京：《說詩補遺》，收於《明詩話全編》，卷 3，頁 7209)、「名語創獲，雄視百世」(明・陸時雍選評，任文京、趙東嵐點校：《古詩鏡》，卷 9，頁 81)……等，俱是針對「振衣千仞岡」二語所發之評。
38 清・陳祚明評選，李金松點校：《采菽堂古詩選》，卷 12，頁 355。
39 明・陸時雍選評，任文京、趙東嵐點校：《古詩鏡》，卷 9，頁 83。
40 同前註，卷 19，頁 207。
41 詳參第六章註 57。

托情思之效用，如此一來，將使詩情更為具體可感。上引陳祚明評張協〈雜詩〉，其論正好落於吳淇費心於空間闡發的「房櫳」四句上，兩相比較，吳淇將室內外空間比對，並結合詩人舉止綜合闡說，即是落實解釋陳祚明抽象的「景即是情」。要之，吳淇之空間闡發確實具備將詩情具體化之功。

　　總括而言，不論是日常居所之坐困愁室，或者是在郡署王居中文人未能安身立命的漂泊樣貌，俱呈現哀傷之基調；而前文曾提及在郡署王居的空間場所裡，若對應至《文選》的分類，行旅類佔了相當之比重，胡大雷則是將《文選》行旅詩的情感分為羈宦、憂世、欣喜三大類[42]，值得特別提出的是，在吳淇的評注裡，他多將焦點放在第一大類中，由此亦可窺見吳對情感的留意確有關注哀怨之偏向，中國抒情傳統悲哀的一面於吳評中誠有具體而微的展現。

　　另一方面，就一般的認知而言，日常居所屬於私領域，而郡署、王居則歸入公領域，然而在吳淇的品評中，所謂公私範疇卻未有壁壘分明的區別。正因為傳統文人對社會群體有著過於強烈的負擔或使命，導致有多少士大夫終其一生俱為政治而奔波，或有多少游子苦於遠方之行役，這背後牽涉到家園獨居之佳人，不得不於政治文化的籠罩下費心傷神，如前所述，相思貌屬個人私情，實亦籠罩於君國的威權體系中，換言之，吳淇對定點空間的闡發，無論是日常居所（家）或郡署王居（國），大多展現公共的傾向，在「家」的場所中甚至表現出君臣倫理色彩更甚父子、夫妻二倫之樣貌，日常居所的私領域面貌儘管

---

42 胡大雷：《文選詩研究》(桂林：廣西師範大學出版社，2000.4)，頁278-286。

也出現在吳評中，卻相對顯得湮沒不彰，家國並稱而偏向公領域的社會倫理意義，在吳的空間闡發中誠有著鮮明的展現。

第三節　步移景遷

—— 空間層次、對比中之喜懼感

　　相對於前兩節的定點空間是聚焦於室內或都城來談，此處所謂的「步移景遷」，也就是移動所見之空間，則多出現於郊野。隨著詩人的移動，所見景觀自然不同，那麼在吳淇的品評中，物色在移動的視點裡是否起了特殊的作用？他對空間轉換的闡發是否有層次之別，從而可見詩人情感有更為鮮明的起伏？總體而言，吳對詩情的關注又有何趨向？凡此種種，俱與定點空間有所差異，饒值一探究竟。

　　本節的標題直接點明「層次」與「對比」兩者，儘管在定點空間的闡發中，吳淇亦留意到空間層次、對比等層面，但相較於移動空間因具備場所多重、甚至快速轉換的特性，因此吳闡發移動空間時留意環境層次、比照的特點，實較定點空間鮮明而常見許多。

　　空間於詩作中有時僅被視為是背景的鋪陳，易受讀者忽視，吳淇卻刻意整理出詩中涉及之地點，並推測詩人地點安排之用心：

　　　　舟遙遙以輕颺，風飄飄而吹衣。問征夫以前路，恨

晨光之熹微。乃瞻衡宇，載欣載奔。僮僕歡迎，稚子候
門。三徑就荒，松菊猶存。攜幼入室，有酒盈樽。引壺
觴以自酌，眄庭柯以怡顏。倚南窗以寄傲，審容膝之易
安。（陶淵明〈歸去來辭〉）

　　「舟遙遙」二句，正言行路之景，而不言發軔之自，
以其自彭澤縣署也。乃不言所自，先言舟，次言路，來
得甚突兀。蓋以曰縣曰署，正是前「昨非」之處，不欲
與吾田園作對也。「舟遙遙」二句，如釋重負。「問征」
二句，曰歸便歸，不待明發也，却借「舟」字、「路」字，
遙逼出下「宇」字、「門」字，又借「宇」字、「門」、
「徑」字，引起下「室」字，又從「室」字生出「窗」
字、「庭」字。然先生之「歸去來」者為田園，今只詳寫
入室之樂，却不汲汲寫及田園者，蓋此繫先生歸去之第
一日。先生與家人有八十日之別，須盡此一日之事，方
可及田園也。（十一/300-301）

　　出谷日尚早，入舟陽已微。林壑斂暝色，雲霞收夕
霏。芰荷迭映蔚，蒲稗相因依。（謝靈運〈石壁精舍還湖中〉）
　　……若云一還便至湖中，則何必還？此却以「出谷」
二句，明出俄延而行，一步不肯放過，而下遂接以「林
壑」云云，見得一路好景。若云「湖中無可娛人」，成何
湖中？又何必還？此却「芰荷」云云，正妙於寫「湖中」。
（十四/365）

此二評注俱牽涉移動緩急的問題：評陶作從舟、路至窗、庭，
可以發現吳淇拈出的字眼多與空間相關，這麼多空間的堆疊與

轉換，除了可見吳對此確有一份特別的留意，尚可於地點的遞換中見到詩人迫不及待的歸園之情；評謝詩則是從湖中、出谷、林壑等場所中，展現詩人緩步悠遊的樣貌。如果說陶詩中場所的快速轉換是為了「速返家室」這個目的，那麼謝詩則是為了享受在湖中等場所裡俄延的過程，吳淇尚點明此場所自然之美、一路好景，藉以說明何以此處可得流連之因。要之，詩人於空間中或緩或急的移動，與視該場所為過渡或賞玩的對象有密切關聯；而吳淇將各個地點匯集起來加以論述，當有「聚焦於空間」、「透過場所變換相互比照」此二意圖。

吳評陶作尚有一處值得留意，亦即他特別費心闡發詩歌中地點的安排。原典明顯可見淵明急切欲歸的歡愉心境，卻未現此情是否有所轉換或深淺之別，吳淇則是由「空間選擇」的角度切入，將此詩情深化。具體而言，先是點出詩歌未言而使人鬱悶之場所（「不言發軔之自」），呈現淵明不欲使縣署與田園「作對」的心緒，實則吳指出此暗含於詩歌背後的空間（縣署愁），誠有藉對比強化詩人喜悅情懷（田園喜）之功效。此外，吳還將令詩人歡欣的處所作出親疏之別，何以「詳寫入室之樂」而略田園？乃因離別甚久，欲先藉入室表現天倫之歡悅。由此可見，地點選擇與否與先後次序，俱蘊含著詩人之主觀情緒，在吳淇的場所之辨中，誠使原典之情更顯立體而有層次。

然而在《六朝選詩定論》裡，像這般展現於各個空間中愉悅移動者實為少數，更多的是帶有沉憂之評注：

> 解纜及流潮，懷舊不能發。析析就衰林，皎皎明秋月。（謝靈運〈鄰里相送方山詩〉）

「解纜」云云，點明方山。方山下有湖水，相送至此，已業登舟矣。「懷舊不能發」，直寫己依依之情。「析析就衰林」，衰林即湖岸山足之林，送者尚在林中，此曲寫鄰里繾綣之情。「皎皎明秋月」，亦照舟中，亦照林中，更寫己與鄰里脈脈之情。夫己之情，己所知也，故直寫。己非鄰里，未盡知鄰里之情，故借林木之「析析就衰」曲寫，而後以秋月之皎皎互寫。（十四/352-353）

「析析」二語於原詩中僅為單純之繪景句，吳淇卻特別指出方山、湖水、森林與舟中，將主人翁與鄰里隨地點不同、一路相送移動的樣貌有條理地呈現出來，這就再次可見吳顯然有突顯物色中人跡的意圖；而此移動不只停留於物理層面，在吳淇「曲寫」、「互寫」手法的說明中，窺得詩中主人翁因所在位置不同，而於情感上有所差異；復可見不同空間中相異對象（大謝或鄰里）各自之情懷。吳評將「析析就衰林」歸之於「曲寫鄰里之情」，認為「皎皎明秋月」為詩人與鄰里情懷之「互寫」，或有迂曲而不必然如此之嫌，然透過此評正可窺得，他對情思暨地點之連繫確實有較多的關懷，每個地點所乘載之情思因吳評而有較為分明之展現，當可自成一說。

吳揭示步移景遷背後情感之沉重，尚可參下列詩評：

滄江路窮此，湍險方自茲。疊嶂易成響，重以夜猿悲……親好自斯絕，孤遊從此辭。（任昉〈贈郭桐廬出谿口見候余既未至郭仍進村維舟久之郭生方至〉）

我自京師起身遠來到此，繞一半路。從此到新安，尚爾遙遠，況已前所行過尚是平穩道路，至此已盡。湍

> 險難行，方自此起，空山夜猿，真令客心萬方難弭……
> 過此以往，「親好」盡絕，單單只是一人在湍險路上行，
> 更有甚於「疊嶂」云者，教人如何耐得！（十六/440-441）

首先，可以看到行於郊野者俱為隻身一人，偌大的空間中無人作陪，自易湧現孤寂之情，可見廣闊的場所不盡然予人舒朗的寬適感，反而容易因不見邊際而使人浮現某種程度的不安。其次，吳評乍看之下似與原詩所言相去不遠，然若細細爬梳，則可見他試圖以「更有」將詩作的空間層次展現出來：前為「平穩道路」，其後轉為單單一人「在湍險路上行」，可謂透過空間對比強化「親好盡絕」之不安感。該評的重心聚焦於後半，也就是艱難、長遠之空間，配合旅者本身的狀況（孤單），在詩人的想像中極易使客觀空間主觀情緒化，正因為想像之無邊無際、無所框限，而有強化空間感受之效用，也就是於心理層面加倍或加深路途的長度與艱難性，在吳淇的品評中，詩人移動所及之空間顯然有愈形困頓的趨勢。

　　除了長、遠的空間易使人心生憂懼，郊野無所遮蔽的特點亦為吳淇所特別留意：

> 樹木何蕭索，北風聲正悲。熊羆對我蹲，虎豹夾路啼。谿谷少人民，雪落何霏霏。（曹操〈苦寒行〉）
>
> 　　此詩未寫風雪，先寫太行之險，所謂骸不存之地，進退兩難，則寒無可避，方是苦也……「北風聲正悲」，寒氣稜稜，已有雪意，不遽寫雪，而先寫「少人民」者，即伏下文之無棲宿也。人當苦寒，有棲息之所，尚可耐得；最苦者暴行中道也……無人民之上，又先寫「熊羆」

> 二句者，凡人晚行，雖無棲宿，猶可望之前途；「熊羆」
> 云云，則前途亦無望矣。雪落霏霏，真無可避處矣。（五
> /102-103）

與前兩節的定點空間相較，如果說其中涉及之居室常予人侷限之感；那麼遼闊之郊野或為可任意遨翔處，然而吳淇對野外場所的留意，卻聚焦於荒涼「無屏蔽」的特點上：行軍隊伍如何苦寒，吳基本上是緊扣「有所棲宿與否」展開評述[43]。值得注意的是，此評展現出空間轉移暨聯想的特點，亦即曹操詩中北風、熊羆等郊外景致，在吳淇眼中已化為「無室內可棲宿」之表徵，如此空間轉移所展現的，在於詩人對空間的感受不只侷限於眼前所見，更涉入人們既有的經驗與印象，也就是在郊野中體認到屏蔽場所之重要性，當內心已含哀懼之思緒，荒野的無邊無際極易強化惶惶的心理感受，而想像中有所遮蔽的室內反而成為使人安心之表徵，在屏蔽場所想像的對照下，誠更顯眼前荒野之寂涼。

此外，另有一類述評對空間的留意，則是採取反說的模式，亦值多所佇：

> 大江流日夜，客心悲未央。徒念關山近，終知返路長。……驅車鼎門外，思見昭丘陽。馳暉不可接，何況隔兩鄉。（謝朓〈暫使下都夜發新林至京邑贈西府同僚〉）

---

43 曹操該作既為「苦寒行」，一般述評的重點多放在苦「寒」上，可參第五章註25 徐獻忠、張玉穀等人之評。相較於歷朝品評對「寒」之著重，吳淇費心由空間談行軍之苦，可謂另拓觀察視野，而與歷代諸評共同架構出詩作更完整之情境。

首二句以「大江」興起，「悲未央」，乃傷心之極。「徒念」以下，却是讒人無奈我何，句句作快意語。然其快意處，正是傷心之極。傷心不極，必不作快意語也。……「驅車」二字，在他處不過尋常行路字面，在此處却甚出色。自荊州至新林數千里俱水路，自新林至京邑止二十里陸路，一向舟行，雖離荊州漸遠，然避患惟恐不速，不曾覺得返路已長，故「悲未央」；至此舍舟而車，不勝快然，故點出「驅車」二字。在敘事顯出關山返路之短長，却是「徒念」、「終知」之神理。（十五/407）

江路西南永，歸流東北鶩。天際識歸舟，雲中辨江樹。……既懽懷祿情，復協滄州趣。囂塵自茲隔，賞心於此遇。（謝朓〈之宣城出新林浦向版橋〉）

首二句江之大勢。「永」謂路之長，「鶩」謂流之急。永日西南，鶩日東北，乃沿江逆流而行，最是苦境。「天際」句寫「鶩」字，「雲中」句寫「永」字，乃就出新林向版橋中間看出。却將苦境寫作極好景，以為苦境，則懽祿之情不勝旅思之倦；以為好境，則旅思之倦不勝賞心之樂……然新林版橋之間，亦尋常境耳，豈真能隔絕塵世，為玄暉賞心之遇而欲終隱于此哉？其意不過不願之宣城耳。（十五/418）

首先可以留意的，是距離問題。移動的空間本有一客觀可科學測量之距離，然此顯然非吳淇所重，他更在乎的，是詩人主觀之心理感受，歸返之路可是一點都不短，却因避禍唯恐不及，

而將此客觀距離壓縮[44]。若與前述任昉〈贈郭桐廬出谿口……〉之例合觀，加上「『路長』一應『故鄉』句，謂已過之路長；一應『山川』句，謂未來之路長」[45]（謝朓〈京路夜發〉十五/418）之評，可以看出面對詩人於郊野移動所及的空間，吳淇有著意指出距離拉長或縮短的傾向，距離所帶來的往往是焦慮的感受，或者亟欲到達目的地，或者無法估算旅程的結束點，這些都將加深心理的負擔，反饋至距離感受上，便會呈現距離拉長或縮短的錯覺，然而此錯覺對詩人而言，反倒才是最真實而切身的，吳淇品評可謂充分展現想像中距離短長之憂慮感，此當為這類闡發之要義所在。

其次，吳淇這類述評明顯將空間環境與傷悲之情結合：「關山返路之短長」無時不暗含「『徒念』、『終知』之神理」；將新林至版橋一段「寫作極好景」，卻是反向烘托詩人不願前往宣城之苦境[46]。其中運用到類似「正言若反」的述評模式，所謂「以樂景寫哀，以哀景寫樂，一倍增其哀樂」[47]，反語繪景因具備對

---

44 關山於地理位置上接近京邑，而「返路」所指則為荊州，全詩旨在表現詩人不得不回京都、對於荊州難返之慨歎，而慨歎荊州難返，吳評似嫌紆繞。然吳之解釋正可看出他對空間主觀感受之留意。

45 該評對應之原詩句為「故鄉邈已夐，山川脩且廣……行矣倦路長，無由稅歸軔」。

46 另有一較普遍而直接的說法認為謝朓欲離京避禍(可參葛曉音之論，收於《漢魏六朝詩鑒賞辭典》，頁 848-850；王令樾：《文選詩部探析》，頁 358-359)，與吳淇「其意不過不願之宣城」似有出入。若從史實觀之，謝朓前往宣城之前一年(494AD)，齊明帝經過一番兄弟殺戮方登上帝位，竟陵王驚懼而卒，謝朓、沈約同為竟陵八友，沈約出為東陽太守，謝朓出為宣城太守，不論自願或被迫，俱為了遠離政治風暴，避禍當是真正考量，而上列引用吳評之末語言謝朓不願就宣城，重心則擺在「被迫」前往宣城，與「離京避禍」之說重心不同，是就離京的心緒而言，兩者並不矛盾。

47 清‧王夫之：《薑齋詩話》，卷1，頁140。

比之張力，而有強化情感之效用。吳淇「先情而後景者，乃其懷中一段憂思無時可解，借景以排遣。其寫閒適到十分，正是十分愁苦」（謝朓〈遊東田〉十五/414）云云，以及此處「快意處，正是傷心之極」、「將苦境寫作極好景」等評，俱有著相同之精神。

　　這裡啟人懸思處在於：為什麼吳淇點出使用反語的空間品評多集中在謝朓之作上？這或許與謝朓本身對仕隱的矛盾思想有關。小謝詩中類似「既歡懷祿情，復協滄州趣」這般直言己身戀仕卻又欲歸的詩句誠所在多有，像這樣明述己志之語，乃學者們關注謝詩仕隱想法之重心；至於物色之語，歷代品評則多著眼於小謝繪景句之壯闊[48]，即便注意到其中之情，亦多只是簡單指出景中含情[49]，甚至是目前學界，也很少由仕隱面向關注景中之情[50]。吳淇則是深入結合情景兩者，指出貌似開闊、疏朗的景語背後，詩人那憂懼復貪戀仕宦、抵牾而複雜的情懷，他闡發空間場所時特別留意反語，恐怕在於正反兩面的拉鋸正可貼切呈現小謝仕隱之矛盾，並可見詩人樂景寫哀之趨向，如此

---

48 最明顯的例子乃謝朓〈暫使下都夜發新林至京邑贈西府同僚〉「大江流日夜，客心悲未央」二語，「吞吐日月，摘攝星辰之句」（明・朱承爵：《存餘堂詩話》，收於《明詩話全編》，頁1954）、「工於發端」（明・楊慎撰，王大厚箋證：《升庵詩話新箋證》（北京：中華書局，2008.12），卷4，頁221）、「突然而起，造語雄深，六朝亦不多見」（明・謝榛著，宛平校點：《四溟詩話》，卷3，頁70）、「千古奇語，不必有所附麗，文章妙境，即此然」（明・董其昌：《畫禪室隨筆》，收於《明詩話全編》，卷3，頁5860）、「如此發端語，寥天孤出，正復宛諧」（清・王夫之：《古詩評選》，卷5，頁767）……等評可參。

49 詳參本章註52、53對應之原典。

50 可參孫蘭：《謝朓研究》（濟南：齊魯書社，2014.1），頁101-111、張亞新：〈試論《文選》二謝詩〉，收於中國文選學研究會、河南科技學院中文系編：《中國文選學》（北京：學苑出版社，2007.9），頁396-397。

一來，較之單純關照景語或者簡單的情景之論，吳評誠能將景
（空間）背後詩人心志糾結的複雜樣態更深刻地呈現出來；復
可明白展現謝朓那無所不在的仕隱情思。

綜上所述，在「步移景遷」的探討中，我們可以看到吳淇
與評論定點空間時相同，多留意單純地點或空間背後之人情與
人跡，這部分正可與本文第三章第一節「『俯仰』所見：上下對
舉中之人跡/情闡發」相互參看，由此尚可側面窺得視覺、行跡、
空間三者之密切關聯。此外，隨著場所多層次之變換或對比，
吳亦妥貼揭露詩人於其中同步起伏之情思，這類情思除了少數
展現歡愉之情，吳似乎更留意闡發空曠郊野予以詩人無盡想像
之可能，而多展現無所屏障、主觀距離感中孤立危懼的一面。

至於本節論及詩中主人翁於空間中移動的相關詩作，歷代
品評關注的焦點，不是放在對佳句的讚美[51]，便是留意詩歌情景
的表現，一來後者數量更夥，二來「景」者與空間有密切關聯，
正可與吳評相互比照，茲擇要者條列如下：

(1)「天際識歸舟，雲中辨江樹」，其韻遠。凡情無奇而
　　自佳，景不麗而自妙者，韻使之也。[52]
(2)語有全不及情而情自無限者，心目為政，不恃外物
　　故也。「天際識歸舟，雲間辨江樹」隱然一含情凝眺之
　　人，呼之欲出。從此寫景，乃為活景。……從「識」
　　「辨」二字引入，當人去止處即行，遂參天巧。[53]（以

---

51 佳句之評主要集中在謝朓〈暫使下都夜發新林至京邑贈西府同僚〉「大江流日
　夜，客心悲未央」二語，詳參本章註48。
52 明·陸時雍選評，任文京、趙東嵐點校：《詩鏡·總論》，頁5。
53 清·王夫之：《古詩評選》，卷5，頁769。

上評謝朓〈之宣城郡出新林浦向板橋〉)

（3）「解纜及流潮，懷舊不能發」……最得物態而指點甚便，良由性情超會，故至此。[54]

（4）情景相入，涯際不分。[55]

（5）解纜二句，別緒低徊，含情二句，觸境自得。[56]

（6）鄰里相送，已含於「相期」二字中，卻以己之懷舊不發，對面撲醒，用筆靈活。中四，接寫別時之景。然「含情」十字，就景申情，引動下意，鍊句耐思。[57]

（以上評謝靈運〈鄰里相送至方山〉）

（7）靈運所以可觀者，不在於言景，而在於言情……至其所言之景，如……「林壑斂暝色」……於細密之中時出自然，不皆出於織組。[58]

（8）簡潔。陶盡千言得「昏旦變氣候，山水含清輝」二語。去緣飾而得簡要，由簡要而入微眇，詩之妙境其言如半壁倚天，秀色削出。[59]

（9）「清暉」二語，所謂一往情深。情深則句自妙……「出谷」以下，寫景生動。[60]（以上評謝靈運〈石壁精舍還湖中作〉）

54　明‧陸時雍選評，任文京、趙東嵐點校：《古詩鏡》，卷13，頁121。
55　清‧王夫之：《古詩評選》，卷5，頁731。
56　清‧沈德潛選：《古詩源》，卷10，頁234。
57　清‧張玉穀，許逸民點校：《古詩賞析》，卷16，頁362。
58　元‧方回選評，李慶甲集評校點：《瀛奎律髓彙評‧文選顏鮑謝詩評》，卷1，頁1857。
59　明‧陸時雍選評，任文京、趙東嵐點校：《古詩鏡》，卷13，頁124。
60　清‧陳祚明評選，李金松點校：《采菽堂古詩選》，卷17，頁537-538。

歷代品評對這組詩歌的關注點，除了美其繪景自然外，更多則是留意到情景之間的關係，然不無可惜的是，大部分的述評不是簡單論及情景相入，便是分述情景，即便上列第二、三、六筆品評相對具體地說明情景間的關聯（就景申情或由情窺物），亦屬簡要。不過整體而言，可以見到情景議題確為歷代品評關注之焦點。

　　對應至吳淇詩評，歷朝品評中「景」的部分殆與吳評之空間環境有相當的重合。然而歷朝詩評中之「景」，整體而言比較接近視覺觀看的對象[61]，或者較偏向背景環境的鋪陳，人基本上與此保有較大的距離。如果說上列諸評對景的闡述較偏靜態，那麼吳論則是較歷代品評更著重展現詩人於行旅中移動的樣貌，相較於偏向單純視覺觀看的樣貌，吳評傾向表現詩中主人翁「身體整體」之行動，景致（空間）明顯因有人之參與而顯得更富動態感。另一方面，隨著空間場景的轉換，詩人情感如何於步移景運中醞釀、起伏，也因吳對環境場所的著意解說，而使幽微的情思得以隨相異空間同步而漸次地展現出來。誠如本文在第四章聽覺的探討中曾經提及，相較於歷代品評之情景論述，吳淇在部分論述上表現出更為具體深刻之一面；此處尚可窺見吳展現出不同於歷代品評的觀看視角，凡此種種，俱可回過頭來豐富情景議題的探討，此當為這類述評的重要價值。

　　其次，吳淇對於詩中主人翁空間移動之相關述評，謝靈運與謝朓之作明顯佔了相當之比重，特別是小謝詩中之空間場所，受吳留意的狀況更是明顯。若單就數量判斷，或許會認為

61　王夫之評小謝詩，也就是上列的第二筆資料相對例外。

吳淇此批評趨向與大謝所開啟的，也就是視山水為獨立的審美客體有關，然而若仔細觀察吳評，會發現其述評內涵恐怕更看重空間的情感成分，其中之人情人跡方為吳之終極關懷，並非純粹因二謝繪景之佳而多所留意。吳評展現如此偏向的意義為何？若觀察二謝這些詩作之題材，多不離官場之感，這意味著吳淇應是充分考慮到詩人在環境中揮之不去的羈旅宦情，因此物色作為獨立審美對象並非吳主要留心處，反倒是隨空間轉換而興的仕宦情懷才是他關注的焦點，若回歸至詩人們書寫的當下，如此品評趨向恐怕才更符合詩人們創作時難脫仕宦之實情。

　　最後，吳淇對於詩人移動所至之空間的闡發，顯然與定點空間有相當的差異。在定點空間中，他多著意闡發定「點」本身承載之情感，儘管多哀怨之情，然而面對日常居所或王居、郡署，仍可見吳揭示不少詩作中「場所依戀」的一面。相對而言，吳淇評述移動空間時，儘管亦涉及不少地點，關注重心卻已由「點」拓展至「線」，由於在空間中移動的過客性質濃厚，某個地點與尋常生活的聯繫降低，因此對空間甚少有依戀之感；再者隨著路途的移動，空間明顯有較多變化，考量到外界環境變化對精神之衝擊，吳評在展現空間多重層次的同時，更致力推闡詩人情思之多重起伏，如此狀態下的詩人們，對於場所變換的敏銳度顯得較單一定點場所強烈，如果說定點空間大部分偏向靜態的拘囿感，那麼移動的線性空間則以浮動不安的危懼感較為常見。[62]

---

62 此處或易與前述第二節「依違於仕宦的漂泊性」混淆。前述所謂「仕宦之漂泊」，主要是指心靈層面而言，諸如謝靈運〈登池上樓〉、沈約〈學省愁臥〉……等，就空間觀之仍屬定點。而移動空間則側重在空間「變換」所帶來的心理壓力，兩者偏向畢竟不同。再者，此處乃是就定點、移動空間的大體偏向而

第四節　方位意識

── 南北眺望之家國情懷

　　根據學者考據，最早的空間概念為方位概念[63]，而一般對方位的留意，多集中在東西方位的辨別，因為此有助於時間的確定（太陽之東出西落）[64]。可由此進一步觀察暨思考的是，在吳淇的品評裡，是否亦以東西方位、時間等面向較為突顯？若非如此，他對方位的闡發又有何偏向？此乃下文欲著重探討者。

　　在吳淇的方位品評中，首先可留意的，是借方位展現故鄉之思：

> 南望泣玄渚，北邁涉長林。（陸機〈赴洛詩〉）
>
> 士衡赴洛，一步一步，俱有回顧故鄉之思。原詩首章「遺思結南津」，是臨行一顧。「佇立望故鄉」，行到晚夕又一顧。「頓轡倚嵩巖」，將入洛又一顧。此詩「南望泣玄渚」一顧，與原詩臨行一顧同地。（十/235-236）

> 行行重行行，與君生別離。相去萬餘里，各在天一涯。……胡馬依北風，越鳥巢南枝。相去日已遠，衣帶日已緩。……思君令人老，歲月忽已晚。（《古詩‧行行重行

言，並非定點空間「全」顯靜態拘囿感，而移動空間「俱」見浮動危懼感，如此區分只是「相對」而言。

63　馮民生：《意象與視像》(北京：中國社會科學出版社，2015.1)，頁20。

64　可參前註以及劉文英：《中國古代的時空觀念》(天津：南開大學出版社，2000.9)，頁23、134。

行》)

> 第七、八句，忽插一比興語，有三意：一以緊應上「各在天一涯」，言北者自北，南者自南，永無相會之期；二以依北者北，依南者南，凡物皆有所依，遙伏下文「思君」云云，見己之心身，惟君子是依；三以依北者不思南，巢南者不願北，凡物皆有故土之戀，見遊子當一返顧，以起「相去日已」云云。按海內幅員，從不過一萬，橫不過八千，前序別離，已云「相去萬餘里」，茲又云「相去日已遠」，不知更向何處？著此一筆，以照出首句「生」字耳。(四/77-78)

首例「南望」二字在詩中雖已出現，卻顯得簡單而易使人輕忽，然吳淇五次提及「回顧」，表現出對「南望」有特殊的關懷，在不停南望的同時，復明白可見詩人隨空間漸次北移之樣貌，吳評中的「一顧」又「一顧」，確實強化展現出詩人於步履北移之際所同步呈現的緜延情思。

如果說陸詩南望之「南」有更多的成分展現出地理實貌，那麼〈行行重行行〉之南北則有濃厚的象徵意味，蓋詩中之南北並非具體實指，而是借南北方位展現某種普遍性。歷來品評「胡馬」二語，多著重於南北之距離以及「物各有歸」[65]，面對前者，吳淇還特別指出「南北」於詩中應上伏下之關鍵性質，

---

65 例如劉履「萬里道阻，會面無期，比之物生異方，各隨所處，又安得不思慕」、姜任脩「萬里遙天，相為阻絕，後會安有期耶？蓋以胡馬越鳥，南北背馳，其勢日遠，其情日傷」、饒學斌「依於北者無由而南，朝於南者無由而北，斯亦安有會期也」……等論可參。俱收於隋樹森編：《古詩十九首集釋》，頁59、108、154。

並進一步尋思該詩二提距離之遙（「相去萬餘里」、「相去日已遠」）的用意。至於「物各有歸」，他更於人、物活動的特定地域性（「故土之戀」）中，再細分出「依親」、「依鄉」等同中有異的情懷，如此一來，可謂較歷代品評更進一步，將距離、地域性對詩人情思之影響作出更深切之展現，使得方位的意蘊更顯深厚。

在南北空間方位的闡發中，另有一類則是將重心擺在與朝廷國情之聯繫上[66]：

> 既懼非所任，怨彼南路長。千里既悠邈，路次限關梁。……玄林結陰氣，不風自寒涼。（棗據〈雜詩〉）
>
> 「路長」上加「南」字，乃是怨不見用于朝也。當時晉都洛陽，賈鎮漢陽，棗居潁川，漢陽在潁川之南，故曰「南路」。洛陽在潁川之北，應曰北路，其相去也俱約千里。而乃以漢陽之路為長，怨其路之不北耳……「千里」云云，不惟不得志，且有許多危艱在，那得不怨！……「不風自寒涼」，妙于寫寒，寒生于怨。怨不可明言，故托意于路長也。（七/157）

> 北眺沙漠垂，南望舊京路。平陸引長流，崗巒挺茂樹。中原屬迅颷，山河起雲霧。（盧諶〈贈崔溫〉）
>
> 「北眺」句是客，「南望」句是主，然必用「北眺」句者，明身之在幽州，迤北惟有沙漠，無復中國之區。「舊京」謂洛陽，遠不可望。望其路，「平陸」四句，正路上

---

66 下列這組引文中盧諶、徐悱、陸機詩之評於第三章視覺的論述中俱已援引，然為了方便說明與閱讀，權衡之下，仍於此處不憚繁瑣地再次引用。

之景。路上之慘如此,則舊京可知,故遊子舉目永歎,見心之無時忘晉也。(十一/287-288)

　　登陣起遐望,廻首見長安。……少年負壯氣,耿介立衝冠。懷紀燕山石,思開函谷丸。(徐悱〈古意酬到長史溉登瑯邪城〉)

　　「登陣」句是一篇關鍵。「廻首」句是一篇波瀾……蓋瑯琊之城本以備北,登城應須北望。北望又背建業,故又回首南望。其北望也,是此題之正面,乃只「起」得「遐望」三字,似不曾說完者。蓋「遐望」必有遐思。當遐望之時,凡瑯琊之北迤西一帶山川形勢,無不歷歷看在眼中。即不入望之燕山、函谷,都已算計在心中。那一片開丸紀石以報吾君懷思,已全全有在這裏……以少年長才,自負指顧之間,可以紀石開丸,此北望之遐思也。却轉身南望說來,若將一片開丸壯懷,面向吾君請纓者,又若將瑯琊北及燕山、函谷形勢,向吾君聚米為山者,無奈數奇不偶於時,深為可歎耳。(十六/449)

　　發軔清洛汭,驅馬大河陰。佇立望朔塗,悠悠迥且深。(陸機〈贈馮文羆〉)

　　此……實寓不忘吳之意……駕車驅馬、登高臨深而望夫斥丘離京遙遠,豈登高臨深而望所及?只是形容馮等去後,署中另換一輩人物,無足語者……「佇立望朔塗」者,入洛以後詩中佇望只是南向,至此忽轉而北望,真有萬萬難堪者,況「悠悠迥且深」乎?「迥且深」者,謂斥丘在極北之地,望者已自難堪如此,則馮以南人而身當其地者更何如哉?(十/242)

上列諸評與視覺「望」相關之探討，於本文第三章中已做過分析，此處專就方位來談。吳對地理方位的熟悉自不待言，而這些評註乍看之下只有評盧諶之作道出南北主客之別，實則諸評提及南北方位，俱有一主一從的差異：吳評棄據詩表面寫南路，實則旨在「怨其路之不北」，反語意味濃厚[67]；言盧諶北眺沙漠，則是為了烘托南望舊京之懷想；點出徐悱正面言北望遐思，最終是為了表達對南望請纓之期望；陸原詩只言北望（「望朔塗」），吳卻特別指出「入洛以後詩中佇望只是南向」，正有藉南望強化北望「萬萬難堪」的用意。值得留意的是，原詩中像是盧、徐二作，皆以對句的方式展現南北[68]，容易予人南北對等的感受，事實上，從全詩情懷的鋪展觀之，南北方位並不對等，而吳淇試圖將兩者的主從關係展現出來，明白指出方位包蘊之意涵，如此闡發正可見「詩情」與「方位之主從」有著鮮明的呼應，也較能真切展現詩人之情懷。

其次，上列前二筆資料還有一空間意象值得留意，即所謂的「路」。路乃南北交通的重要通道，具備連繫多個地點之功能。然而在述評裡，它聯絡、交通的功能明顯弱化，而帶有消極的意味，或者於道路的慘況裡推得舊京之不堪；或者在距離隔絕的感受中（路長）展現詩人之怨懟[69]，換言之，路並未確實展現

---

67 棄據該詩欲傳達者，當為勇赴國難以及征途之苦辛，似未見吳淇所言「怨不見用于朝」之意。然而吳淇著意指出國情與南北方位的關聯，正可見詩評家確實對方位之象徵意涵有較多的留意。

68 徐悱詩「登陴起遐望」為北，「迴首見長安」為南。

69 即使不涉及南北方位，吳淇對道路空間意象之留意，亦多展現艱阻之樣貌，可參「借望荊山顯出路之長；路之長顯其行之久，行之久顯出歲之晏，以寫其不樂出外之意」（江淹〈望荊山〉十七/451-452）、「『南山』二句道之險，『青松』二句言道之偪」（潘尼〈迎大駕〉九/218）……等評。換言之，路的消極阻絕性在《六朝選詩定論》中是頗為常見的。

「連結」此實用功能，反而帶給詩人更大的疏離感，吳淇著意展現詩中之「路」與其原始存在功用間之強烈反差，可謂由反向更形突顯詩人情感之悲怨。

　　路長猶可留意者，另有藉視覺帶出的想像。若配合前文引述謝朓〈暫使下都夜發新林至京邑贈西府同僚〉、〈京路夜發〉、任昉〈贈郭桐廬出谿口見候余既未至郭仍進村維舟久之郭生方至〉等評，可以看出長路無盡的意象多來自視覺的侷限，因為看不到盡頭，而易引發視覺所能掌握範圍外路「長」的想像，如此一來，長路在想像的加乘中將更顯遙遠；而面對漫漫長路，哀怨之情多易與此一併絲延而加深加長。要之，在吳淇的品評中，路的意象可謂由反面、想像中強化詩人對京城的情感，從而更形彰顯南北方位予人感受之落差。

　　第三，本屬客觀地理方位之南北，在吳淇的評注裡則可見到濃厚的君臣色彩；在其他多處的品評中，亦可見他對京都、國家這些地點（域）皆有特殊的關懷[70]，這麼看來，「以遠離家園作為啟程點的放逐之旅，從來就不只是身經形處的距離問題，它兼含歷史性、文化性，同時作為一種社會性的存在」[71]，不論詩人怨嘆與否，皆可見傳統讀書人欲報效國家的強烈心思，君臣倫理文化之根深蒂固可見一斑；而方位、地點也因此

---

70 例如評「遠望周千里，朝夕見平原」為「遠望至於周千里，必是平原之地。然平原者即《九歌》所云『原忽兮路超遠』，乃《國殤》之出不入而往不返之處也」(曹植〈雜詩〉五/117-118)、指出「登城望郊甸，遊目歷朝寺」中「望郊甸是客，望朝寺是主」(潘岳〈在懷縣作〉八/189)、釋「灞涘望長安，河陽視京縣」乃「登山之始，不暇他望，一眼只覷定京邑所向。既望之不見，然後漸漸收眼，則亦不離京邑道上」(謝朓〈晚登三山還望京邑〉十五/419)……等論可參。

71 鄭毓瑜：《性別與家國》(臺北：里仁書局，2000.8)，頁83。

不再只是簡單的地理實物，而是承載著主觀意念，成為極具象徵性質的標誌。在吳淇的空間闡發中正可窺得中國特有的君臣文化體系，此乃這類述評的重要意義。

　　整體而言，吳淇對於南北方位的探討，常涉及「望」之視覺感官，並常藉由南北之比對，展現遙遠的距離感。其中雖可見朝廷國情與思鄉兩個面向，然相對而言後者比重較低，而以前者居多，且「思鄉」主題在吳淇眼中，則多有往「國情」靠攏的趨勢，茲以本節所舉思鄉之例觀之，吳評陸機之〈赴洛〉，最後即援引唐詩「仕宦為骨肉，骨肉盡離仳」、「仕宦為親戚，親戚久別離」（十/236）做結，可見思鄉乃是建立在遊宦的背景上，此乃中國傳統文化的反映，讀書人既以報效國家為己任，較偏私領域的故鄉情懷便多置於其次。至於〈行行重行行〉，吳評劈頭即言「此臣不得于君之詩」（四/77），同樣表現出公共倫理之色彩。

　　可以進一步追問的是，何以吳評會有如此偏向？當與吳本身的詩歌觀脫離不了關係。在《六朝選詩定論》卷一總論處，吳淇即費了不少筆墨談論君臣唱和，「功成樂作，君臣唱和於一堂之上，其古今有一無二之盛事」（一/15）、「古今詩人只有一志，所志維何？曰君喜臣起，成功一時，流名萬世而已」（一/15）……等等皆是，由此即可窺得吳對君臣關係確實有較多的留意，此處的「詩之志」有相當比重即是圍繞在君臣議題上開展的[72]。此外，吳評《古詩十九首》時認為此「皆臣不得於君，而托意於夫婦朋友，深合風人之旨」（三/77）之作，以為十九首的要旨時

---

72 在本文第二章的探討中，曾提及吳淇之言志乃「包裹萬世之詩」（一/4），因而展現出他新變於傳統詩教的一面；不過吳在方位闡發的表現上，確實較近於傳統，此與第二章之論並不衝突，殆因吳淇之「志」具備繼承復新變於傳統詩教的雙面性。

俱與君臣有關，亦可側面看出他偏重君臣之傾向。由此回過頭來觀看吳淇對南北方位意涵之揭示，多費心闡發為臣之思，與其重君臣一倫的中心思想是相互呼應的。

　　其次，尚有一處值得玩味，就是在《六朝選詩定論》中，涉及家、國主題者以南北方位居多[73]，而東西向則相對少見[74]，何以會有如此落差？此與政治中心所在位置脫離不了關係，從兩晉南朝的版圖觀之，俱為偏安東南的樣貌，詩作呈現的多為跨國跋涉或戍守邊疆之面貌，自易突顯南北之間的距離；另一方面，中國文化的地域性主要是南北差異，東西向則較不顯著[75]，這對吳關注南北向亦不無影響。再者，就吳淇所處的時代背景而言，明朝永樂年間吳居於睢州，也就是今天河南省一代；入清之後則因赴官任職，而移至廣西潯州[76]。此由北（睢州）至南（潯州）之遷移，尚隱含著改朝換代的背景，吳對此多所慨歎，這從他「梁園思客偏多感，直北蒼茫是汴京」[77]、「萬載稱

73　除了前述所舉之例，另有評陸機〈赴洛詩〉「未入洛心事，都又轉歸此詩『南望』」(十/235)、評潘岳〈河陽縣作〉「此登專為望京室耳，妙在緊接『南』字……河之南一無所見……然而京室眇然，終于莫覿」(八/187-188)……等論可參。

74　東西方位涉及家、國者甚少，與「家」相關者可參「本家遼東、征軍西戎，可謂遠矣。登高而望，止見雲中，望不見家也。夕寢而夢，止到甘泉，夢亦不到家也」(袁淑〈効古〉十三/334)；與「國」相關者殆可以「原詩所望東極泰山，以梁甫為隔，西極漢陽，以隴坂為隔。擬詩隴原即隴坂，仍以原詩之西望為所望，而以原詩之東望為隔，其遠已加倍矣……巫山之隅，『南巢』云云，莫不置身極南極西極北之處，足見當晉室之邦分離析」(張載〈擬四愁詩〉九/211)為例。

75　袁行霈：〈中國文學的地域性與文學家的地理分布〉，《袁行霈學術文化隨筆》(北京：中國青年出版社，1998.4)，頁17。

76　相關地點考證可參清‧湯斌：《湯子遺書‧江南鎮江府海防同知冉渠吳公墓誌銘》，收於紀寶成主編：《清代詩文集匯編》(上海，上海古籍出版社，2010)第102冊，卷6，頁427-429。

77　吳淇：〈漢口〉，收於王士禎《漁洋山人感舊集》(上海，上海古籍出版社，2014)，卷12，頁842。

雄古汴州，繁華一旦付東流」[78]的創作即可窺見一斑，可見吳淇
對方位品評之偏向，當有相當成分蘊含著自身家國之感[79]，他之
所以尊經、重漢道，恐與其受異族統治，身為漢族文人不敢表
達卻又亟欲維護正統的深層痛苦有關，這些都是吳特別留意南
北方位的潛在因子。此外，吳淇還認為「分南北者『選詩』之
運」（晉詩總論.八/159）、「邵子曰：地氣自北而南，詩運亦然。
西晉以前作者，盡在西北，東晉以後作者，盡在東南。此實為
『選詩』中絕大關介」（晉詩總論.八/159），凡此種種，俱為吳
關注南北向品評的背景因素。如果說人們對東西向的留意如本
節一開始所言，多著重在時間的變化上，而比較偏物理性質；
那麼相對而言，吳淇對南北方位的闡發，則有更濃厚的文化社
會性，也就是家、國情懷的寓託，他對方位闡釋的偏向誠不言
可喻。

第五節　時間、空間之交融展現

　　在詩歌創作中，不論是基於對仗的考量，或者是人的實際
生活脫離不了時空，理應對「時空」議題作一交代。吳淇於評
述中時常提及時空兩者，像是「前半寫時，以『鑽燧』句結；

---

78 吳淇：〈汴梁懷古〉，收於王士禎《河南通志》，收於《景印文淵閣四庫全書》
（臺北：臺灣商務印書館，1983），卷74，頁49。

79 透過本文三至七章對實際詩評的探討，可以發現吳淇對於陸機詩歌之留意，
除了《擬古詩》，其餘多集中在〈赴洛〉、〈赴洛道中作〉等因國破而不得不遷
徙流離之作；此外，第四章「聽覺」主題中又多次論及吳淇對哀音之肯定，
恐與吳面臨異族統治，而對「亡國之音哀以思」多所感懷脫離不了關係。換
言之，吳淇對南北方位、陸機詩、哀音何以多所留意，與其生平遭際當有一
定程度的關聯。

後半寫景,以『沉憂』句結」(張協〈雜詩〉九/200)、「『孟夏』
二句,好讀書之時。『眾鳥』二句,好讀書之所」(陶潛〈讀山
海經〉十一/293)、「『空谷』,所期之地;『暮春』,所期之時」(謝
靈運〈贈從弟惠連〉十四/377)、「『從容』二句,宴客之地之景;
『涼風』二句,宴客之時之景」(江淹《雜詩‧陳思王植》十七
/460)……等評俱是。唯此類述評數量雖夥,然僅點出詩歌之架
構安排,而未進一步延展說明,可觀度上略嫌薄弱。倒是另有
一類點出時空「久遠」之評,相對而言較具留心之價值:

> 往春翔北土,今冬客南淮。遠行蒙霜雪,毛羽日摧
> 頹。(應瑒〈侍五官中郎將建章臺集詩〉)

> 「北土」、「南淮」,乃由塞門至衡陽之路也,言所行
> 之遠。「往春」、「今冬」,喻所行之久。「遠行」云云,萬
> 死一生,言其苦極。(六/142)

> 諼此倦遊士,本家自遼東。昔隸李將軍,十載事西
> 戎……勤役未云已,壯年徒為空。乃知古時人,所以悲
> 轉蓬。(袁淑〈效古〉)

> 通篇只寫得「倦遊」二字,一倦於遊之遠,一倦於
> 遊之久。然久遠二字,却不分段落,故為錯綜其詞……
> 總結之以古人「悲轉蓬」也,悲生於倦。(十三/334)

> 密塗亘萬里,寧歲猶七奔。肌力盡鞍甲,心思歷涼
> 溫。(鮑照〈東武吟〉)

> 「密塗」句是說遠,「寧歲」是說久,「肌力」句,
> 是身之苦,「心思」句,是心之苦,得功之危且難如此,

非僥倖一互者比，所以最為可傷耳。（十三/341-342）

> 遠與君別者，乃至雁門關。黃雲蔽千里，遊子何時
> 還？送君如昨日，簷前露已團。不惜蕙草晚，乃悲道路
> 寒。……願一見顏色，不異瓊樹枝。（江淹《雜詩·古別離》）
> 首四句是別之遠。「送君」二句是別之久。「不惜」二
> 句及「願一」二句俱情之切，結言所守之貞。（十七/455）

這類指出時間長久、空間遙遠的詩評看似簡單，卻透露出異於
時光流逝的另類訊息。時間流逝多予人無法停歇掌握的焦慮
感，而久遠則是展現出相對凝滯的感受，然此凝滯並未予人時
間暫停的歡欣感，當悲苦的時間見不到盡頭，而呈現日復一日
不斷延續的樣貌時，則又是另一番的無奈，更何況這樣「久」
苦的時間又搭配上遙「遠」的空間，廣遼的空間並未給予詩人
開闊疏朗之感，反而呈現遠無邊際、難以掌握貌，在時、空兩
者的加乘下，恐怕只會更形增添悲愴情緒。還可留意的是，像
這般展現時空久遠的述評，所繪時節多傾向歲寒，這就更增添
死灰寒冷之氣息。吳淇特別留心久（時）遠（空），當可見其欲
藉時空烘托悲苦情思之用意。

此外，另有一類時空交融之評值得留意：

> 陰風振涼野，飛雪瞀窮天。（顏延之〈北使洛〉）
> 「陰風」二句，雖是寫時，却是偷轉其筆於盡頭處
> 寫「北」。蓋「陰風」云云，惟極北塞外為然。洛陽天地
> 之中，陰陽之會，況當恢復之後，自宜有寢興寢盛之氣
> 象，而乃寫得如此。雖極北塞外不奮過者，蓋以洛陽未

復，誠有荒慘如彼者；洛陽既復，晉事轉不可言。故「陰風」云云，較之未復以前，其荒慘更甚耳。（十二/309）

悽矣自遠風，傷哉千里目。萬古陳往還，百代勞起伏。（顏延之〈始安郡還都與張湘州登巴陵城樓作〉）
目之所望者山川，胸之所懷者古今。（十二/317-318）

借問下車日，匪直望舒圓。寒城一以眺，平楚正蒼然。……切切陰風暮，桑柘起寒煙。（謝朓〈郡內登望〉）
此詩之妙，全在于寫登眺處偷筆紀時，暗寫出冉冉老至之意。就下車以來論，「借問」句一日已過，「匪直」句一月已過，「平楚」句一年亦將過也。就登眺論，「切切」句一日已盡，「桑柘」句一年亦盡也。（十五/422-423）

開花已匝樹，流鶯復滿枝。（沈約〈三月三日率爾成篇〉）
開花匝樹，流鶯滿枝，景從作者眼中看出，是寫時。（十六/429-430）[80]

時空兩者雖可分述，然在詩人眼中，卻有由時間聯想至空間，或者倒反過來的情形。這就使詩作之繪景（「陰風振涼野，飛雪瞀窮天」、「切切陰風暮，桑柘起寒煙」）或目光所望之空間有了承載更多內涵的可能，誠所謂「由歷史之維，當下即目的山河才有了更深的『空間』、更『立體的』時間」[81]。

此處還可留意的是，相較於第一筆由時間聯想到空間的品評，倒反過來，也就是由空間聯想到時間者於《六朝選詩定論》

---

80 景觀的表現自然會佔據相當的空間，故視之為空間之一環。
81 蕭馳：《玄智與詩興》，頁181。

中反而是更常見的。何以後者會更為常見？或許因為空間意識是以視覺為基礎，較時間更為具體直觀[82]，促使吳淇多先行掌握空間一端。由此延伸，空間本身或因遼闊遠眺易引人遐思（此即吳淇所謂「遐望必有遐思」（十六/449）），「遠」之距離感於此轉換成時間的流逝感；或因景物變換迅速容易感受到時光之流動，而使空間有了時間化的聯想。從吳淇這般品評脈絡可以看出，空間所呈現的意義遠不僅止於目之所及之當下，目光觸及之景所引發的，可以是個人生命消逝之慨，亦可拓展至對古今歷史洪流之沉思，前述對首都古今地點堆疊的探討，亦可與此合觀。要之，空間雖因較時間具體而易引發初始的留意，然吳評多非止於當下所見之瞬間，而能考慮到這背後時間的作用或變化，使得詩作之空間在時間的交融下得以呈現更為豐厚的樣貌。

第六節　小　結

　　吳淇《六朝選詩定論》中對空間的闡發，若以本章所舉詩例加以統計，約莫有高達八成五左右帶有政治背景，展現出較濃厚的君國倫理色彩[83]。定點空間的探討主要可區分為「日常居

82　相關論述可參葉舒憲：《中國神話哲學》(北京：中國社會科學出版社，1992)，頁 208-210。

83　此或與本章第四節標目中的「家國情懷」有所出入，乃因內文論述時仍涉及「家園」，故小標題中還是將「家」納入。不過在整體評述的傾向上，私領域之「家」有被君「國」文化掩蓋的趨勢，故說明《六朝選詩定論》闡發空間時較明顯的偏向時，當以「君國倫理」一詞為妥。小標題與此處之側重點不同，並不矛盾。

所」與「郡署王居」兩大場所，前者因其私領域的性質，故可窺得主人翁私人之鮮明烙印；然而在傳統政治文化結構的制約下，本可恣情放鬆的居所卻多展現出對人「規範」的一面，並且可見吳淇對獨守者於日常居所中受限圍之樣貌有較多的留意，這就與「家之安穩性」的尋常認知有所不同，吳評反而多展現坐困愁室的悲怨情態。

至於郡署與王居，理當是以仕宦為核心關懷的傳統讀書人安身立命之處，在吳淇的品評中，雖也展現傳統文人對首都的特殊情誼，並且在對此場所的認同中，表現讀書人對君臣倫理的眷戀；然而另一方面，若真身處官場，卻又時興矛盾情緒，難以輕易地在仕宦中安身立命，表現出心靈漂泊的一面，香草美人的悲劇傳統在吳淇空間場所的品評中有著頗為具體的表露。要之，在吳淇的評述裡，定點空間帶有較多公共的政治倫理色彩，而多呈現哀傷之基調。

面對詩中隨主人翁移動而有所變換的空間，吳評同於定點空間，多指出原詩單純物色句中之人跡，因點明人之參與而使景（空間）語更顯動態感。此外，吳則是擅長將步移中郊野相異場所的層次鮮明地彰顯出來，亦特別留意不同場所間的對比，從而使詩人情感之起伏隨著空間的變換或比照而有更細緻、具體的展現，這就使原詩中不那麼受矚目的空間，以及詩人移動過程中所接觸之相異空間對情感變化之影響，皆因吳評而顯得更具層次且細膩。最後，空曠的郊野並未予人舒朗之感，在吳評中可以見到孤身於郊野的不安；而空間在人們主觀的想像中，又易產生加倍短長、艱難之錯覺，不過相較於客觀的地理空間，對詩人們而言，錯覺的距離感恐怕才是最貼近己身情

思者。

　　關於吳淇對方位的闡發，相較於東西向，可以見到他更留意南北的方向性。而吳評南北方位與君國結合者多，與故鄉結合者少，此乃傳統文化的反映，意即以報效國家為先，即便是私領域的故鄉情懷，亦有被納入君國體系的趨勢。吳淇之所以多由君國角度闡發南北方位，與其重視君臣的詩歌觀、南北社會文化的差異以及吳本身的遭遇脫離不了關係。

　　整體而言，本章一方面多元呈現吳淇對空間闡發的各個面向；另一方面，則試圖在這些或公或私、或喜或懼、常態或非常態空間等各個層面中，歸結出吳評空間闡發的主要偏向，要在能具體而全面地呈現吳空間品評之樣貌。

　　若由本質來看，吳淇對空間的闡發似不離傳統的情景議題，然而一般談論情景，多將「景」作為視覺觀看的對象，從而展現情景交融、觸景生情或含情觀景等面向。相較於以視覺為主的觀賞或起興，吳淇的空間品評除了同樣表現對視覺與空間關聯的留意，另外還展現出「身體整體對空間參與」的偏向，他留意詩人們於某個（些）特定場所中活動的情形，並能細密連繫空間與詩人情思之變化，相較於歷朝對情景簡要、概括的品評，吳論確實具體而微且更細密的展演了情、景之間的連繫。

　　此外，從吳淇「定點空間」的闡發中，常可見到家國倫理文化制約的樣貌；「方位意識」一題裡，則多展現詩人們南北眺望之故國情懷。像這般側重探析君國一端，家「情」湮沒於國「思」之中的述評偏向，誠可見到吳尊經、重視君臣倫理的思維。吳淇為了賦予《選》詩經典之地位，於《六朝選詩定論》卷一「緣起」處便不斷將《文選》扣緊《詩經》、漢道來談，這

確實導致他在具體品評詩作時，出現諸如評張衡〈四愁詩〉「『金錯刀』者，刀取斷，去小人也」（三/75）這般過分附會詩教之闡釋。然而若回過頭來辨析吳淇的空間之評，會發現他頗能設身處地地反映詩人們於君國權威下的為臣情懷，體現詩人的困境與實情，就這點而言，吳評誠非只是一味地尊經、扣合倫理，而是能幽微地表現出中國傳統仕宦文化蘊含人情意味的一面，而少見附會政治者，此乃吳淇空間闡發之貢獻，同時也是見到其評近於傳統詩教的同時，尚需細緻辨析處。

第八章　餘　論

　　本章是在前述諸章的基礎上，對吳淇與身體、時空相關之評述的綜合探討。主要可區分為三個子目：首先，從統計歸納詩人、時代、《選》詩類別的角度，觀看吳評有何傾向。其次，則欲探察《六朝選詩定論》中顯隱軸線，也就是尊經、主漢道等觀念，與身體、時空議題的關連，並歸結《六朝選詩定論》之情辭表現，要在對本書主題做一扼要的統述。最後，則是指出《六朝選詩定論》有何瑕不掩瑜之謬失，而將重心放在說明其價值與貢獻。茲分述如下。

第一節　身體、時空闡發中詩人、
《選》詩類別、時代之關注傾向

　　若將本文所舉吳淇詩評加以統合觀察，便會發現吳對某些詩人、《選》詩類別及時代有特別的留意，而這些留意的視角往往能展現出吳異於歷朝詩評家之獨到眼光，而有利於我們重新省思學界對六朝詩歌的既定印象。

一、六朝詩人評價之重新省思

── 以陸機《擬古詩》之評爲例

前幾章的探討，主要是從身體與時空等主題切入，說明吳淇述評之特殊觀點。而正如第一章所言，本文其中一個預期貢獻在於透過吳評，重新省思六朝詩人及其詩歌之評價，因此專就詩人而言，在前幾章的論述中即可看出，像是謝靈運、謝朓的詩作，或因《詩品》「尚巧似」[1]、「奇章秀句」[2]之說的影響，歷朝評述二謝詩時多將焦點集中在摹形繪景的層面；然透過吳淇的品評，則可看出他對大小謝之情思多所留意，這就提供我們重新看待二謝詩作的空間：除了在物色描繪上維妙維肖，詩中糾結起伏之情感，是否才是最貼近二謝於官場上沉浮之實情？吳淇之說與歷代述評確實為讀者共同建構出更全面看待大小謝詩作之視野。

此外，若就本文引用次數加以觀察，陸機詩評援引次數高達 34 次，乃六朝詩人中比重最高者，陸機亦為《文選》選錄詩作最多的詩人，吳淇在很多議題的探討中，例如視覺中之「望」、行止中的「佇立」，以及空間中關於方位的探討……等，俱可窺見他對陸詩有較多的闡發；而就《六朝選詩定論》全書觀之，吳確實對陸詩多所關照，這就引發我們的好奇，陸詩究竟有何特殊之表現，而得吳之多番青睞？如果以吳淇與歷代品評的落差作為考量，同時慮及吳述評之合理性，陸機一系列擬古之作

---

1 梁・鍾嶸著，王叔岷箋證：《鍾嶸詩品箋證稿》，卷上，頁 196。
2 同前註，卷中，頁 289。

當是可以獨立出來，做為對六朝詩人評價重新省思之代表而加
以探析者。

抒情是中國古典詩歌頗為重要的質素，評者莫不對此投以
關注的目光，而吳淇闡釋詩情的特殊之處，在於能緊密結合「遣
情」與「形構」，深入闡發詩情之醞釀或轉折，像這般將內容與
形式縣密交融之展現，在前幾章的論述中已可清楚見到。而「擬
作」一般而言多被認為是詩人練習模擬之作，因為「擬」乃前
有所本，情感上多被認為不若原作真摯，也因這點而常受到質
疑。陸機自己雖言創作需「謝朝華於已披，啟夕秀於未振」[3]，
然在後代多數詩評家眼中，陸詩突破前朝創作處似僅在形式層
面，直到現代，仍有學者持此觀點[4]。此論點誠具備相當之合理
性，畢竟較之於情感的抒發，陸機詩歌「尚規矩，不貴綺錯」[5]，
似乎在形構上更顯創獲。然而吳淇卻提供另一個很有意思的觀
看角度，也就是重新看待擬作這一體式，於深究擬作字句與原
詩的差異中，恰當挖掘其中之情感，不因評論對象為擬作，而
先入為主地貶低其價值。就詩評史的發展而言，陸機一系列的
擬古作品普遍受歷朝貶抑，到了吳淇手中，則有被重新評價與
探討的可能，此乃吳淇品評陸機擬作的重要貢獻，下文將一一
細究。

之所以選擇陸機擬古之作加以探討，除了擬作之情感因體

---

3 晉・陸機著，張少康集釋：《文賦集釋》(北京：人民文學出版社，2002.9)，頁
36。
4 像廖蔚卿即認為陸機擬古的價值主要在「藝術的技巧」，這組作品「全襲舊題
原意，僅在材料及修辭上，略加改變而已」，語見氏著：《中古詩人研究》(臺北：
里仁書局，2005.3)，頁 53、51。
5 梁・鍾嶸著，王叔岷箋證：《鍾嶸詩品箋證稿》，卷上，頁 171。

式關係，往往較一般詩作更易受人質疑，因此藉由對這一系列普遍看來相對乏情的詩作之探討，將更能呈現吳淇對陸詩有情之特殊關照；另一方面，前幾章探討陸機詩評時，擬古部分僅涉及〈擬西北有高樓〉、〈擬明月何皎皎〉、〈擬迢迢牽牛星〉三首，其餘則為非擬古之作，慮及行文不重複以及更全面地展現吳評陸機詩歌之樣貌，因此本點之探討將聚焦於《擬古》上。

（一）歷朝陸機擬古之評說

　　鍾嶸是首位品評陸機擬古之詩評家，他稱賞該作為「五言之警策」[6]，並將此置於「篇章之珠澤，文彩之鄧林」[7]之列，擬古受欣賞之情形可見一斑。不過根據《詩品》「才高詞贍，舉體華美」[8]之評加以推測，鍾嶸對陸詩欣賞的角度，主要偏由形式面來談，這就影響到後來詩評家對陸詩留意的角度，而此亦形成陸詩普遍予人工於雕琢之刻板印象。

　　唐人對陸機擬作則未有太多的留意，這已暗示著對此之輕忽與漠視；宋人對此之關照亦不甚多，較具代表性者如下：

> 陸士衡《擬古》詩曰：「此思亦何思？思君徽與音。」
> 又曰：「驚飆褰友信，歸雲難寄音。」一篇押二音字。[9]
> 陸士衡作《擬古》……雖華藻隨時，而體律相仿。[10]

宋人之評主要由體格、麗藻等傾向形式的面向來談，意味著他

6　同前註，序，頁117。
7　同前註。
8　同前註，卷上，頁171。
9　宋・王觀國：《學林》，收於《宋詩話全編》，卷8，頁2545。
10　宋・張表臣：《珊瑚鉤詩話》，收於《宋詩話全編》，卷1，頁2598。

們對陸詩內涵不甚重視，如此看重形式面的表現，雖可見延續鍾嶸形構面之觀點；不過另一方面，卻未見類似鍾嶸稱賞之語，在貌似客觀呈現擬古形式特點的同時，其實隱約可窺得宋人對陸詩似已不若《詩品》這般賞愛。

發展至明朝，對陸機擬作的關照明顯增多，然而除了盧柟稱「陸機英妙負文雄……擬古詩高曠代風」[11]，其餘諸論幾乎多所貶抑，蔑視這組作品的態度是很明顯的：

> 曹、王之作近《十九首》，非擬也，士衡擬之，而去頗遠。鍾參軍一字千金之評，殆溢美矣。[12]
>
> 擬《十九首》，自士衡諸作，語已不倫；六朝而後，徒具篇名，意態風神，不知何在？[13]
>
> 擬古皆逐句摹仿，則情興窘縛，神韻未揚，故陸士衡《擬行行重行行》等皆不得其妙，如今人摹古帖是也。[14]

諸論基本上皆不肯定陸機之擬古，甚至對「擬古」此一體式加以排斥，認為當字句有所限定，「意態風神」、「情興」、「神韻」等自然會受拘束，故難以不受框限地呈現詩作動人的力量與美感。此觀點是否公允是一回事，然而不可否認的是：這些論述實共同展現明朝人對陸機擬古詩貶抑的批評傾向。

---

11 明・盧柟：《蠛蠓集》，收於《明詩話全編》，卷 5，頁 2928。
12 明・方弘靜：《客談》，收於《明詩話全編》，頁 3840。
13 明・胡應麟：《詩藪・內編》，收於《明詩話全編》，卷 2，頁 5469。
14 明・許學夷著，杜維沫校點：《詩源辯體》，卷 3，頁 52。

　　發展至清朝，延續明人貶抑觀點者亦不少見[15]，然而值得留意的，是那些重新審視陸機擬古之看法。茲列舉較具代表性者如下：

　　　　平原擬古，步趨如一，然當其一致順成，便爾獨舒高調。一致則淨，淨則文，不問創守，皆成獨搆也。（王夫之）[16]

　　　　前人擬古，莫妙於陸機、江淹。馮班云：「江陸擬古詩，如搏猛虎，禽生龍，急與之角，力不暇，氣格悉敵。今人擬古，如牀上安牀，但覺怯處，種種不逮。」此論良是。（王士禎）[17]

　　　　……此八首亦皆平調，本不足法，但差勝耳。（陳祚明）[18]

前朝對擬古「步趨如一」的觀感傾向貶抑，認為如此做法無法展現作者之獨創性。然而王夫之卻以為在這樣的限制下，陸作卻能「一致順成」，所謂「順成」者，並不意味生命力之喪失，反而是在諧和流暢中展現「獨」特之處，前有所傍尚能有所突

---

15 如賀貽孫「將古人機軸語意，自起至訖，句句蹈襲，然去古人神思遠矣」（《詩筏》，收於《明詩話全編》，頁 10397）、李重華「余每病其呆板。」（《貞一齋詩說》，收於郭紹虞編選，王夫之等撰：《清詩話》（上海：上海古籍出版社，1999.6），頁 935）、方東樹「不免客氣假象，並非從自家胸臆性真流出。」（《昭昧詹言》，卷 1，頁 12）、沈德潛「絢綵無力」（清・沈德潛著，霍松林校注：《說詩晬語》（北京：人民文學出版社，2005.12），卷上，頁 202）……等，基本仍延續前朝之批評，認為陸擬古呆板無真性情。

16 清・王夫之：《古詩評選》，卷 4，頁 697。

17 清・王士禎：《帶經堂詩話》（北京：人民文學出版社，2006.1），卷 1，頁 16。

18 清・陳祚明評選，李金松點校：《采菽堂古詩選》，卷 10，頁 315。

破，創作難度其實是更高的。夫之兩用「獨」字品評陸機擬古，實已顯露出異於前朝的觀看視野。那麼王夫之何以能有此視野？「不問創守」的品評態度當是其中之關鍵。至於王士禎同意馮班之論，美擬古氣格之觀點，亦為前朝所無。

如果說二王對陸機擬作的看法有較多褒揚，那麼陳祚明便顯得相對保守，除了認為陸機詩歌普遍而言「造情既淺，抒響不高」[19]，他對陸擬古的評價亦不甚高。不過值得留意的是，陳氏已不若明朝人一概反對，而能於實際批評中指出陸擬詩可取之處，例如評〈擬行行重行行〉有「秀琢」處[20]、言〈擬今日良宴會〉「清警」[21]、論〈擬迢迢牽牛星〉有「稍雋」處[22]、目〈擬明月何皎皎〉「寫月光稍活」[23]。「稍」字以及上列獨立引文中「差勝」的「差」字，確實展現陳氏對陸擬作有所保留的態度，但相較於明人普遍貶抑之評，已透露出相異而更顯宏闊的關照視野。

在對王夫之、王士禎、陳祚明等人的看法有基本掌握後，復接續觀察吳淇之評，當更能呈現其論之特殊性。茲簡要列舉吳論如下：

> 沖澹古雅，句句摹擬原詩，卻不見摹擬之痕。(〈擬涉江采芙蓉〉十/247)

> 此詩「引領」云云，從高曠生來，猶自餘勁矯矯。(〈擬

---

19 同前註，頁 293。
20 同前註。
21 同前註，頁 316。
22 同前註。
23 同前註。

蘭若生朝陽〉十/249）

吳淇（1615-1675）年代與馮班（1602-1671）、王夫之（1619-1692）、陳祚明（1623-1674）、王士禎（1634-1711）差不多同時，若由時代排序觀之，吳淇並非清初第一個讚美陸機擬作之人；然而更值得留意的是，透過上述簡要之引言，已可看出吳澹雅、高曠等觀照面並不同於馮、王等人，尤有甚者，吳淇對詩歌形構往往能有迴環往復的辨析，並由此將擬詩情意之轉折或變化具體揭露出來，就深刻度而言，恐更勝前列諸家一籌。因此即使吳淇美陸擬作乍看之下與其所處的大時代相仿，但就詩評發展流脈觀之，其評陸擬古視野之深廣，恐怕仍具備開先鋒的地位。以下將聚焦於形構與情感的連繫，進一步突顯吳淇詩評之特殊性。

（二）吳淇陸機擬古評說之特點與突破

在探討吳淇對陸機擬古評說之特點與突破之前，尚需掌握他對擬作的基本看法。在此基礎上，將延續探討吳評中「擬作與原詩相較」、「單獨剖析擬作」兩點，這般分述似乎不過是述評模式之不同，然此述評模式確實影響到吳淇觀看擬作之重心，因此將由此切入；而這也再次呼應吳淇的詩歌觀，形構絕非只是表層形式，它與情思內涵誠有密不可分的關聯。

1. 吳對擬作、原作承變之基本看法

吳淇對擬作的基本看法，可由下列論述窺得一二：

> 擬詩必兢兢以古人之格調字句，寸寸摹仿，然字句

之間，可以出入，憑我自運。而其格調之大關鍵處，則
不可遺也。（劉鑠〈擬行行重行行〉十三/331）

凡擬詩者，古人之格調，已定不移，但有逐句換字
之法。苟琢鍊字句一毫不到，便要出醜。故孫鑛曰：「多
擬古，詩道自進。」（陸機《擬古》總論.十/245）

擬詩始於士衡。大抵擬詩如臨帖然。古人作字，有
古人之形之神。我作字，有我之形之神。臨帖者，須把
我之形墮黜淨盡，純依古人之形，卻以我之神逆古人之
神，併而為一，方稱合作。不然，借古人之形，傳我之
神，亦其次也，切勿衣冠叔敖。（陸機《擬古》總論.十/245）

這裡牽涉到「格調字句」與「形神」等相關問題。吳淇以為擬
詩之格調實已受「古人之格調」框限，身為擬作詩人，重點似
當擺在字句之琢鍊。不過逆而言之，擬詩之字句並非獨立存在，
「逐句換字」如何表現，又恐影響全詩之格調。那麼吳淇所認
知的「格調」，具體所指為何？應是所謂的「聲調氣格」（謝靈
運《擬魏太子鄴中集詩八首》總論.十四/380），此乃是於字句間
展現出來的聲情氣韻。吳淇另言「陸機擬詩，卻添了一迴一顧
許多態來……尚未有濡足褰裳之醜。」（謝惠連〈七月七日夜詠
牛女〉十四/394）何以陸機擬詩能展現妥當的姿態？與字句的恰
切安排脫離不了關係。換言之，字句間誠有「憑我自運」的彈
性，但要如何不「出醜」？則需考慮「謹守原詩格調」、「字句
影響格調表現」等原則或因素，唯有在這些部分拿捏得當，方
能成就擬詩之佳作。

至於第三筆有關形神的資料，吳淇以為需墮盡我之形而「純

依古人之形」，乍看之下對擬作詩人而言似乎沒有什麼可以開創轉圜的空間，然「神」卻是有彈性的，在「以我之神逆古人之神」的逆推過程中，其實已將一己之性情融涉其中。於此認知上恰當安排形、神，方能稱為「合作」。綜合上述資料，「格調」、「形」可變動的空間有限，此乃「承」古之處；而「字句」與「神」則為詩人展現一己才情處，「變」古之意涵當可由此窺得。可見在吳淇看來，其所認知的理想擬古，在承古之際，亦應蘊含新變之質素，這與第二章中提到吳淇尊經的通變觀在精神上是相仿的。

第三筆資料「切勿衣冠叔敖」之論亦可見吳淇對新變的強調。若無法推得古人之神，至少也要展現「我之神」，否則單有「形」之軀殼，又怎能呈現擬詩的價值？可見擬古即使有基本的規範，仍需具備靈動性，方得成為佳作。以下幾筆詩評正可與此觀點呼應：

> 行行重行行，與君生別離。……胡馬依北風，越鳥巢南枝。相去日已遠，衣帶日已緩。浮雲蔽白日，游子不顧返。思君令人老，歲月忽已晚。棄捐勿復道，努力加餐飯。(〈行行重行行〉)

> 悠悠行邁遠，戚戚憂思深。……王鮪懷河岫，晨風思北林。遊子眇天末，還期不可尋。驚飆褰反信，歸雲難寄音。佇立想萬里，沈憂萃我心。攬衣有餘帶，循形不盈衿。去去遺情累，安處撫清琴。(〈擬行行重行行〉)

> 此詩首尾全依原詩，中間小錯。……「佇立」二句，稍脫原詩，故佳。(十/246)

　　纖纖擢素手，札札弄機杼。終日不成章，泣涕零如
雨。……盈盈一水間，脈脈不得語。(〈迢迢牽牛星〉)

　　華容一何冶，揮手如振素。……引領望大川。雙涕
如霑露。(〈擬迢迢牽牛星〉)

　　「揮手如振素」，人知是擬原詩軋弄機杼，不知卻是
擬原詩末二句神理也。謂一水盈盈，語既不聞，招或可
見也。(十/247)

　　昔我同門友，高舉振六翮。不念攜手好，棄我如遺
跡。南箕北有斗，牽牛不負軛，良無盤石固，虛名復何
益？(〈明月皎夜光〉)

　　疇昔同宴友，翰飛戾高冥。服美改聲聽，居愉遺舊
情。織女無機杼，大梁不架楹。(〈擬明月皎夜光〉)

　　凡擬詩字櫛句比，止有添無減。原詩「牽牛不負軛」
下，有「良無磐石固」、「虛名復何益」二句，謂朋友不
是顯然絕我，但只是虛名……此卻丟去此二句不擬，只
「織女」二句便住，更覺蘊藉有味。(十/253)

觀察實際詩評，可以見到吳氏頗為重視擬詩能否展現異於原作
獨特的風範，此亦擬詩能否成為佳作的關鍵。試觀〈擬行行重
行行〉，該詩旨在表現對遠方之人的思念，核校原詩與擬作，原
詩言「行行重行行」，擬作應以「悠悠行邁遠」；原詩云「胡馬
依北風，越鳥朝南枝」，擬詩則為「王鮪懷河岫，晨風思北林」，
確實可見擬作步趨之貌，像這般「全依原詩」，顯然不為吳淇所
賞。反倒是擬作的「佇立想萬里，沉憂萃我心」，較之原詩的「思
君令人老，歲月忽已晚」，擬作從原詩所關注的時間視野（歲月

已晚）轉換至空間（萬里），這樣的安排正與遊子遠行的基調相應，強化了面對空間、距離的無奈與悲哀。吳淇認為此「稍脫原詩，故佳」，誠明確表明他對擬詩的看法：即便是擬詩，看似前有所傍，但若不能巧妙地謝朝華而啟夕秀，豈能為佳？

第二組資料亦可見吳淇對擬詩之讚美，在於詩人能巧妙安排字句，與原詩若即若離間，表現出屬於擬詩本身的情意。〈擬迢迢牽牛星〉旨在述說牛郎、織女倆相長別，吳淇以為擬作「揮手如振素」，不僅是呼應原詩「纖纖擢素手，札札弄機杼」，更深層的意蘊在於牛郎織女被遼闊的河漢阻隔，聽覺之語或許無法聞得，然揮手當是視覺所得見，如此一來，擬詩「揮手如振素」便不侷限在織女單方「軋弄機杼」上，更展現出兩人互動、卻不得共處的層面，得見卻無法相會，實有加深悲苦張力的效用。陸擬作所以得吳淇賞識，其中一個重要的原因在於吳氏以為陸擬詩能恰到好處地掌握與原詩間的尺度；另一方面，陸詩於「換字」之際，復能更深切地展現詩作之情意，此亦得《六朝選詩定論》美評之要因。

至於〈擬明月皎夜光〉何以得吳淇之讚美？亦不離「擬原作而變化得當」之原則。該詩乃怨嘆友人棄己高飛之作，原詩結以「良無磐石固，虛名復何益」，直言名之無益，頗為直白。陸詩則是收束於「織女無機杼，大梁不架楹」，逕以具體形象展現，全詩即嘎然而止，這反而提供讀者無限想像的空間，詩人之怨情、慨歎與無奈莫不繚繞其中，此即吳淇所認為「蘊藉有味」處。可見擬詩並非只是死板地「字櫛句比」，若能靈活轉化，自能為詩作增色，較好地展現出屬於擬作之風格。

透過上述探討，已清晰可見吳淇對擬詩的基本看法，並可

窺得其對陸機擬作的賞識。在吳淇基本詩歌觀的探討中，已知
其對情感頗為重視，而明人所以貶抑陸之擬古，主要癥結在於
認為擬詩缺乏真情。早在唐代，《文選》五臣中的劉良為陸機擬
古作註時即言：「擬，比也，比古志以明今情」[24]，足見擬詩並
非無擬作詩人本身的真性情，然而五臣註畢竟簡要，未能詳盡
闡發陸機擬作之情，唐代以後又歷經詩評家們對擬作的偏見，
連帶地對此也就甚少闡釋，需遲至吳淇，方將陸機擬詩在這部
分的可能價值較好地闡發出來，那麼具體而言，吳評又是如何
展現陸機擬古之情誼？茲詳述如下。

2. 擬作與原詩相較：情感之多重與深婉

陸機擬古既是前有所承，吳淇作評時會與《古詩十九首》
相較，自也是理之必然。透過相互對照，確實更能呈現擬詩異
於原作的特色。首先觀〈擬青青河畔草〉：

> 青青河畔草，鬱鬱園中柳。盈盈樓上女，皎皎當窗
> 牖。娥娥紅粉妝，纖纖出素手。昔為娼家女，今為蕩子
> 婦。蕩子行不歸，空床難獨守。(〈青青河畔草〉)

> 靡靡江蘺草，熠熠生河側。皎皎彼姝女，阿那當軒
> 織。粲粲妖容姿，灼灼美顏色。良人遊不歸，偏棲獨隻
> 翼。空房來悲風，中夜起歎息。(〈擬青青河畔草〉)

> 句句摹擬原詩，而義迥不同。原詩是刺，此詩是
> 美。……「灼灼」一句，是下文歎息之根本。「良人」二
> 句，是歎息之緣起。「空房」二句，之子一腔心事，也只

---

24 梁・蕭統選編，唐・李善等註：《增補六臣註文選》，卷30，頁572。

> 是一聲歎息,並無如許態度、如許話說,就此一聲歎息,
> 也只在空房無人之處,也只在中夜無人之時,真良人舉
> 止也。
>
> 　　原詩寫娼婦,故用岸草園柳,青青鬱鬱,一片豔陽
> 天氣,撩出他如許態度、如許話說。此詩止用靡靡江蘺,
> 一草起興,偷引起「悲風」云云,言之子一腔心事,只
> 如車輪在心頭暗轉,不是空房悲風逼得他緊併此一聲歎
> 也。(十/247)

吳淇解詩的重要特點之一,即是擅長闡發詩人的構思與安排,
像是第一段評論,女子顏色雖美,卻恐年華老去,吳氏點出此
為嘆息之潛在根源,而良人遠遊、拋下獨守之姝女,則成為歎
息之「緣起」,如此評析,無疑是將詩作情感的鋪展做了頗具邏
輯的揭示。

　　接著具體比較原詩與擬作在情景主題的處理上有何不同,
同樣是藉外景闡說,然「園柳豔陽」與「江蘺悲風」所烘托的
情懷畢竟相異,前者娼婦之姿顯得張揚許多,而擬詩之姝女則
顯得含蓄低調。吳淇於評論中再三強調婦人即使有滿腔心事也
「只」在心頭暗轉、「只」在無人之際歎息,多次使用「只」字,
突顯姝女情懷之低迴。這些分析皆非侷限在形構用字,而是透
過表層分析,點出詩中蘊含宛轉之情的可能性。吳淇斷定原詩、
擬作美刺云云,誠為尊經概念所限,或有再做商榷的可能,然
而更重要的是,除此之外的闡發則多著重於婉約情意之美感
上,實無涉美刺,這一方面或抑展現出對儒家傳統溫柔敦厚精
神之繼承,卻不顯得衛道死板,此當為觀察吳淇詩評時更值得

留意處。

　　像上述這般與原詩相較，從而突顯擬作之特點者，吳評〈擬迢迢牽牛星〉亦是一例：

　　　　迢迢牽牛星，皎皎河漢女。纖纖擢素手，札札弄機杼。終日不成章，泣涕零如雨，河漢清且淺，相去復幾許？盈盈一水間，脈脈不得語。（〈迢迢牽牛星〉）

　　　　昭昭清漢暉，粲粲光天步。牽牛西北迴，織女東南顧。華容一何冶，揮手如振素。怨彼河無梁，悲此年歲暮。跂彼無良緣，睆焉不得度。引領望大川，雙涕如霑露。（〈擬迢迢牽牛星〉）

　　　　原詩單寫織女，故用「迢迢」字，暫把牽牛推遠，只寫織女幾欲移岸就船。此詩亦是單寫織女，然曰「迴」、曰「顧」，卻是船岸兩相就。語無深淺，何以側落一邊？不知「迴」是身動，「顧」是目動。其寫船岸之理，至精至微，而早已逼出個淺深來。且原詩既以「迢迢」二字推遠牽牛，是牽牛全無「迴」意，織女且惓惓不忘如彼。況牽牛既「迴」，不啻駕臨長門，那得不倍令人熱中哉？……原詩「纖纖擢素手」，只是寫織。此詩「揮手如振素」，乃是招手，反教牽牛移船就岸也。不曰「招手」，而曰「揮手」，凡招手者，必先揮展其手，而後乃招返其手。但招返之際，手之光彩不見，而見於開展之際，故以「振素」擬之，偷暗織意，且舉一手之潔白，以申顯出全副華容之冶也。（十/247）

原詩主要著重在織女一方，而陸機在結構安排上卻特別加入牛

郎織女迴、迴顧之姿。在吳淇看來，牛郎之「迴」無法改變兩
人必須分離的殘酷現實，如此一來，「迴」反而更顯無奈與蒼涼，
悲哀的張力因此更形強化，此吳淇所謂「那得不倍令人熱中」
處。刪節號後的這一段，吳淇著意推斷陸機何以採用「揮」而
非「招」手，乃因「揮」除了暗含「招」意，更在華容光采中
對比出獨自編織的孤寂。該論透過對鍊字的解析，帶出詩歌背
後深層的意蘊，這與析論擬詩如何安排牛郎織女之迴、顧，誠
有異曲同工之妙。換言之，《六朝選詩定論》並非僅著眼於擬詩
形構上的改變，而是能以此為基，進一步闡發詩作情感可能的
流變與深化。

　　此外還可留意的是，陸詩雖為後出，然相較於原詩「只寫
織女幾欲移岸就船」、「只是寫織」，吳淇以為擬詩情意之深婉恐
更勝原作。稍早於吳淇的賀貽孫（1604-1688），認為該擬作中諸
如「雙涕」云云被陸機直接說破，誠使詩作顯得「無味」[25]，然
而原作不也有「泣涕」之語？相較之下，「霑露」（擬作）恐怕
還比「如雨」（原詩）來得含藏，更何況透過上述吳淇之評析，
陸詩之情應有深入而細細咀嚼的價值，賀貽孫恐怕是持著「句
句蹈襲」[26]此先入為主的觀念看待陸詩。

　　原詩與擬作比對，確實能較具體、詳盡地呈現詩作間的差
異，而有助於讀者判斷詩評之客觀性，也較能打破前此詩評家
對陸機擬作缺乏情感與生命力的負面觀感，這也是吳淇評論突
破前人處。關於這點，復以〈擬蘭若生朝陽〉之評為例：

---

25 明・賀貽孫：《詩筏》，收於《明詩話全編》，頁 10398。
26 同前註，頁 10397。

嘉樹生朝陽，凝霜封其條。執心守時信，歲寒終不凋。美人何其曠？灼灼在雲霄。隆想彌年月，長嘯入風飈。引領望天末，譬彼向陽翹。

原詩云「蘭若生春陽，涉冬猶盛滋。願言追昔愛，情疑感四時。美人在雲霄，天路無夜期。光照隔玄陰，長歎戀所思。誰為我無憂？積念發狂癡。」按原詩，首四句俱就時寫，未免稍弱。此詩首句地，二句方言時。早於言地處，因「朝陽」二字，偷帶出「時」字，而以凝霜照之，更有力量。三句不渝其地，有抱柱之堅。四句不變於時，有靡他之貞。覺原詩尚是兒女子情態，原詩「美人」云云，專寫美人光彩，帶出高曠。此專寫美人之高曠，帶出光彩。力足相敵。原詩末句「積念發狂」，已是魯矢之末。此詩「引領」云云，從高曠生來，猶自餘勁矯矯。此《選》之所以獨存擬詩也。（十/249）

該論首先比較了原詩與擬作在結構安排上的不同：原詩首四句俱言「時」，擬詩卻兼言「時」、「空」，如此轉變確實「提高文義的密度」[27]，時光的飛逝在「不渝其地」的反差對照中，將更形突顯美人堅毅的情懷。換言之，擬作中時空並提並不僅是形製上的轉變，在吳淇看來，還有加深詩情的可能，其「更有力量」之評當隱含了這層意思。

至於美人意象的塑造，原詩與擬作間也有「由光彩帶出高曠」或「由高曠帶出光彩」之別，「力足相敵」之評顯示吳淇認

---

27 朱曉海：〈論陸機〈擬古〉十二首〉，《臺大中文學報》第 19 期(2003.12)，頁104。朱氏該論於吳評中已可窺見，由此例正可見到吳說之先導性。

為兩詩各有擅長。然而若搭配「詩作如何收尾」這一點觀之,「魯矢之末」與「餘勁矯矯」則顯見吳對二詩高下之判別。「積念發狂癡」固有直爽之美,然在吳淇看來,結尾收以「引領望天末,譬彼向陽翹」,看似僅展現美人的姿態,卻於背後蘊含無限綿延的情意,反而更耐咀嚼,這又再次可見與吳淇「詩人之妙,全在含蓄,留有餘不盡之意」(一/31)的主張相互呼應。陸機該作於南朝被《文選》、《玉臺新詠》選錄後,歷代選本幾未能窺見其妙,需遲至吳淇,方從結構之轉變下手,提出擬作深情的可能性。

　　像評論〈擬蘭若生朝陽〉般,點出結尾用意異於原作者,〈擬庭中有奇樹〉之評復可與此一併觀察:

> 「涉江」原詩云「采之欲貽帷?所思在遠道」,謂采以贈所思耳。此詩云「感物戀所歡,采之欲貽誰?」分明是為貽所思而采;既采之後,卻云「欲貽誰」,若忘其所貽之人者,最有妙意。(十/252-253)

原詩逕指贈與對象,語意完結;擬作則以問句總結全詩,似有無奈、或者忘懷之意?則留下無限想像的空間,全詩情態也因此有所轉變,顯得較原詩多重而複雜。乍看之下相似度頗高的兩組詩句,在吳淇的闡發中反倒更為突顯擬作並非無情、而是情更繚繞的特點,所謂「妙意」之評,殆有這層意涵。與吳淇約略同時的王夫之,評此詩「可為獨至之情,即可與古人同調」[28],如果說王夫之直觀點出陸機擬詩「獨至之情」的特點,那麼

---

28 清・王夫之:《古詩評選》,卷4,頁698。

吳淇便是以具體剖析字句的方式，展現陸詩抒情之妙的可能。陸機擬詩之評發展至清初，明顯可見品評眼光之轉換，這對讀者觀詩視野的拓展無疑是有所助益的。

3. 單獨剖析擬作：情景/聲之推闢與交融

吳淇評論陸機擬作，除了與原詩相較，更不乏專門針對擬詩加以分析者。而這樣的評析，同樣能在觀察詩作結構之際，深刻剖析詩情，使得擬作不因其為「擬」，而喪失情意上的價值。具體而言，可以評〈擬明月何皎皎〉為例：

> 安寢北堂上，明月入我牖。照之有餘輝，攬之不盈手。涼風繞曲房，寒蟬鳴高柳。踟躕感節物，我行永已久。遊宦會無成，離思難常守。

> 詩有因情生景者，有因景生情者。在作者正例，只是寫情，而寫景乃其借徑，即如出物的楔子一般。如此詩本是寫離思，卻以明月楔出風蟬，風蟬楔出節物，只是總楔出個離思來。然風蟬與節物是自來的楔子，明月與風蟬是倘來的楔子。何也？明月與風蟬，明明是兩般物事不相鈎連。風，氣屬。蟬，聲屬。月，光屬。風繞蟬鳴，又不是明月照出來的，如何楔之使出、令文氣聯貫？若文氣不聯貫，如何成詩？看他聯貫之妙，卻只於既點明月之後、未有風蟬之先，虛虛搖筆，把題「何皎皎」三字，極寫二句，便是薛夜來神手。劈首應「安寢」二字，見他已忘情了，如何又起？只緣他寢的是北堂，中夜明月入牖，照得無賴，又起至庭前，反覆細細看玩，

> 「照之」句是莫載,「攬之」句是莫破,其冷冷一片清光
> 攝人,心眼蕩漾,與往時迥然不同意思,覺得隱隱躍躍,
> 是個節物,只是一時口頭說不出來。忽而覺得一陣涼風,
> 聽得一聲蟬鳴,兜的一驚省得都是節物變遷,不覺離思
> 怦怦動矣。此情景互生之妙也。(十/248-249)

該段詩評於本文三、四章中已專就視覺、聽覺的角度闡述其妙,此處茲就「情景議題」此面向加以申述。情景主題向來是詩評家們關注詩歌的焦點,一首詩作若能做到情景互生,往往可得頗高之評價。然而詩作是如何由景衍情?像吳淇這般逐步推衍,而談得如此精準者,確不多見。原已「安」寢的主人翁,何以起身?乍看之下俱為外物的明月、涼風、寒蟬,又有何本質上的區別?明月、風蟬間如何過渡,使「文氣聯貫」,從而帶出離思?透過吳氏的層層闡發,微妙的情緒如何由「隱隱躍躍」、似被觸動而未明,轉向「驚」、「怦怦動」,隨著外景的逐步推轉誠更顯清晰,可見在吳淇眼中,即使是擬作,也能有不亞於原詩之真性情。

〈擬明月何皎皎〉殆為陸機所有擬作中,被歷代選本選錄最多[29]、而得較多佳評者。不過如同本文第三章所述,歷朝品評多將焦點集中在「照之有餘輝,攬之不盈手」二語,且品評多偏直觀[30]。相對而言,吳淇則是透過具體分析的模式,並由不同角度揭示該詩的特色,如此一來,誠再次突顯吳氏於詩評風潮

---

29 《昭明文選》、曹學佺《石倉歷代詩選》、陸時雍《古詩鏡》、王夫之《古詩評選》等著俱選錄該作。

30 詳參第三章註56。

中之獨到處。

　　吳淇肯定陸擬作之情，並對此細緻闡發，〈擬西北有高樓〉亦是很典型的例子。該評一開始即直指此詩是「就聽者意中寫」（十/251），本文第四章聽覺探討中論之甚詳，此不贅述，要之，詩中的樓下人是如何「又必期一顧」（十/252），樓上佳人又是怎麼「有意故彈」（十/252）？吳淇乃是在「只一聲聞，逗得六根皆動」（十/252）的基礎上，分別就樓上、樓下之人細細勾勒，對於情感之剖析無一不是站在尋常人情的角度加以設想，詩情即於吳氏對字句的漸步推闡中顯得更為清晰。

　　吳淇評析〈擬青青陵上柏〉的基本準則，殆與此同：

> 　　冉冉高陵蘋，習習隨風翰。人生當幾時？譬如濁水瀾。戚戚多滯念，置酒宴所歡。方駕振飛轡，遠遊入長安。名都一何綺？城闕鬱盤桓。飛閣纓虹帶，層臺冒雲冠。高門羅北闕，甲第椒與蘭。俠客控絕景，都人驂玉軒。遨遊放情願，慷慨為誰歎？
>
> 　　蘋本水草，今反在高陵；鳥飛逆風，今反順風；俱失常也。舉世方且「冉冉」、方且「習習」，卒未有以為失常者，習與性成。全是此促濁之世界驅迫之而然也。「水瀾」喻促，「濁水」喻濁。念此世界，因而戚戚動念於遠也。要知此遠念，不是抱千年之憂，亦不是思萬里之遊，即下文之「慷慨」，謂萬古不朽之事業也。念遠不遂，因而招友飲酒，且攜之並遊長安。總冀抒此「戚戚」耳。（十/251）

吳氏分析該作，除了將起興之景（蘋、鳥、濁水）如何過渡到

詩人之情（戚戚動念於遠）做出連貫的闡釋外，並窮究主人翁何以戚戚念遠的可能原因，精確指出「念遠」的內涵；而「念遠不遂」之際，飲酒遨遊的表象，又蘊含了多麼無奈的「戚戚」之感，在對詩作的步步推闡中，實將可能蘊含的情懷及情思之轉變做了更為深入的闡發。

關於吳淇這類單獨剖析擬作之評，稍早於吳的賀貽孫與當代學者朱曉海之論頗有比對深思的價值。賀氏認為〈擬西北有高樓〉不過「聲色豪華」[31]，而評〈擬青青陵上柏〉「自『置酒』以下，句句作繁麗語，無復回味」[32]，恐都侷限於表面用語，以為陸機長於詞贍華美，而未進一步深究背後是否有真情蘊含的可能。平心而論，像〈擬青青陵上柏〉中對長安的描繪，飛閣虹帶等景觀越是繁華，反而越能比對出主人翁戚戚之哀，豈是無味之語？這麼看來，恐怕還是吳淇「總冀抒此『戚戚』耳」之評更近詩情。很有意思的是，朱曉海在分析該詩時，指出詩中悲哀為「人生難掩的基調」[33]，論點多處與吳淇相仿，這意味著吳氏所開啟的關照點，在詩評史的發展上當有不可取代的重要性。

此外，在前一小點「擬作與原詩相較」的論述中，固然也有如「靡靡江蘺，一草起興，偷引起『悲風』云云」（〈擬青青河畔草〉十/247）這般偏向從情景面所做的闡發，然而更常見的，則是如品評〈擬迢迢牽牛星〉，直接比對原詩和擬作舉止中情感的深淺；論〈擬庭中有奇樹〉「以贈所思」、「為貽所思而采」、「忘

---

31 明・賀貽孫：《詩筏》，收於《明詩話全編》，頁 10398。
32 同前註。
33 朱曉海：〈論陸機〈擬古〉十二首〉，頁 109。

其所貽之人」（十/252-253）逕言情緒之不同；說明詩歌收尾處，原詩「積念發狂」與〈擬蘭若生朝陽〉「高曠」、「餘勁矯矯」（十/249）的差別，則是直接指出情思相異之面貌，要之，吳淇對於原詩、擬作間之比對，似有更直接談論情感，從而彰顯擬作詩情多重與深婉的趨勢。而本點「單獨剖析擬作」者，吳對於詩作情感則多由情景、情聲的推闡中觀其交融之樣貌。如果說吳淇在前一點的品評中，旨在突顯擬作情感之深刻度不輸給原創，那麼本點則是著意指出詩情是如何在物色、聲響的烘托中真摯呈現，而非因為是「擬」作便無真情。然而不論何者，俱可見吳對陸機擬作情感的推賞，他欲重新評價這組詩作甚至整體陸機詩歌的意圖是很明顯的。

此處還可補充說明的是，吳淇對於陸機擬作並非一味給予正面的評價，例如〈擬東城一何高〉，吳氏即以為「『京洛』以下，止排得一句色、一句聲，與原詩多少情態，都寫不出」、「原詩『思』字，無限馳情處，全從心沉吟、身躑躅一段光景拈來，此詩將『思』字硬插入『梁塵』下，便不相接」（十/250），可見吳對陸機擬作的重新評估，並非一概肯定，也恰切點出其中不足之處，就這點觀之，吳淇之評論當具備一定的公允性。

（三）陸機擬古創作之重新定位

吳淇對陸機擬古之品評，確實提供我們重新省思「擬作」這一體式的空間。既為「擬」作，必是前有所承，有一範本得以依傍，乍看之下似使創作更為簡易，然此依傍的同時也是侷限，要怎麼做到在相似之中擁有獨特的生命力，展現屬於擬作詩人的真情，若非煞費一番苦心，恐難達到。一般而言，擬作

給人的觀感多傾向字句的更動，就創作者而言，確實容易陷入只是變換字句的窠臼；就讀者的眼光觀之，若非具備一定的審美素養，在比對古詩與擬作的差異時，也易因字句相仿，而難以辨析擬作的成就。然而透過對吳淇詩評的分析可以發現：陸機擬作恐非僅是停留在表層字句的更換，其中更蘊含詩人情意的託付，如何在字句變換中，展現屬於擬作者的情意？此乃詩人創作時費心之處。而吳淇詩評的重要貢獻，正是以細密分析形構的方式，釐清詩作中情感的變化或起伏。由此可見，如果我們能不持任何定見，單就擬作「本身」觀察，其情若真感人，何以不能嘉許？朱曉海做了一個很鮮明的比喻，他說高明的演員若能深刻闡發劇作、感動觀眾，那麼我們有何立場非議？面對擬作之情，不應也該如此？[34]回到詩評而論，吳淇所闡發的陸詩佳處，不正提供我們對擬作體裁重新省思的空間？

其次，若置於詩歌發展史觀之，吳淇詩評的貢獻及陸機擬作評價之流變，亦有饒足深思處。就吳淇詩評而言，他可說是為古典詩評開啟一個新的紀元，在此之前，詩評多以直觀感悟的方式呈現，而吳淇卻能更具體、有所依據地分析，這無疑使古典詩歌的闡析能更具客觀性。

另一方面，以陸擬作之評為例，鍾嶸「舉體華美」、「尚規矩，不貴綺錯」[35]的代表性評論，塑造陸詩長於華美形製的形象，而此印象容易導致人們認為其作缺乏真情，後來宋人偏向由形製面看待陸之擬詩、明人對此多所貶抑，或多或少都受到鍾嶸左右，影響所及，甚至連清代人亦有不少貶抑之論。然而明末

---

34 同前註，頁118-123。
35 梁・鍾嶸著，王叔岷箋證：《鍾嶸詩品箋證稿》，卷上，頁171。

清初開始有較多反思出現，特別是吳淇，在我們對其抒情、擬作等基本觀點有所掌握後，復觀其具體而邏輯綿密的解析，誠使我們能以較正面的方式看待陸之擬詩；拓展來看，連同本書前面幾章探討陸機其他詩作如〈君子有所思行〉、〈贈馮文羆〉、〈赴洛道中作〉、〈贈馮文羆遷斥丘令〉……等一併觀之，吳淇之評可謂突破一般所認為「陸詩文過其情而乏動人之處」的既定印象[36]，提供我們對陸詩情感有更深一層理解的可能。

再者，從前文的探討已可發現：吳評陸機擬作時，再三美其具備婉約含藏之情。而整個六朝詩評的發展，至明朝已明顯可見詩評家們對婉約之情的賞愛[37]，那麼陸之擬古何以未能在此階段便獲得肯認？恐怕與明人的詩歌觀密切相關。前後七子標舉復古雖風靡一時，然終陷格調之泥淖，導致明朝中後期對主觀情思有更多的追求，同時也排斥模擬，既不喜模擬，自難平心觀賞其中之情，此當為陸機擬古受貶異之因[38]。需至吳淇，「擬作」延續或模仿「原詩」的思維，正與其尊經說表現出承繼前人的精神相近，故吳得以對模擬不帶成見，其尊經觀點應有潛在之影響，也因此能較好地揭示擬作可能之情意

很有意思的是，近現代學者也出現一派觀點，重新肯認陸

---

36 例如明人鍾惺「情為辭沒而不能自出」（《古詩歸》，卷 8，頁 441）、清人潘德輿「真性為詞氣所沒」（《養一齋詩話》（北京：中華書局，2010），卷 1，頁 20）、沈德潛「士衡輩以作賦之體行之，所以未能感人」（《古詩源》，卷 7，頁 156）……等論可參。

37 詳細論述可參筆者之作《明代中古詩歌批評析論》，頁 147-172。

38 茲以鍾惺、譚元春之《古詩歸》作為明末追求真情之代表，《古詩歸》僅選錄陸機〈隴西行〉、〈赴洛道中作〉二首，且言「二陸詩，手重不能運，語滯不能清」（《古詩歸》，卷 8，頁 440），顯然不欣賞陸作，亦對擬古詩有所排斥，而難見到陸詩之真情。

詩擬作中的情感：

> 擬古的情思表達，較之原作更為含蓄、婉轉而細膩。[39]
> （陸作）不論「深」「沉」或細「密」，都非止於表現上，也是思想、情感上的。[40]
> 陸機擬詩在處理別離之情時，往往更加曲折深細。[41]
> 擬作者雖然少了首創的自由，但進入書寫對象的立場，反而需要更多情感、審美經驗的儲備。[42]

諸論俱指出陸擬作不乏情感與含蓄之美，這些觀點與吳淇頗為相近，朱曉海、何寄澎先生甚至在具體評析陸機擬古時，有很多看法幾乎與吳淇相仿[43]。近現代學者因為沒有明白援引吳說，也許無法斷定他們必然由吳淇的論點中汲取養分，然而可以確定的是：吳淇肯認擬作的情感並加以深刻剖析，在整個陸機擬作詩評的發展流脈上，確實有導夫先路之功。

（關於陸機《擬古詩》之探討，2012.7 發表於《興大中文學報》第 31 期，2017.12 復增補修改如上。）

二、《選》詩類別的表現傾向

如果我們將吳淇闡發身體、時空的相關品評，從《文選》

---

39 王力堅：《魏晉詩歌的審美觀照》(臺北：文津出版社，2000.1)，頁 179。
40 朱曉海：〈論陸機〈擬古〉十二首〉，頁 125。
41 何寄澎、許銘全：〈模擬與經典之形成、詮釋——以陸機〈擬古詩〉為對象的探討〉，《成大中文學報》第 11 期(2003.11)，頁 16。
42 涂光社：〈文學模擬的傳統和陸機《擬古詩》的再評價〉，《中國文選學》(北京：學苑出版社，2007.9)，頁 353。
43 詳細論述分別參朱曉海文頁 100-112、何寄澎文頁 12-16。

選詩類別的角度歸納，可得如下之統計：

首	雜詩	樂府	公讌	遊覽	詠懷	贈答	行旅	雜擬	哀傷	招隱	輓歌	詠史	祖餞
視覺	9	3	1	5	1	10	9	2	1	0	0	0	0
聽覺	7	3	1	2	3	2	2	5	0	1	1	1	0
行止	9	2	0	0	0	4	4	3	1	1	0	1	0
時間	18	3	0	1	2	4	2	2	3	0	0	1	2
空間	12	3	2	6	2	5	9	7	1	0	0	1	1

　　以上數字所指，乃本文探討某主題之詩評數量對映至《文選》選詩類別的樣貌，例如在「視覺」主題所列舉之詩評例，一共有 9 首出現在《文選》的「雜詩」類。此處運用到的統計數字雖非涵蓋所有《文選》之選詩，然而這些用以統計的詩評，皆具備觀點特殊或解析精闢的特點，於此基礎上加以統計分析，當具備一定之可信度。

　　透過此表格，可以看出以下幾個較明顯的偏向：首先，除了視覺，其他主題俱以「雜詩」類出現的次數最高，這確實與《文選》選詩本身收錄「雜詩」的總數最多（共 93 首）有關，而其中值得留意的，則是「時間」主題所討論的 18 首雜詩中，《古詩十九首》就占了 9 首，這意味著現當代學者對《古詩十九首》時間面向的諸多討論，實可溯源自吳淇，吳淇對此之獨到觀點，誠具備先鋒之地位。

　　其次，在「視覺」主題的探討中，雖以贈答類所佔比例最高，但僅次於此之行旅類（更何況兩類之詩作只相差一首），反

而是更值得注意的。在吳淇的品評中，被歸入行旅類的詩歌多有羈旅宦情的背景，吳留意到這類詩作「眺望」的延伸視野，可見在他看來，這些作品多有一掛念的對象，而此對象往往脫離不了家國，使得遠望因此帶有相當程度的沉憂感。這部分若與「空間」主題的行旅類相對照，則可見吳淇對行旅類的闡發重心多擺在視覺與空間上，這一方面除了可見視覺與空間主題間實有著緊密的連繫；另一方面還可看出，視覺與空間應該是詩人行旅之際最易牽動情思之二端。

　　第三，對照《文選》的所有類別，在本文的書寫裡，完全未援引者分別有補亡、述德、勸勵、獻詩、軍戎、郊廟、百一、遊仙、反招隱、雜歌等十類[44]，其中前七類帶有較明顯的公共志意的偏向，相對而言較缺乏私人情感[45]；而本文所舉的吳淇詩評，除了可以看出他對身體、時空等主題有相當之闡發，尚著眼於吳評是否能較充分地展現屬於他的獨到見解。配合這些未列入探討的《選》詩類別，並詳加探察吳之述評，當可窺得這些內涵偏向公共志意、雅正的屬類，吳淇的品評以串講文意居多，而少作更進一步的延伸發揮，這意味著吳淇雖以尊經、重漢道作為品評的基本思想，然而在實際述評中，真正可以見到他特殊觀點的論述，反而不在相對繼承傳統的類別中，這一方面反映出吳淇尊經復有所新變的一面；他對那些「至情」（一/3）

---

44 若對照《文選》選詩類別共 23 類來看，十類乍看之下似乎頗多，然此十類的詩歌總數僅 35 首，只佔《文選》選詩的 8%，因此即便未選錄探討，亦不影響本文論述的可信度。

45 例如「補亡」類即表現出「重儒教」的一面(胡大雷：《文選詩研究》，頁 22)；而李善注「勸勵」類中之「勸者」為「進善之名」，「勵者」為「勗己之稱」(南朝梁・蕭統編，唐・李善注：《文選》，頁 491)，俱可看出較明顯的教化色彩。

之作的揭示，反而才是《六朝選詩定論》中更為精采動人處。

　　此處還需詳加辨析的是：在前文的探討中，屢屢提及像是視覺之眺望、手足之外的其他舉止、定點空間、方位解讀等，多可見吳評傾向公共倫理或尊經的特點，這些立論是否與上一段的論述相矛盾？其實不然。前述補亡、述德……等七個類別，都有著較為濃厚為政治服務的傾向；如果說此七類是《選》詩類別中相對傳統、衛教性質較高者，那麼本文前幾章提及吳評之公共倫理傾向，則不見得具備為政教服務的濃烈色彩，吳淇關照其公領域之志意，還蘊含著詩人對政治君臣的情懷，而非一味替政教服務者。舉例而言，「保惠民生，正人臣諫君大本領」（韋孟〈諷諫〉三/66）云云，便有著較濃厚的政教意味；「遊子舉目永歎，見心之無時忘晉」（盧諶〈贈崔溫〉十一/287）雖亦涉及政治，卻不若前者有強烈的教化考量。換言之，此乃相對而言，補亡、述德……等七個類別為保守延續詩教者；前幾章論及公共倫理者，則屬於承續詩教而略顯新變的一類；至於表露私情而與公共倫理無涉者，則可歸之於溢出尊經外而更顯新變色彩的組別。不過如果只有後兩類相較，前一類自然成為承繼詩教者；後一類方為承中有變者。

三、吳淇對六朝總體之品評傾向

　　若由「朝代」的角度觀之，吳淇評述身體、時空等主題在六朝中的歸納狀況如下：

首	視覺	聽覺	行止	時間	空間
漢	4	5	5	10	4
魏	8	5	2	5	6
晉	16	6	14	9	15
宋	7	8	5	7	11
齊	3	0	0	2	6
梁	3	4	1	5	10

在這組統計數字中，時間主題援引最多的是漢代之作共 10 首，其中《古詩十九首》即佔了 9 首，吳淇對《古詩十九首》時間層面的看重在前一點《選》詩「類別」的探討中已做過說明，此不贅述，由朝代角度觀察正可再次窺見吳對這組詩作之看重。

　　至於晉代，在本文第二章中曾經提及，吳淇認為在唐人眼中，晉代因為尚清談，又處於漢魏與南朝間的過渡階段，因此相對受到忽視，吳淇本身大體也贊成此說。那麼在他的實際品評中，晉詩是否有受忽視的傾向？恐不盡然。若從上列表格的統計數字來看，被本文援引討論的吳淇詩評，在身體、時空等五個主題中，視覺、行止、空間等俱以晉代詩評被析論的次數最多，而時間主題即使是以漢代 10 首最夥，其次的晉朝也有 9 首，與數量最多的漢代相去甚微，更何況就實際的品評內涵觀之，吳淇確實頗能展現他對晉詩之特殊觀點，細部來講，像是視覺主題中「見意存乎望」、行止主題中對於足部「佇立」的探討，或者是空間議題裡對於日常居所、南北方位的探析，俱可見吳淇對晉詩耗費頗多心力，這意味著儘管吳淇對唐人不重晉

詩有一定的認同，然而更重要的是，他在品評晉詩時頗能展現
該朝獨立之風格，並能多方展現晉詩的豐厚性，他對晉詩的看
重誠不言可喻。此外，藉由吳評晉詩的觀察還可看出詩歌觀點
與詩歌批評不完全同步之樣貌，而欲全面了解一位詩評家的看
法，適切兼顧其詩歌觀與具體詩評誠屬必要。

　　此處還可補充說明的是，在視覺主題裡，晉代的 16 首詩作
（評）中陸機即佔了 8 首，而行止議題中晉代的 14 則詩評裡，
陸機之詩評更是超過半數為 8 首，這就與本節第一點的探討暗
相呼應，在吳淇的品評裡，確實提供我們重新思索陸機詩作價
值之空間。

　　至於齊、梁兩代，在本書第二章中曾經提及於吳淇眼中，
此乃「閏餘」（一/43）之二朝，甚至有學者認為吳淇「明顯地表
現出貶斥齊、梁詩的傾向……吳淇論六朝詩只肯定漢、魏、晉、
宋」[46]。就上列之統計表格加以觀察，確實在視覺、聽覺、行止
等主題中，齊、梁詩評所佔比重較漢、魏、晉、宋來得少，然
而在空間主題中，吳淇對齊梁詩歌的表現卻有相當程度之留
意；而無論主題，凡被本文選錄之詩評多表現出吳精闢之觀點，
這麼看來，即使吳淇對齊、梁「整體」帶有貶意，但至少在齊、
梁「《選》詩」的部分，他仍能恰切彰顯詩作之特點與價值。

　　總括吳淇對詩人、《選》詩類別、時代的關注傾向，他對詩
情的重視，使我們在觀看陸機、謝靈運、謝朓……等人之作時，
不再只侷限於歷朝品評多所留意的擬作格式、巧似……等形製
面，而是能藉吳評細觀詩人們的多重情思。至於與《選》詩類

---

46 張健：《清代詩學研究》，頁 231。

別相對照,則可見吳淇對雜詩類中《古詩十九首》的時間述評,
於詩評史上具有關鍵性的地位;行旅類與視覺、空間主題間有
綿密的關連;吳淇品評較不具獨到觀點者,多集中在述德、勸
勵⋯⋯等偏向公眾詩歌教化的類別。若將本文各主題與朝代交
互觀察,則可見吳淇並未完全追隨唐人輕忽晉代的目光,相反
地,他對晉朝誠有大量而精闢的闡發;齊梁總體雖受吳貶抑,
但他對《文選》中的齊梁詩歌仍有不少細膩的關照。

第二節　顯隱軸線暨情辭之表現樣貌

　　本節標題所指之顯、隱軸線,前者乃吳淇於《六朝選詩定
論》卷一所明言的尊經、重漢道等詩學觀;隱形軸線則是吳淇
本身未明言,卻可由其實際品評中加以歸納、析論者,即本書
所探討的視覺、聽覺、行止、時間、空間等五大主題。在對顯、
隱軸線有了個別的掌握後,可於此基礎上,進一步梳理隱形軸
線彼此之間的交融狀況;而顯、隱軸線的交錯,在前述各章雖
已陸續提及,統合來講又有哪些可茲留意處?擬於下文整合說
明。同樣地,吳淇品評中的情辭表現,雖於前文中已多次窺見
其表現實況,在全書收束前,擬當對此有一整合性的歸結,以
達提綱挈領之效。對這部分的總說,自是為了回應本書之書名,
也就是選題的設定,而這也可使我們更多元而全面地掌握《六
朝選詩定論》詩歌理論暨具體詩評之樣貌,吳著之價值與貢獻
自然能因此獲得彰顯。

一、顯隱軸線之交錯狀況

本點主要區分成「隱形軸線之間的交融」、「顯、隱軸線間之交錯」兩部分加以論述。

（一）隱形軸線間之交融樣貌

在前幾章的探討中，為了聚焦於身體、時空等主題，故揀選與各主題相關之述評加以探討，這確實可以窺見吳淇對各主題的看法；然而若換個角度觀察，也就是不特別抽繹出與某主題相關的段落，而是全盤閱讀吳淇對個別詩作的評註，將會發現吳品評視角之多元暨豐厚度，其評陸機〈擬西北有高樓〉可說是極具代表性的例子：

> 佳人撫琴瑟，纖手清且閑。芳氣隨風結，哀響馥若蘭。玉容誰得顧？傾城在一彈。佇立望日昃，躑躅再三歎。不怨佇立久，但願歌者歡。
>
> ……「佇立」云云，又必期一顧也，不知何時望起，但至日昃則將暝而不可望矣，始警心云云，謂望時固已久矣，然佳人何以儘其久望？蓋先前是無意偶彈，後來是有意故彈，曷以知其有意故彈？以「躑躅」二句知之。古記曰：一唱三歎。歎者，和也。樓下之人，不止空望，兼且賡和，則樓上之佳人，豈有不知？正為他歎得知音，故佳人亦徘徊不去。既為撫琴，又復撫瑟。連作不已，遂至日昃耳。然其歎而至再至三，不辭佇立之勞者，冀得佳人之歡心，謂我為知音耳。歌者即佳人。前寫佳人，

> 只說一彈，此乃變作歌者，何也？古人琴瑟，將以和聲，
> 多不專彈。則佳人或倚琴瑟而歌，或閒琴瑟而歌。樓下
> 之人倘然闖來，故只單和其歌耳。始也，顧之不得而望，
> 既也望之不得而思，以明終不可得而親。皆此樓之故，
> 即士人禮義之防也。
>
> 　擬〈東城高且長〉謂有聽者在前，故就歌者低頭寫，
> 曰：「思為河曲鳥，雙遊灃水湄」；〈擬西北有高樓〉，謂
> 歌者在上，故就聽者仰面寫，曰：「思駕歸鴻羽，並翼雙
> 飛翰」。原〈西北有高樓〉曰：「願為雙鳴鶴，奮翅起高
> 飛」，亦是仰寫。原〈東城高且長〉曰：「思為雙飛燕，
> 啣泥巢君屋」，在俯仰之間，應本章「當戶」二字。可見
> 古人文字，俱有照映，一字不苟。……（十/252）

上列引用之吳評省略前一大段，殆因此與「高樓」這個場所相
關之闡發，在本文第七章關於「空間」的主題中已做過探討；
最後刪節未引出之吳評，旨在闡述「只一聲聞，逗得六根皆動」，
於第四章「聽覺」主題中亦已論及，為了避免重複，故此處略
而不論。專就上列引用之評註加以觀察，首先可以留意的，是
聲聞的部分。佳人如何從「無意偶談」轉至「有意故彈」，聽者
如何和中帶歎，吳淇俱有細密說明，這就將詩中聽聞與情思做
了縣密的連繫。

此外，在以琴聲彈和為基底的評註中，尚牽涉到「時間」
與「視覺」、「行為舉止」等主題，關於時間，從「偶彈」到「故
彈」的闡發，讓讀者明確見到彈和聲響於時間推移中綿延的樣
態。再者，原詩僅簡單提及「日晏」（晚）與「久」，吳淇卻

做了詳細的鋪陳，一方面藉「不知何時望起」帶出時間之延續性，另一方面，復由「何以儘其久望」的提問，將原詩中的時間表現做出縝密的闡發，其中尚涉及詩中人前後心態之轉變（從無意到有意），聽覺、時間、情感誠和合不分地交融在一塊。

至於視覺與聽覺間的互涉，主要表現在上列引文的末段。吳淇透過與其他詩作的比對，指出〈擬西北有高樓〉的聽覺表現出仰觀的角度，如此仰視正好反映出聲聞的感知是具備方向性的；而視、聽之間的相互牽連更是於此評中表露無遺。

再者，「躑躅」與「徘徊」等行為舉止，詩中僅提及樓下人單方之「躑躅」，吳淇更進一步點出「佳人亦徘徊不去」，這就充分兼顧到樓下人與佳人雙方，合理填補原詩之縫隙。吳淇在推測聽者何以「佇立久」的緣由中，將身體的多方感知做了極為縝密的闡述：這其中涉及視覺的「久望」，聽覺之聞琴聲、一唱三歎，而視、聽覺交涉的同時，樓下人與佳人又是佇立又是徘徊，吳還指出詩中人動作與內心情思搭配的樣貌，亦即「佇立」是為了「期」一顧、「冀得佳人之歡心」，「躑躅徘徊」則是為了「歎得知音」，這就將佇立、徘徊背後蘊含情思的差異透過不同對象（樓下之人或佳人）、相異時段的闡發，更明確而有層次地彰顯出來。

或有其他解讀與吳淇之評有所出入[47]，而吳釋該樓具備「士人禮義之防」亦嫌附會，不過整體而言，該評可以見到樂音、

47　例如吳淇解讀詩歌中的「歎」為「一唱三歎」，有「賡和」之意，然而王令樾譯之為「徘徊再三歎」，則有再三贊歎、歎息之意(語見氏著：《文選詩部探析》，頁 589)。二說主要差異在於佳人與望者是否有所互動。樓下之人與佳人互動而得和其琴瑟，較之單純的歎息，前者應更能展現「知音」之貌，吳說當略勝一籌。

佇立與徘徊等動作於時間中延續的樣貌，加上聽覺牽引出六根、聽覺於空間中迴盪等解說，像這般充分留意詩中主人翁身體感知與時空密不可分的評述，確實頗為立體地還原了詩作描繪之情境，此不得不為吳評之妙處。

類似像這般的品評於《六朝選詩定論》中俯拾即是，茲以前幾章所舉例證觀之，陸機〈赴洛道中作〉、〈赴洛〉這組詩作可以看到視覺與行為舉止間連動的樣貌，身體感官的全面性感受於此昭然可見，而這樣的身體感知，復與詩人只能短暫佇立的急促時間感、頻頻南望的空間遙想密切連繫；陸機〈擬明月何皎皎〉之評則是展現環境氛圍（月光遍灑）中視覺帶出其他知覺的作用，復可見聽覺在黑暗中彌補視覺不足的表現，感官間的交互、主從關係由此評可見一斑；至於江淹的〈望荊山〉，則可見「望」與「距離」交錯後所引發之聯想，眼前眺望所及之空間，促使詩人興懷古之幽情，在古今時空疊合中表現出與實（可望）虛（不可及）視覺間對應的多重思維，亦可謂充分呈現詩作複雜而幽微之樣貌。

諸如此類的品評探析，正可與本文首章關於選題的說明相互呼應，亦即身體的感官乃人們無時無刻運作、藉此感知世界的重要媒介，而人們的居處、生活更是隨時隨地與時空相連結，透過對吳評這些面向的觀察，確實可以見到他力圖還原詩人創作情境之用心，而這也有助於讀者更進一步感知詩歌，吳淇試圖作為六朝詩歌的解人，自有其不可抹滅之貢獻。

（二）顯、隱兩端之交錯——言志與緣情之間

吳淇在《六朝選詩定論》卷一處即明言自己尊經、重漢道

的主張，表現出「言志」的泛政治化傾向，因此容易予人吳遵循傳統詩教之印象。事實上，透過身體、時空等主題的探討即可發現，吳淇的品評思維絕非只是單純地回歸詩教，他固然展現出「言志」的一面，更有不少跳出政教狹隘限制的「緣情」表現，像身體、時空這些隱而不顯之軸線，在符應吳尊經思想之際，實已對狹義的政教之「志」有所新變，充分展現對個人「至情」（一/3）之關懷，更何況所謂「至情」者，吳淇在卷一總論處亦已提及，只是較之於尊經、重漢道等主張，似有被輕忽的趨勢。

　　如同本文第二章所言，若細究吳淇尊經的內涵，誠可見吳並非食古不化者。他雖言「詩不合聖賢之旨不傳」（一/3），卻也認為「聖賢之途甚寬，夫子之待人最恕」（一/3），從最根本的源頭，也就是孔子這一端便說明孔老夫子思維之涵容性，因此吳淇為《選》詩作評，期能「論而後信」（一/2），而「『選詩』以文為主而理與道寓焉，是必本道為法，究尋其文理」（一/2），他所揭露的《選》詩之理、聖人之道，乃所謂「其理既明，於道斯合」（一/2）尊經之體現，然此並非如漢代欲鞏固政權、實行封建而強加附會之獨尊儒術，而是能保有彈性，考量詩作之情境與人情。[48]

　　落實於具體詩評中觀察，若統合歸納前述幾章之探討，可以發現視覺眺望之對象多為家國或君王；吳之聽覺闡發顯然對人文樂音有更多的留意，表現出樂教雅正的一面；行止之徘徊佇立常與家國議題相涉，吳亦將手「射」、「騎」馬與傳統六藝

---

[48] 本文第二章之探討較多著眼於吳淇新變與孔子不同處；此處則是補充點出吳淇亦留意到孔子「涵容」之精神，著眼點不同，卻不相矛盾。

連繫；空間主題中於郡署王居裡展現對仕宦的依違，在南北方位的眺望中所顯露的君國情懷等，俱在在呼應吳淇帶有政教意味的尊經觀。然而在留意到此面向的同時，應該還要注意到在聽覺的評注中，吳淇表現出對哀傷至情有更大的涵容；論及自然之音，吳尚有不少細膩彰顯私人情思之評；在時間的品評中，較少涉及時光飛逝而未及建功之慨，反倒更著重闡述私領域的思念情懷，凡此種種，俱可見他對政教以外情懷之費心，更何況吳評涉及政治者，不盡然皆有為政治服務、緊扣教化的意味，還有不少展現真摯情懷、而顯得靈動不呆板者，在遠紹傳統詩教的同時，吳確實也考量到魏晉以降詩歌緣情的特質，換言之，《六朝選詩定論》絕非單純以政教為依歸，而是能恰切地兼顧公私之情志。

　　吳淇之所以於尊經中帶有新變，與其所處之時代背景亦脫離不了關係。「明清之際詩學總的趨向是：儒家詩學政教精神出現復興，在審美上從公安、竟陵派的主性情詩學與七子派的主格調詩學的兩極對立開始趨向綜合與統一」[49]。明朝聲勢頗為龐大的前後七子，多仍遵守儒家溫柔敦厚的詩教傳統[50]，在格調、思想的雙重限制下，公安派反對這般束縛，而大倡「獨抒性靈」[51]，不拘格套，雖得一時之迴響，卻因有流於淺率刻露之虞，而使文壇再次反思依循的方向。於公安派之後而起的竟陵派，張

---

49 張健：《清代詩學研究》，頁1。
50 詳細論述可參趙志軍：〈明代後七子復古詩論的自然觀〉，收於徐中玉、郭豫適主編：《中國文論的我與他　古代文學理論研究　第二十七輯》(上海：華東師範大學出版社，2009.3)，頁266；陳斌：《明代中古詩歌接受與批評研究》，頁51。
51 明‧袁宏道：《袁中郎全集‧敘小修詩》(合肥：黃山書社，2008，明崇禎刊本)，卷1，頁1。

健將之歸於「主性情」[52]詩學固然不錯，然而若細細區辨，鍾惺
（1574-1624）、譚元春（1586-1637）其實已表現出調和言志與
緣情的傾向，他們其中一個重要的詩學主張即是「詩以靜好柔
厚為教」[53]，其「厚」之精神雖源自傳統詩教，卻已轉由在真摯
情感、人格境界上展現渾厚蘊藉之美[54]，這就在尊崇儒教的同時
有所新變了。雲間派的代表人物陳子龍（1608-1647）則有「情
以獨至為真，文以範古為美」[55]之主張，亦可見真情與復古結合
的影子。婁東派的吳偉業與雲間派曾有密切的往來，而吳偉業
對吳淇稱己為「宗弟」[56]，兩人關係之緊密可見一斑，是以吳應
一定程度熟知雲間派之主張。此外與吳淇約略同時的王夫之
（1619-1692），論詩乍看之下似有重雅正、溫柔敦厚、提倡興觀
群怨的傾向[57]，然而更重要的，是其「詩以道情」[58]的主張，就
其具體詩評觀之，王夫之確實頗為重視詩歌中的抒情性質，而
將傳統詩教觀往詩歌美感的方向加以轉化。這麼看來，吳淇尊
經態度上有所承變，常顯露對至情的看重，如此尊經復細膩推
闡詩人性情之評述，正是明末清初時代風潮中一個具體而微之

---

52 張健：《清代詩學研究》，頁1。
53 明‧鍾惺：《隱秀軒集‧隱秀軒文昃集序又二‧陪郎草序》(合肥：黃山書社，
　　2008)，卷17，頁101。
54 相關論述可參汪湧豪：《風骨的意味》(南昌：百花洲文藝出版社，2001.10)，
　　頁186。
55 明‧陳子龍：〈佩月堂詩稿序〉，收於上海文獻叢書編委會編：《陳子龍文集》
　　(上海：華東師範大學出版社，1988)，頁381。
56 參吳偉業為《六朝選詩定論》作序之收束語，收於清‧吳淇著，汪俊、黃進
　　德點校：《六朝選詩定論》，頁3。
57 相關論述可參張少康：《文心與書畫樂論》(北京：北京大學出版社，2006.12)，
　　頁235。
58 清‧王夫之：《古詩評選》，卷4，頁672。

展現。惟其與王夫之雖皆有承變，然王氏相對而言論詩較具形
而上的辨證色彩，吳淇則是更落實由詩歌的形構面細膩探悉其
中之情思。由此可見，吳雖受大環境薰陶，終能顯一己之見，
表現出「六經注我」的獨特樣貌。

二、吳淇情辭觀統說

　　本書探討身體與時空等議題時，頻頻論及吳評對情辭之留
意，統合來講，吳對「辭」之費心，小至單一的用字，大至全詩
之層次架構，俱有相當之闡發。在用字部分，吳淇常用的評註模
式，有說明詩人選擇某字之因、對詩中重複字眼蘊意不同之區辨、
揣摩詩人使用某字而非另個字眼之用意……等，可謂於細部充分
呈現詩人細微之用心。其次，就詩歌書寫運用到的手法而言，吳
亦常指出詩作中正暗寫、虛實、直曲互寫……等手法的使用，這
就較用字關涉的範圍稍廣，通常會牽涉到詩中的某個段落。最後
則是全詩的層次架構，吳淇通常會概括展現全詩構思之脈絡，使
讀者對詩作能有一整體的掌握。吳淇這類與形製相關的評註，自
有突顯詩歌表現樣貌之功，然絕非僅止於此，更重要的，尚在於
藉由這些表層形式的說明，順勢帶出詩作之情思暨其可能之轉
變，如此一來，本是抽象之情思因吳對情、辭的著意連結，詩情
是如何興起、加深或轉變，多因此而得以相對具象化呈現。

　　至於吳淇之「情」觀，包括傳統政教之志、個人私微之情[59]，
涵蓋層面頗為廣泛，並非多只侷限在前者；而他對政治牽強附會

---

59 若根據本書第一章註 63 的定義，此處吳淇「情」觀之「情」屬「一般性」，
　　政教之「志」與私微之「情」則屬於「類型」性。

以外的情志闡述，反而是更具特色而饒值留意的。此外，吳對「情」
的看法尚可由情感的強度切入，以此對全文做一歸結。在具體觀
看過吳淇的詩評後，將可回過頭來，說明第二章中吳所謂《選》
詩收「哀而傷」（一/23）者之「傷」，確切來講，究竟包括那些內
涵。傳統詩教僅收「哀而不傷」的詩作，表示「傷」者在情感表
現上應相對極端，而吳淇認為「傷」者亦應予以收錄，顯示他對
這類作品有較大的寬容，「傷」者當為情感激烈之謂，若對應至《六
朝選詩定論》之評，舉凡驚、怒、激烈、慷慨……等俱當屬之。

　　就本書處理的主題而言，聽覺與時間「頓」感的討論中，可
以相對集中地看到像這般傷至之情的表現。何以會有這樣的趨
向？自與吳淇認為聽覺「感人最深者」（十四/363）、「聲音之道，
感人最微」（三/70）的看法脫離不了關係，聽覺相對於視覺雖顯
抽象，卻也因其幽微難以掌握的特點，最得以和情思之深微相
應，是以促屬極端之微情或連言語都無法道盡，而得借慷慨激
昂之音彰顯。至於時間之「頓」感，如同本書第六章所言，察
覺「頓」的當下往往是頗為突然的，突如其來的驚覺常引發強
烈的情思感受，因此在這部分的情感表現也常顯得相對激烈。

　　另一方面，若就情思內涵而言，吳淇對於游子思婦之情有
最多細膩的揭示，至於功名未建、官場失意的情懷，吳評的闡
述數量則較游子思婦為少。若就「傷至」的情感而言，吳在情
感強度的闡發上於此二類別中似未有明顯的區別；倒是與死亡
相關之內涵和大謝詩，較值得駐足留意。關於前者，可以潘岳
〈悼亡〉、陶淵明〈挽歌〉為代表，死亡乃人生之終結，有著與
生者徹底斷絕的衝擊性，因此吳以「猛驚」、「怨」、「恨」、「不
堪」、「痛」（八/183-187）、「慘哀」（十一/303）等相對激烈的詞

彙詮釋詩作，在充分反映人之常情的同時，亦可窺見他對傷至
之情之著意。最後大謝詩的部分，如同前文已多次提及，一般
對大謝詩的關注焦點多擺在景語的刻劃上，然而在吳評中，我
們卻常見到像是「一倍悽惻」（十四/363）、「何以堪」、「憤懣」、
「驚」、「痛」（十四/356-357）等述評詞彙，這意味著在吳淇眼中，
大謝之情時有高激之處，頗能呈現謝於官場上鬱悶之實情，當於
「景」外有費心留意之必要。

　　統而觀之，吳淇的品評中誠在在可見情辭間的緊密交融，形
製之由小至大、導向對情意的闡發；情思面除了可細緻見到吳淇
對此之一一揭示，他對傷至之情的費心闡述，更可說是對詩情之
極致展現。本書透過身體、時空等議題順勢探查吳之情辭觀，應
能合於筆者欲全面鑽研《六朝選詩定論》的目標。

第三節　《六朝選詩定論》之
謬失、價值與接受

　　透過前幾章的探討中已可看出，吳淇之評註偶有謬失，或
者於字義、考證上有誤；或者為了自圓其說，而出現解釋不當
的情形；另有穿鑿附會於政教而顯不妥處。首先就前文較少提
及，實亦受人詬病，即牽強政治者來談，諸如「『遠路』、『迴翩』、
『重巒』、『重深』，皆喻小人」（張載〈擬四愁詩〉九/211）、「……
見離多歡少，喻君臣聚會之難也」（謝惠連〈七月七日夜詠牛女〉
十四/392）……等，俱是這方面的例子。前例吳淇所指「遠路」

云云，或有阻隔阻礙之意，然遽將此釋為「小人」，恐過於偏頗；而謝惠連詠牛女之作，亦不盡然與君臣相關。此類評註確實落於傳統詩教之窠臼而不足取，這也可以看出吳尊經思想之偏失。然而這類品評之數量在《六朝選詩定論》中並不多，若因此而對該著全盤否定，亦非公允。

其次，就字義、考證之誤而言，例如釋張華〈情詩〉「襟懷擁虛景」之「景」為「景象」一類的意涵，實則「景」當釋之為「影」；將沈約〈學省愁臥〉「歲暮可言歸」之「歸」解釋為「歸鄉」而非「歸隱」，亦誤；把陸機〈君子有所思行〉中的「城郭」指為「建業」而非「洛陽」，則顯考證之失，此皆不得不為吳註有待修正之處。

至於為了自圓其說，而遽以己意闡述，於本文第三章至第七章的探討中亦可看出，像是將曹植〈公讌詩〉之「明月澄清景，列宿正參差。秋蘭被長坂，朱華冒綠池。潛魚躍清波，好鳥鳴高枝」解為「先『明月』二句，是仰寫，次『秋蘭』四句俯寫」（五/120），「好鳥鳴高枝」實不屬「俯寫」視野所能窺見之景；認為阮籍《詠懷‧夜中不能寐》之「徘徊將何見」，是「于野外寫所聞，正于室內無所見」（七/147），此「何見」是否只限於「室內」？恐有疑議，因為「徘徊」指稱之對象應該還包括於「室外」的孤鴻、翔鳥；至於解釋陸機〈赴洛道中作〉之二中之「頓轡」，「頓轡」前後詩人情緒有從「若醉若癡」到「徬徨」（十/234）之轉變，似亦不符史實，畢竟該作是以「不樂離鄉」作為中心要旨；另外認為王粲〈七哀詩〉「西京亂無象，豺虎方遘患……荊蠻非我鄉，何為久滯淫」為「西京久亂，卻曰『方』；荊州纔至，即曰『久』」（六/137），詩中之「方」應是正、

當下之意，而非時間甚短之謂。像上述這些例證，俱可看出吳淇的評註確實有謬失之處。

　　像二、三類這般有待商榷之述評，在前述各章的細部論述中皆已加註說明，錯誤或不盡然如此者固然得指出，然而容我們進一步思索的是，這樣的「謬失」所呈現的意義為何？事實上，這些有待商榷處正好可以看出吳淇在品評時，有屬於自己的一套體系，而得以窺見他對某些主題有特殊之關照。此處僅以前段所舉詩評為例，吳評曹植〈公讌詩〉之俯寫仰寫云云，正可見其對俯仰視角（視覺）之留意；解釋阮籍〈詠懷〉詩之有待商榷處，則可窺得其意欲突顯郊野室外（空間）、視聽覺間對比的用心；至於對陸機〈赴洛道中作〉之二的解讀，恐有藉頓彎等一系列動作（行止）展現詩情轉變之意圖；對王粲〈七哀詩〉之誤解，則是為了比對於西京、荊州時感受時間之短長。就詩歌鑑賞而言，當然有必要對評註內涵之正誤加以辨析暨釐清；但若就欲「成一家之言」這點而言，確實可見吳淇在評註時意欲展現自己一套想法的獨立意識。

　　此外，《六朝選詩定論》中亦有部分解釋稍嫌繚繞，致使評註層次不甚分明，而有「繁」而複沓之病，此亦四庫館臣譏之以「迂遠鮮當……其詮釋諸詩亦皆高而不切，繁而鮮要」[60]處。然而整體看來，吳評並非鬆散的隨性之言，雖偶有謬失，卻多能於合乎情理的揣度中，普遍展現出黃節所謂「獨見處殊多」[61]之樣貌，且其論述亦常呈現詳密的一面，又多能摘指詩中關鍵，實非「高而不切」且「鮮要」。這麼看來，四庫館臣以「俱」、「皆」

60　清・紀昀總纂：《四庫全書總目提要》，卷191，頁5216。
61　清・吳淇著，汪俊、黃進德點校：《六朝選詩定論》，點校說明頁4。

全盤否定《六朝選詩定論》的貢獻，誠有大幅修正之必要。

　　至於《六朝選詩定論》的價值，與第一章所言，也就是本文書寫之預期貢獻相互呼應，主要表現在詩歌批評史、六朝詩歌理解、古典詩學議題等三個面向。首先就詩歌批評史的部分來談，除了如第一章所言可以填補明末清初詩評發展之空白；若與吳淇之前的評注模式相較，亦可見到他的突破：吳淇之前的《選》詩評注以考證、文意串講居多；即便有所推衍，也以「直觀神悟」[62]的述評模式較為常見，也就是未具體扣合詩作，而是以概括、抽象式之評註指稱全詩予人之印象[63]，此亦古典詩評普遍之樣貌。像這般「印象式批評」的評注模式自有其迷人之處，「享有一種對如『禪』的妙悟的會心」[64]、「『默會感知』……這種批評方式充滿神祕經驗的色彩……開示了中國文化中個體生命內在心靈相互感通契合的最高理想」[65]，確實給予讀者不少體會玩味的空間。然而此類批評「缺少理論的分析」、「不免會使一些缺少『會心』而亟待引導的讀者難以滿意」[66]，這其中留下較多的空白，而容後人有不小揣摩的可能。這樣的批評模式即使發展至明清階段，不論是與吳淇（1615-1675）時代相近的陸時雍（1612-1670）《古詩鏡》、王夫之（1619-1692）《古詩評選》、

62　葉嘉瑩：〈關於評說中國舊詩的幾個問題〉，《迦陵談詩二集》(臺北：東大圖書，1999.10)，頁35。

63　例如《詩品》言劉楨「仗氣愛奇，動多振絕。真骨凌霜，高風跨俗。但氣過其文，雕潤恨少」(梁・鍾嶸著，王叔岷箋證：《鍾嶸詩品箋證稿》，卷上，頁156)、王夫之評陸機〈擬西北有高樓〉「曲折不浮，鼓如巨帆因風，自然千里」(清・王夫之：《古詩評選》，卷4，頁698)皆屬印象式批評。

64　葉嘉瑩：〈關於評說中國舊詩的幾個問題〉，《迦陵談詩二集》，頁40。

65　顏崑陽：〈文心雕龍「知音」觀念析論〉，《六朝文學觀念叢論》，頁237。

66　葉嘉瑩：〈關於評說中國舊詩的幾個問題〉，《迦陵談詩二集》，頁41。

陳祚明（1623-1674）《采菽堂古詩選》……等，或是其後沈德潛
（1673-1769）的《古詩源》，大體仍以此體例展現他們對詩作的
看法。如果說此類評注相對宏觀，不完全說盡、需讀者意領神
會的品評模式為「雅」，那麼吳淇《六朝選詩定論》的述評模式
便微觀許多，意即不以印象式述評為主，而是於前人考據、疏
通文意的基礎上，較毛鄭箋釋《詩經》、李善注《文選》這類「『箋
釋學』的批評系統」⁶⁷更進一步，透過接近逐句、相對縝密之分
析，大量辨析字句用語，在留意全詩架構之際，恰切帶出詩歌
之情思意蘊，並展現詩評家個人獨到之觀點，其品評模式類似
今日之鑒賞辭典⁶⁸，而表現出通「俗」的一面。因著這般的述評
模式，促使某些細微的分析暨比較成為可能，身體、時空等隱
形軸線正是在這樣的條件下成形。因此就詩歌批評史的發展而
言，吳淇確實於品評模式上另闢蹊徑，如此另闢蹊徑之重要意
義，在於因為評註模式的細膩、具體化，從而拓展了古典詩評
關照視野的深廣度，故能在明代對漢魏晉南朝詩歌已有不少質
量頗精之品評的狀況下，還能於述評內涵更上一層有所突破。

　　其次，就六朝詩歌的理解而言，除了如前文多次提及，可
使我們藉由吳淇之評反思對某些詩人、詩歌既定之印象；透過
對身體、時空等主題的探討，在在可見吳淇力圖具體呈現詩中
之情思是如何轉折與起伏，像這般詳切的闡述方式當有助於讀
者更精確地掌握詩作之情思，特別是與歷代詩評相較，吳淇在

---

67 顏崑陽：〈文心雕龍「知音」觀念析論〉，《六朝文學觀念叢論》，頁 207。
68 可參上海古籍出版社編：《先秦漢魏六朝詩鑑賞》(上海：上海古籍出版社，
　　1998.12)、吳小如、王運熙等撰寫：《漢魏六朝詩鑑賞辭典》……等著。甚至
　　連葉嘉瑩：《漢魏六朝詩講錄》(石家莊：河北教育出版社，1998.6)亦可歸屬
　　於此類。

闡發詩情之具體度與深刻度上多能更勝一籌，而能吸引更多普遍讀者之目光，這對《文選》詩之推廣與理解，誠不無貢獻。

第三，關於《六朝選詩定論》對古典詩學議題的貢獻，在視覺、聽覺、行止、時間、空間的主題論述中皆可窺得，就詩學議題發展的大方向而言，中國文化在先秦兩漢階段，對於身體的理解，或如儒家著意於仁義禮樂對於感官的涵養轉化，或如道家否定感官，或如《墨經》辨析感官與認知間的關係，或如《呂氏春秋》、《淮南子》等將感官放在陰陽五行與天人感應間探討[69]，整體而言與文學未有太大的關涉。發展至六朝，誠如本文第一章所言，因文學自覺獨立之影響，致使該階段出現不少以身體展現情感思維的作品，其後卻因歷朝印象式述評的侷限，必需等到吳淇對此述評模式有所突破，方得以細緻闡發《選》詩中之身體表現。

至於時空議題，最早而較明確提出時空概念者為《管子‧宙合》：「天地，萬物之橐，宙合有橐天地」[70]；而《說文解字》釋「時」為「四時也，從日，寺聲」[71]，釋「空」為「從穴，工聲」[72]，可見早期對於時空的認識，與大自然、生活空間脫離不了關係。在這之後將時空議題導入文學者，《文心雕龍‧物色》之說堪為代表，從「春秋代序，陰陽慘舒，物色之動，心亦搖

69　關於先秦兩漢感官觀念的探討，詳參陳昌明：《沉迷與超越：六朝文學之感官辯證》，頁 15-95。

70　唐‧房玄齡注，明‧劉績增注：《管子》，收於《二十二子》(上海：上海古籍出版社，1986)，頁 105。

71　漢‧許慎撰，清‧段玉裁注：《說文解字注》，頁 302。

72　同前註，頁 344。

焉」[73]，即可窺見時空對創作的重要影響[74]，時間部分可見傷春悲秋之傳統，空間則與情景議題脫離不了關係，歷來對時空的關懷未曾間斷。而發展至吳淇的品評時，可謂將歷朝對時間推移的焦慮做了更細緻而多層面的展現，例如推移之遲速、當下對過去、未來的作用等；至於他對空間的關懷，亦將泛泛的情景議題做了更深層的推衍，諸如人文性的空間、對方位的闡發等俱屬之。要之，吳評對時空議題當有深化、細緻之功。

此外，根據本文前幾章的論述，例如吳對視覺眺望的推闡帶出重視家國、君臣倫理的傳統；對聲聞的多方闡發則可見中國文化對樂音感染力的看重；對行止之述評表現出羈旅文化悲苦而無奈的相思情懷；對空間的品評也同時可見中國仕宦文化之樣貌……等，俱呈現吳將《選》詩內涵與整個中國文學、文化的大流脈相連繫，從而展現出宏觀的視野，這對古典詩學中情景、倫理……等議題的推進，誠有一定程度的貢獻。

至於《六朝選詩定論》在後世的接受情形，可分由評注體例、內涵兩方面觀之。先述前者。在吳淇以前，誠如本節論及《六朝選詩定論》價值的第一點所言，印象式評述乃詩評之大宗，而吳淇則是突破這樣的體例，轉以逐句解說、細論詩意為主要品評模式，其後像是張玉穀的《古詩賞析》[75]，甚或是現在坊間隨處可見的鑑賞辭典，述評模式與《六朝選詩定論》相仿，這些著作雖不盡然受吳淇影響，然而不可否認的是，就整個詩歌批評的發展流脈觀之，吳著之詮釋體例確實在具體詳釋詩作

---

73 南朝梁・劉勰著，周振甫注：《文心雕龍注釋》，頁845。
74 物色顯然必需在空間中展現。
75 書成於乾隆37年，西元1772年。

上佔有開先鋒之地位。

而《六朝選詩定論》在內涵上對後世之影響，則多表現在民國以後的著作中。首先就詩評彙編而言，像是隋樹森編輯的《古詩十九首集釋》，吳說即占了相當之比重；黃節的《魏文帝魏武帝詩注》、《曹子建詩注》、《阮步兵詩注》、《鮑參軍詩注》、《謝康樂詩注》、《謝宣城詩注》[76]等，更是頻頻引用吳說，類似這樣援引的情形若翻閱學界對六朝詩歌的解說，更是不勝枚舉，這意味著民國以後的學者對吳著應有相當程度之認同。

其次，就學界論文書寫的狀況而言，吳淇雖未明言「身體感」一類的辭彙，但從前文的探討中，確實可以窺見他對這方面有相當的留意，目前學界諸如陳昌明《沉迷與超越：六朝文學之感官辯證》對六朝詩作的感官解讀，其實早在吳淇的論述中已可窺得端倪。此外，像是蕭馳《玄智與詩興》中對《古詩十九首》的探討、朱曉海〈論陸機〈擬古〉十二首〉中的諸多分析，雖未明言受吳淇影響，實則其論述思維多處與吳相仿，正可見蕭、朱等人對吳說之認同，這也表示吳說具備相當之豐厚度，方得後人多方的關照。

在目前學界對漢魏晉南朝詩歌已有頗多研究而形成不少成見的狀況下，吳淇之說尚能開啟我們諸多可茲思索的空間與視野，《六朝選詩定論》於詩評史上的價值與貢獻理應受到彰顯才是。願本文之書寫，能夠在《六朝選詩定論》付梓三百五十年左右的今天，讓人們更好地見到該著之熠熠光輝。

---

76 俱為黃節編纂：《魏文帝魏武帝詩注》(臺北：藝文印書館，1977.7)、《曹子建詩注》(臺北：藝文印書館，1975.9)、《阮步兵詩注》(臺北：藝文印書館，2000.11)、《鮑參軍詩注》(臺北：藝文印書館，1977.3)、《謝康樂詩注》(臺北：藝文印書館，1987.10)。

參 考 文 獻

傳 統 文 獻

漢・許　慎撰，清・段　玉裁注：《說文解字注》（臺北：天工書
　　局，1998.8）

漢・鄭　玄注，唐・孔穎達疏：《禮記正義》（北京：北京大學出
　　版社，1999.12）

漢・鄭　玄注，唐・賈公彥疏：《周禮注疏》（北京：北京大學出
　　版社，1999.12）

漢・毛　亨傳，鄭　玄箋，唐・孔穎達疏：《毛詩正義》（北京：
　　北京大學出版社，1999.12）

魏・何　晏注，宋・邢　昺疏：《論語注疏》（北京：北京大學出
　　版社，1999.12）

魏・曹　操、曹　丕著，黃節編纂：《魏文帝魏武帝詩注》（臺北：
　　藝文印書館，1977.7）

魏・曹　植著，黃節編纂：《曹子建詩注》（臺北：藝文印書館，
　　1975.9）

魏・阮　籍著，黃節編纂：《阮步兵詩注》（臺北：藝文印書館，
　　2000.11）

晉・陸　機著，金濤聲點校：《陸機集》（北京：中華書局，1982）

晉・陸　機著，張少康集釋：《文賦集釋》（北京：人民文學出版社，2002.9）

晉・郭　璞注，宋邢昺疏，李傳書整理，徐朝華審定：《爾雅注疏》（北京：北京大學出版社，1999.12）

南朝宋・劉義慶撰，余嘉錫箋疏：《世說新語箋疏》（臺北：華正書局，2002.8）

南朝宋・謝靈運著，顧紹柏校注：《謝靈運集校注》（臺北：里仁書局，2004.4）

南著宋・謝靈運著，黃節編纂：《謝康樂詩注》（臺北：藝文印書館，1987.10）

南朝宋・鮑　照著，黃節編纂：《鮑參軍詩注》（臺北：藝文印書館，1977.3）

南朝齊・謝　朓著，曹融南校注集說：《謝宣城集校注》（上海：上海古籍出版社，2001.4）

南朝梁・劉　勰著，周振甫注：《文心雕龍注釋》（臺北：里仁書局，1998.9）

南朝梁・蕭　統編，唐・李善注：《文選》（臺北：五南圖書，2000.10）

南朝梁・蕭　統選編，唐・李善等註：《增補六臣註文選》（臺北：華正書局，1980.9）

南朝梁・鍾　嶸著，王叔岷箋證：《鍾嶸詩品箋證稿》（北京：中華書局，2007.7）

南朝梁・江　淹著，俞紹初、張亞新校注：《江淹集校注》（河南：中州古籍出版社，1994）

唐・房玄齡注，明・劉績增注：《管子》，收於《二十二子》（上海：上海古籍出版社，1986）

唐‧韓　愈著，馬其昶校注、馬茂元整理：《韓昌黎文集校注》（上海：上海古籍出版社，1998.3）

日‧遍照金剛撰，盧盛江校考：《文鏡祕府論彙校彙考》（北京：中華書局，2006.4）

宋‧張　戒著，陳應鸞校箋：《歲寒堂詩話校箋》（成都：巴蜀書社，2000.3）

宋‧姜　夔：《白石道人詩說》，收於清‧何文煥輯：《歷代詩話》（北京：中華書局，2001.11）

宋‧嚴　羽著，郭紹虞校釋：《滄浪詩話校釋》（北京：人民文學出版社，2006.6）

宋‧陸　游著，王欣點評：《老學庵筆記》（青島：青島出版社，2002.11）

宋‧范晞文：《對床夜話》，收於吳文治主編：《宋詩話全編》（南京：鳳凰出版社，2006.10）

宋‧葛立方：《韻語陽秋》，收於《宋詩話全編》

宋‧林希逸：《竹溪鬳齋十一稿續集》，收於《宋詩話全編》

宋‧楊冠卿：《客亭類稿》，收於《宋詩話全編》

宋‧范晞文：《對牀夜語》，收於《宋詩話全編》

宋‧宋　祁：《宋景文公筆記》，收於《宋詩話全編》

宋‧王觀國：《學林》，收於《宋詩話全編》

宋‧張表臣：《珊瑚鉤詩話》，收於《宋詩話全編》

宋‧葉夢得撰，逯銘昕校注：《石林詩話校注》（北京：人民文學出版社，2011.9）

宋‧洪興祖撰：《楚辭補注》（臺北：藝文印書館，1999.9）

元‧劉履編：《風雅翼》，《景印文淵閣四庫全書》（臺北：臺灣商

務，1983）

元・方回選評，李慶甲集評校點：《瀛奎律髓彙評・文選顏鮑謝詩評》（上海：上海古籍出版社，2005.4）

明・鍾　惺、譚元春輯：《古詩歸》，收於《續修四庫全書・集部・總集》（上海：上海古籍出版社，2002）

明・胡應麟：《詩藪・內編》，收於吳文治主編：《明詩話全編》（南京：鳳凰出版社，2006.1）

明・許學夷著，杜維沫校點：《詩源辯體》（北京：人民文學出版社，2001.10）

明・馮復京：《說詩補遺》，收於《明詩話全編》

明・劉履等著，隋樹森編：《古詩十九首集釋》（臺北：世界書局，2000.6）

明・朱承爵：《存餘堂詩話》，收於《明詩話全編》

明・王昌會：《詩話類編》，收於《明詩話全編》

明・謝　榛著，宛　平校點：《四溟詩話》（北京：人民文學出版社，2006.8）

明・皇甫汸：《皇甫司勳集卷》，收於《明詩話全編》

明・何良俊：《四友齋叢說》，收於《明詩話全編》

明・唐汝諤：《古詩解》，收於《四庫全書存目叢書》（臺南：莊嚴文化，1997.6）

明・賀貽孫：《詩筏》，收於《明詩話全編》

明・徐獻忠：《樂府原》，收於《明詩話全編》

明・馮惟訥：《馮少洲集》，收於《明詩話全編》

明・謝肇淛：《文海披波》，收於《明詩話全編》

明・王世貞：《弇州山人四部稿》，收於《明詩話全編》

明・王世貞著，陸潔棟、周明出批注：《藝苑巵言》（南京：鳳凰出版社，2009.12）

明・盧　柟：《蠛蠓集》，收於《明詩話全編》

明・方弘靜：《客談》，收於《明詩話全編》

明・袁宏道：《袁中郎全集》（合肥：黃山書社，2008，明崇禎刊本）

明・鍾　惺：《隱秀軒集》）合肥：黃山書社，2008）

明・陸時雍選評，任文京、趙東嵐點校：《古詩鏡》（保定：河北大學出版社，2010.3）

明・陳子龍著，上海文獻叢書編委會編：《陳子龍文集》（上海：華東師範大學出版社，1988）

清・吳　淇著，汪俊、黃進德點校：《六朝選詩定論》（揚州：廣陵書社，2009.8）

清・吳　淇：《雨蕉齋詩》，書林華茂生梓行刊本，河南圖書館藏

清・紀　昀總纂：《四庫全書總目提要》（石家莊：河北人民出版社，2000.3）

清・王夫之：《古詩評選》，收於《船山全書》第 14 冊（長沙：嶽麓書社，1989）

清・王夫之：《薑齋詩話》（北京：人民文學出版社，2006.8）

清・于光華編：《評注昭明文選》（臺北：學海出版社，1981.9）

清・沈德潛選：《古詩源》（北京：中華書局，2000.7）

清・沈德潛著，霍松林校注：《說詩晬語》（北京：人民文學出版社，2005.12）

清・宋徵璧：《抱真堂詩話》，收於郭紹虞編選：《清詩話續編》（上海：上海古籍出版社，1999.6）

清・王士禎：《漁洋山人感舊集》（上海，上海古籍出版社，2014）

清・王士禎：《河南通志》，收於《景印文淵閣四庫全書》（臺北：臺灣商務印書館，1983）

清・王士禎：《帶經堂詩話》（北京：人民文學出版社，2006.1）

清・張玉穀著，許逸民點校：《古詩賞析》（上海：上海古籍出版社，2000.12）

清・方東樹：《昭昧詹言》（臺北：漢京文化事業有限公司，1985.9）

清・王文濡：《古詩評註》（臺北：廣文書局，1982.4）

清・毛先舒：《詩辯坻》，收於《清詩話續編》

清・延君壽：《老生常談》，收於《清詩話續編》

清・湯　斌：《湯子遺書》，收於紀寶成主編：《清代詩文集匯編》（上海，上海古籍出版社，2010）第 102 冊

清・李重華：《貞一齋詩說》，收於郭紹虞編選，王夫之等撰：《清詩話》（上海：上海古籍出版社，1999.6）

清・潘德輿：《養一齋詩話》（北京：中華書局，2010）

清・陳祚明評選，李金松點校：《采菽堂古詩選》（上海：上海古籍出版社，2008.12）

清・楊　准輯，張中良、申少春校勘：《中州詩鈔》（鄭州：中州古籍出版社，1997）

近 人 論 著

丁功誼：《錢謙益文學思想研究》（上海：上海古籍出版社，2006.4）

上海古籍出版社編：《先秦漢魏六朝詩鑑賞》（上海：上海古籍出版社，1998.12）

王冠玉：《吳淇《六朝選詩定論》研究》）湖南：華東師範大學碩士論文，2016.5）

王明輝：《胡應麟詩學研究》（北京：學苑出版社，2006.2）

王利民：《王士禎詩歌研究》（北京：中華書局，2007.4）

王力堅：《六朝唯美詩學》（台北：文津出版社，1997.1）

王力堅：《魏晉詩歌的審美觀照》（臺北：文津出版社，2000.1）

王　繁：〈「山」月與「情」月——簡論南朝與初唐月詩中月景與詩情的關係〉，《寧波教育學院學報》11 卷 1 期（2009.2）

王令樾：《文選詩部探析》（臺北：國立編譯館，1996.7）

王　立：《中國古代文學十大主題》（臺北：文史哲出版社，1994.7）

王鵬坤、李寅生：〈中日古典詩歌中「蟬」意象的異同〉，《牡丹江大學學報》第 23 卷第 5 期（2014.5）

王　力主編：《王力古漢語字典》（北京：中華書局，2002.12）

王文進：《南朝山水與長城想像》（臺北：里仁書局，2008.6）

王鴻泰：〈明清間文人的女性品賞與美人意象的塑造〉，收於王璦玲主編：《明清文學與思想中之情、理、欲　文學篇》（臺北：中研院文哲所，2009.12）

王書才：《明清文選學述評》（上海：上海古籍出版社，2008.8）

王小婷：《清代《文選》學研究》（上海：上海古籍出版社，2014.9）

方錫球：《許學夷詩學思想研究》（安徽：黃山書社，2006.12）

仇小屏：《古典詩詞時空設計美學》（臺北：文津出版社，2002.11）

孔　儒：〈淺析唐詩中的月文化〉，《語文學刊》第 10 期（2010.5）

史成芳：《詩學中的時間概念》（長沙：湖南教育出版社，2001.6）

包亞明：〈空間、消費與城市文化〉，收於陳曉蘭編：《詩與思》（上海：學林出版社，2007.1）

朱曉海：〈論陸機〈擬古〉十二首〉，《臺大中文學報》第 19 期（2003.12）

汪湧豪：《風骨的意味》（南昌：百花洲文藝出版社，2001.10）

呂正惠：〈中國文學形式與抒情傳統〉，《抒情傳統與政治現實》（臺北：大安出版社，1989.9）

余舜德主編：《體物入微：物與身體感的研究》（新竹：國立清華大學出版社，2008.12）

何寄澎、許銘全：〈模擬與經典之形成、詮釋──以陸機〈擬古詩〉為對象的探討〉，《成大中文學報》第 11 期（2003.11）

何宗美：《文人結社與明代文學的演進》（北京：人民出版社，2011.3）

巫仁恕：《奢侈的女人──明清時期江南婦女的消費文化》（臺北：三民書局，2010.10）

宋　雪：〈月光中的大唐──從月亮意象論唐詩中的青春精神〉，《大眾文藝（理論）》第 20 期（2009）

宗白華：《美學散步》（上海：上海人民出版社，2002.12）

吳志達：《明代文學與文化》（武漢：武漢大學出版社，2010.6）

吳宏一：《清代文學批評論集》（臺北：聯經出版事業公司，1998.6）

吳小如、王運熙等撰寫：《漢魏六朝詩鑒賞辭典》（上海：上海辭書出版社，2004.3）

尚永亮、劉磊：〈蟬意象的生命體驗〉，《江海學刊》第 6 期（2000）

林沛穎、林昱成：〈從大腦的生理機制談聽覺理解困難〉，《特殊教育季刊》第 105 期（2007.12），

林家驪：《阮籍詩文集》（臺北：三民書局，2001.2）

周祖譔編選：《隋唐五代文論選》（北京：人民文學出版社，1999.1）

周質平：《公安派的文學批評及其發展》（臺北：臺灣商務印書館，

1986.5）

周曉琳、劉玉平：《空間與審美文化地理視域中的中國古代文學》
　　（北京：人民出版社，2009.9）

易聞曉：《公安派的文化闡釋》（濟南：齊魯書社，2003.5）

胡大雷：《文選詩研究》（桂林：廣西師範大學出版社，2000.4）

姜宇輝：《畫與真》（上海：上海人民出版社，2013.1）

侯迺慧：〈〈古詩十九首〉時間悲劇主題的意識層遞與自我治療〉，
　　《中國古典文學研究》第 8 期（2002.12）

侯立兵：〈漢魏六朝賦中的蟬意象〉，《求索》第 10 期（2007）

查清華：《明代唐詩接受史》（上海：上海古籍出版社，2006.7）

袁行霈：〈中國文學的地域性與文學家的地理分布〉，《袁行霈學術
　　文化隨筆》（北京：中國青年出版社，1998.4）

徐珍娟：〈音樂心理學──音樂聽覺和情緒的探討〉，《龍華學報》
　　第 16 期（2000.1）

涂光社：〈文學模擬的傳統和陸機《擬古詩》的再評價〉，《中國文
　　選學》（北京：學苑出版社，2007.9）

倪其心：〈關於《文選》和文選學〉，收於趙福海、陳宏天等編：《昭
　　明文選研究論文集（首屆昭明文選國際學術研討會）》（長春：
　　吉林文史出版社，1988.6）

胡幼峰：《清初虞山派詩論》（臺北：國立編譯館，1994.10）

孫之梅：《錢謙益與明末清初文學》（濟南：山東大學出版社，
　　2010.12）

陸德海：《明清文法理論研究》（上海：上海古籍出版社，2007.10）

崔海峰：《王夫之詩學範疇論》（北京：中國社會科學出版社，2006.1）

許良英，李寶恒，趙中立：《愛因斯坦文集》（北京：商務印書館，

2009.12）

陶水平：《船山詩學研究》（北京：中國社會科學出版社，2001.6）

陶慶梅：〈傷逝：《文選》詩歌的時間模式〉，《江海學刊》（1996）
　　第 5 期

陳　斌：《明代中古詩歌接受與批評研究》（上海：上海三聯書店，
　　2009.3）

陳廣宏：《竟陵派研究》（上海：復旦大學出版社，2006.8）

陳文新：《明代詩學的邏輯進程與主要理論問題》（武漢：武漢大
　　學出版社，2007.8）

陳國球：《胡應麟詩論研究》（香港：華風書局有限公司，1986.9）

陳秋宏：《六朝詩歌中知覺觀感之轉移研究》（臺北：新文豐，2015.9）

陳昌明：《沉迷與超越：六朝文學之感官辯證》（臺北：里仁書局，
　　2005.11）

陳文忠：《文學美學與接受史研究》（合肥：安徽人民出版社，2008）

陳　濤：〈漫話文學中的「聲景」〉，《文史雜誌》第 4 期（2004）

陳向春：《中國古典詩歌主題研究》（北京：高等教育出版社，2008.6）

莫礪鋒編，尹祿光校：《神女之探尋——英美學者論中國古典詩歌》
　　　（上海：上海古籍出版社，1994.2）

景獻力：〈吳淇《六朝選詩定論》對《選》詩的重新闡釋〉，《福州
　　大學學報》第 89 期（2009）

景獻力：《明清古詩選本個案研究》（福建：福建師範大學博士論
　　文，2005.4）

彭聃齡主編：《普通心理學》（北京：北京師範大學出版社，2014.9）

游志誠：《昭明文選學術論考》（臺北：學生書局，1996.3）

張永剛：《明末清初黨爭視閾下的錢謙益文學研究》（北京：鳳凰

出版社，2012.7）

張艷艷：《先秦儒道身體觀與其美學意義考察》（上海：上海古籍出版社，2007.6）

張春興：《現代心理學》（上海：上海人民出版社，2004.11）

張少康：《文心與書畫樂論》（北京：北京大學出版社，2006.12）

張堯均編：《隱喻的身體　梅洛—龐蒂身體現象學研究》（杭州：中國美術學院出版社，2006.7）

張　健：《清代詩學研究》（北京：北京大學出版社，1999.11）

張　健：《王士禛論詩絕句三十二首箋證》（臺北：文史哲出版社，1994.4）

張紅運著：《時空詩學》（銀川：寧夏人民出版社，2010.5）

張麗嫻：《吳淇《六朝選詩定論》批評方法研究》（江蘇：江南大學碩士論文，2017.6）

馮民生：《意象與視像》（北京：中國社會科學出版社，2015.1）

馮淑靜：《《文選》詮釋研究》（北京：中國社會科學出版社，2011.8）

馮小祿：《明代詩文論爭研究》（昆明：雲南人民出版社，2006.7）

曾智安：《清商曲辭研究》（北京：北京大學出版社，2009）

黃進德、汪俊：〈論吳淇及其《六朝選詩定論》〉，《揚州文化研究論叢》第 1 期（2009）

黃筱慧：〈追憶歲月年華中記憶的流逝與情感的重現〉，《哲學與文化》第 488 期（2015.1）

黃　河：《王士禛與清初詩歌思想》（天津：天津人民出版社，2002.1）

黃景進：《王漁洋詩論之研究》（臺北：文史哲出版社，1980.6）

楊松年：《王夫之詩論研究》（臺北：文史哲出版社，1986.10）

楊儒賓主編：《中國古代思想中的氣論及身體觀》（臺北：巨流圖

書公司，1997.2）

葉嘉瑩：《漢魏六朝詩講錄》（石家莊：河北教育出版社，1998.6）

葉嘉瑩：〈關於評說中國舊詩的幾個問題〉，《迦陵談詩二集》（臺北：東大圖書，1999.10）

葉嘉瑩：《葉嘉瑩說阮籍詠懷詩》（北京：中華書局，2007.1）

葉舒憲：《中國神話哲學》（北京：中國社會科學出版社，1992）

詹冬華：《中國古代詩學時間研究》（北京：中國社會科學出版社，2014.12）

靳極蒼：《阮籍詠懷詩詳解》（太原：山西古籍出版社，1999.9）

鄔國平、王鎮遠：《清代文學批評史》（上海：上海古籍出版社，1995.11）

鄔國平：《竟陵派與明代文學批評》（上海：上海古籍出版社，2004.9）

廖可斌：《明代文學復古運動研究》（北京：商務印書館，2008.11）

廖國偉：〈試論中國古典詩詞中的聽覺意象〉，《東岳論叢》，20 卷 6 期（1999.11）

廖蔚卿：《中古詩人研究》（臺北：里仁書局，2005.3）

趙志軍：〈明代後七子復古詩論的自然觀〉，收於徐中玉、郭豫適主編：《中國文論的我與他　古代文學理論研究 第二十七輯》（上海：華東師範大學出版社，2009.3）

魯迅著，吳中傑導讀：〈魏晉風度及文章與藥及酒之關係〉，《魏晉風度及其他》（上海：上海古籍出版社，2000.12）

劉苑如主編：《遊觀　作為身體技藝的中古文學與宗教》（臺北：中研院文哲所，2009.11）

劉文英：《中國古代的時空觀念》（天津：南開大學出版社，2000.9）

劉　暢：《史料還原與思辨索原》（天津：南開大學出版社，2006.12）

劉一錡：《吳淇《六朝選詩定論》研究》（遼寧：遼寧師範大學碩士論文，2011.4）

劉世南：《清詩流派史》（北京：人民文學出版社，2004.3）

鄭毓瑜：《六朝情境美學綜論》（臺北：臺灣學生書局，1996.3）

鄭毓瑜：《性別與家國》（臺北：里仁書局，2000.8）

鄭毓瑜：《文本風景：自我與空間的相互定義》（臺北：麥田，2005.12）

鄭婷尹：〈吳淇對抒情與擬作的看法——以《六朝選詩定論》評陸機擬古詩為例〉，《興大中文學報》第 31 期（2012.7）

鄭婷尹：《明代中古詩歌批評析論》（臺北：文史哲出版社，2013.3）

鄭婷尹：〈陳祚明之情辭觀及其評謝靈運詩中之情〉，《成大中文學報》第 41 期（2013.6）

蔣　寅：《王漁洋與康熙詩壇》（北京：中國社會科學出版社，2001.9）

蔣　寅：《清代文學論稿》（南京：鳳凰出版社，2009.6）

蔡鎮楚：《中國詩話史）修訂本）》（長沙：湖南文藝，2001.1）

蔡英俊：《中國古典詩論中「語言」與「意義」的論題》（臺北：學生書局，2001.4）

錢鍾書：〈通感〉，《七綴集）修訂本）》（上海：上海古籍出版社，1996.2）

蕭　馳：《抒情傳統與中國思想 王夫之詩學發微》（上海：上海古籍出版社，2003.6）

蕭　馳：《玄智與詩興》（臺北：聯經，2011.8）

蕭占鵬主編：《隋唐五代文藝理論匯編評注》（天津：南開大學出版社，2002.12）

龍迪勇：《空間敘事學》（北京：三聯書店，2015.8）

韓桂玲：《吉爾‧德勒茲身體創造學研究》（南京：南京師範大學

出版社，2011.8）

韓　志：《吳淇《六朝選詩定論》研究》（合肥：安徽師範大學碩士論文，2010.5）

簡錦松：《明代文學批評研究》（臺北：學生書局，1989.2）

顏崑陽：〈文心雕龍「知音」觀念析論〉，《六朝文學觀念叢論》（臺北：正中書局，1993.2）

蘇文清、嚴貞、李傳房，〈聲音與色彩意象之共感覺研究──以中國氣鳴樂器吹孔類（笛與簫）為例〉，《人文暨社會科學期刊》第2卷第2期（2006）

羅長青：〈李白、蘇軾詠月詩詞比較談〉，《惠州學院學報（社會科學版）》25卷1期）2005.2）

羅宗強：《明代文學思想史》（北京：中華書局，2013.1）

鐘張麗：《論吳淇《六朝選詩定論》「三際」中詩與樂的關係》（湖南：湖南師範大學碩士論文，2014.5）

龔維英：〈中華「日月文化」源流探索〉，《貴州社會科學學報》第4期（1988）

龔卓軍：《身體部署──梅洛龐蒂與現象學之後》（臺北：心靈工坊文化，2006.9）

日・吉川幸次郎著，鄭清茂譯：〈推移的悲哀（上）──古詩十九首的主題〉，收於《中外文學》第6卷第4期（1977.9）

日・吉川幸次郎著，鄭清茂譯：〈推移的悲哀（下）──古詩十九首的主題〉，收於《中外文學》第6卷第5期）1977.10）

日・鈴木虎雄著，洪順隆譯：〈魏晉南北朝時代的文學論〉，《中國詩論史》（臺北：臺灣商務印書館，1979.9）

日・松浪信三郎：《存在主義》（臺北：志文出版社，1992.5）

日・松浦友久：《李白詩歌抒情藝術研究》（上海：上海古籍出版社，1996）

日・松浦友久著，孫昌武、鄭天剛譯：《中國詩歌原理》（臺北：洪葉文化，1993.5）

日・栗山茂久著，陳信宏譯：《身體的語言——從中西文化看身體之謎》（臺北：究竟，2008.2）

日・野村順一：《色の秘密——最新色彩學入門》（東京：文藝春秋，2005）

日・堂薗淑子：〈何遜詩的風景——與謝朓詩之比較〉，收於蔡瑜編：《迴向自然的詩學》（臺北：臺大出版中心，2012.7）

法・莫里斯・梅洛龐蒂著，姜志輝譯：《知覺現象學》（北京：商務印書館，2005.7）

法・莫里斯・梅洛龐蒂著，楊大春譯：《眼與心》（北京：商務印書館，2007.6）

法・莫里斯・梅洛龐蒂：《行為的結構》（北京：商務印書館，2005.5）

法・加斯東・巴舍拉著，龔卓軍、王靜慧譯：《空間詩學》（臺北：張老師文化，2006.6）

美・安德魯・斯特拉桑著，王業偉、趙國新譯：《身體思想》（瀋陽：春風文藝出版社，1999.6）

美・魯道夫・阿恩海姆著，滕守堯譯：《視覺思維——審美直覺心理學》（成都：四川人民出版社，2007.7）

美・魯道夫・阿恩海姆著，滕守堯、朱疆源譯：《藝術與視知覺》（成都：四川人民出版社，2006.10）

美・戈列奇、澳・斯廷森：《空間行為的地理學》（北京：商務印

書館，2013.12）

德‧赫爾曼‧施密茨著，龐學銓、馮芳譯：《身體與情感》（杭州：浙江大學出版社，2012.8）

德‧赫爾曼‧施密茨：《新現象學》（上海：上海譯文出版社，1997.5）

德‧胡塞爾著，倪梁康等譯：《生活世界的現象學》（上海：上海譯文出版社，2005）

德‧海德格爾著，陳嘉映、王慶節合譯，熊偉校，陳嘉映修訂：《存在與時間）修訂譯本）》（北京：三聯書店，2008.6）

Clarke, Eric. Meaning and the Specification of Motion in Music, Musicae Scientiae, 2001

後 記

行路踽踽雖艱難，願得澄心映清巒

　　從影印店取回 23 萬字五千字左右的書稿，除了稍微有鬆一口氣的感覺，更多的則是萬分之感慨。生命中第三部專著的完成，未曾因有前兩次的經驗而稍得鬆懈，反而更感學術之路嚴謹之必要：幾個概念浮現腦海，如何以最精準而流暢的話語書寫出來，常是寫作過程中再三斟酌者；為了與吳淇的品評比較，在論文多處列出歷朝重要之詩評，隨便一筆貌似簡單的評注，背後則是由一個 840 萬字的龐大資料庫支撐[1]，專書寫作儘管稱不上如曹雪芹般字字血淚，然一字一句無非皆是重複修整不下十餘次所得；而論文的書寫又非耗上時間便能得到成果，這其中有著頗為嚴苛的要求，諸如邏輯的清晰度、立論環節的緊密

---

[1] 此乃筆者從博士班以來，一路整理魏晉至清代前期與六朝相關之詩評，該資料彙編計 10757 頁，共 50 冊，資料的完整度當較目前學界可見之彙編本更為齊全。例如陶淵明，身為後代諸多學者研究的對象，目前雖有北大、北師大中文系、北大中文系文學史教研室編：《陶淵明資料彙編》(北京：中華書局，2004.1)，且篇幅多達 418 頁，但根據筆者的蒐集，與陶淵明相關的詩評資料清代以前至少就有 860 頁。此外，像是謝靈運，顧紹柏校注：《謝靈運集校注》(臺北：里仁書局，2004.4)一書從頁 641 到 720 整理了從南朝到清代與大謝相關的「評叢」，然僅 79 頁，相較於筆者現有 610 頁(亦僅清代以前)的資料，孰詳孰略當明顯可見。換言之，以上列數字粗估，筆者所做的地毯式搜集應較目前市面可見的成書資料完整。

與合理性……等，換言之，頭腦必需隨時保持在最佳狀態，相信每一位走在學術道上的前輩們，都能深體箇中難以言喻之艱苦。

　　在四年多的寫作過程中，有許多點滴是很難忘懷的：身為大學教師，常常被人稱羨平日課少、有長長的寒暑假，殊不知沒有統一規範的教材，在課程設計上往往耗費極多時間，而學術論文寫作「責任制」的性質，往往在深夜十點哄完小孩入睡後，還得努力在書桌前斟酌某個想法該如何貼切地以文字表達；亦曾多次於餐桌前食不知味，只因腦海中不停地思考某段論述的邏輯是否清晰；另一方面，更是拜智慧型手機所賜，往往在通勤的路上藉此輸入論文的片段，以求可以更有效率地運用時間；其中最讓人印象深刻的，是「聽覺」這部分的初稿，竟然是躺在奇美醫院安胎時，以平板電腦採取很彆扭的姿態完成（幸好小妍妍順利地來到這個世界上）。一直以來，生活總是在很緊湊的步調中進行，也許真該奢侈地給自己多一點放慢腳步、悠閒地品嚐咖啡的時光。

　　這本專書中的多數篇章已通過期刊論文之審查，然而過程自也是跌跌撞撞，曾經遇過審查委員單看題目就從根本上做出否定，認為何以不做六朝詩歌的研究，而要處理詩歌批評？拿到審查意見時百口莫辯，那種挫折只能於案牘前化為奮發的力量繼續往前。然而更多的，是諸多匿名審查委員們（包括科技部計畫的審查委員）的鼓舞，衷心感謝您們提供諸多善意而有建設性的意見，使我能恰切地釐清許多概念與想法，而將論文修改得更臻完善，沒有您們費心地指導，是無法成就這本專書的。

　　此外，文史哲出版社彭雅雲女士幫忙出版拙作，以其豐富的經驗給予不少中肯的建議，並頗有效率地往返書籍的排版、校稿，乃專著得以面世的重要推手。博士論文已蒙彭正雄社長關照，復於四年半後的今天再次受到支持，感激之心誠溢滿胸懷。

　　於私，能夠完成這本專著，家人們無疑是我強力的後盾。父母親鄭福川先生、戴金女女士自不待言，從大學起便全力支持我追逐文學的夢想；妍妍出生後淑美小阿姨更是於平常日入住家中，和母親一同照料兩個調皮又失控的小傢伙，使我能有比較完整的時間可以書寫論文；外子家博則是商討論文的對象，除了成為自己專屬的英文翻譯，亦常被我纏著一起思考標題該如何訂定；假日勞請公公專車接送回婆家後，婆婆也常體貼地看顧小孩，小姑好如更常以風一般的速度結束晚餐，幫忙餵食小不點，這些都使自己在多重壓力下能夠稍微喘一口氣，當晚上睡前聽到謙謙和妍妍以稚嫩的語調大喊：「媽咪！祝你好運旺旺來！」、「給媽媽打勾勾，獎品」時，確實為疲憊的心靈帶來一些慰藉。

　　工作的書房窗外，是一片蔚藍的天空和翠蔭的風鈴木，但願接下來的日子裡，仍能靜享這歲月之美好。

　　　　　　　　　　　　　　　　鄭婷尹 2017 年 12 月於府城新市